하이탑 무료 스

첫째 QR코드 스캔하여 1초 만에 바로 강의 시청

둘째 최적화된 강의 커리큘럼으로 학습 효과 UP!

1권 초등 과학 개념 강의
학습시 강의를 활용하여 빈틈없는 개념 완성

2권 심화 문제 풀이 강의
창의 서술형 문제 풀고, 심화 문제 풀이 강의로 마무리하여 영재고·영재원 입시 완벽 대비

특별 부록 3학년 개념 강의
특별 제공되는 3학년 개념 강의로 빠르게 3학년 학습 정리

#하이탑#초등과학#개념강의#무료

하이탑 **초등 과학 4학년** 강의 목록

하이탑
초등 과학 4학년
학습 계획표

학습 계획표를 따라
차근차근 과학 공부를
시작해 보세요.
하이탑과 함께라면
과학 공부, 어렵지 않습니다.

구분	단원명	교재 쪽수		학습한 날		
		1권 개념	2권 심화			
1학기	1. 과학자처럼 탐구해 볼까요?	8～15쪽		1일차	월	일
	2. 지층과 화석	16～21쪽		2일차	월	일
		22～25쪽		3일차	월	일
		26～29쪽		4일차	월	일
		30～35쪽		5일차	월	일
			8～15쪽	6일차	월	일
	3. 식물의 한살이	36～41쪽		7일차	월	일
		42～45쪽		8일차	월	일
		46～51쪽		9일차	월	일
		52～55쪽		10일차	월	일
		56～61쪽		11일차	월	일
			16～23쪽	12일차	월	일
	4. 물체의 무게	62～67쪽		13일차	월	일
		68～71쪽		14일차	월	일
		72～75쪽		15일차	월	일
		76～81쪽		16일차	월	일
			24～31쪽	17일차	월	일
	5. 혼합물의 분리	82～87쪽		18일차	월	일
		88～93쪽		19일차	월	일
		94～97쪽		20일차	월	일
		98～103쪽		21일차	월	일
			32～39쪽	22일차	월	일
2학기	1. 식물의 생활	8～13쪽		1일차	월	일
		14～17쪽		2일차	월	일
		18～21쪽		3일차	월	일
		22～27쪽		4일차	월	일
			40～47쪽	5일차	월	일
	2. 물의 상태 변화	28～35쪽		6일차	월	일
		36～39쪽		7일차	월	일
		40～43쪽		8일차	월	일
		44～47쪽		9일차	월	일
		48～53쪽		10일차	월	일
			48～55쪽	11일차	월	일
	3. 그림자와 거울	54～59쪽		12일차	월	일
		60～63쪽		13일차	월	일
		64～67쪽		14일차	월	일
		68～71쪽		15일차	월	일
		72～77쪽		16일차	월	일
			56～63쪽	17일차	월	일
	4. 화산과 지진	78～83쪽		18일차	월	일
		84～87쪽		19일차	월	일
		88～91쪽		20일차	월	일
		92～99쪽		21일차	월	일
			64～71쪽	22일차	월	일
	5. 물의 여행	100～106쪽		23일차	월	일
		107～111쪽		24일차	월	일
			72～79쪽	25일차	월	일

4학년 1학기 · 2학기

개념

HIGHTOP

하이탑 초등 과학

1학기 HIGHTOP

초등 과학의 구성과 특징

Start **1단계**

① 만화로 보는 주제

단원 시작 전에 한 컷 만화로 핵심 주제에 대해 알고 하이탑 시작!

② 개념 학습

과학 이야기를 읽듯이 차근차근 읽다 보면 과학 개념을 체계적으로 이해할 수 있습니다.

③ Mini 탐구

과학 교과서의 기본 탐구를 개념 학습과 함께 익힐 수 있습니다.

5 혼합물의 분리

1 알갱이 크기가 다른 혼합물 분리

개념 강의

① 만화로 보는 '혼합물'

② 1. 혼합물

(1) **혼합물** 두 가지 이상의 물질이 성질이 변하지 않은 채 서로 섞여 있는 것을 혼합물이라고 한다.

(2) **생활 속에서 찾을 수 있는 혼합물** – 김밥, 비빔밥, 피자, 꿀물, 김치 등도 혼합물이다.

▲ 팥빙수는 팥, 얼음, 과일 등이 섞여 있는 혼합물이다.

▲ 역암은 자갈, 모래 등으로 이루어진 혼합물이다.

▲ 바닷물은 여러 가지 물질이 섞여 있는 혼합물이다.

순물질과 혼합물
- 한 가지 물질로만 이루어진 물질은 순물질이다.
  예 설탕, 소금, 물, 산소 등
- 두 가지 이상의 순물질이 섞여 있는 물질은 혼합물이다.
  예 김밥, 피자, 설탕물 등

③ **Mini 탐구** 여러 가지 재료로 간식 만들기

과정
1. 시리얼, 초콜릿, 말린 과일 등의 모양과 색깔을 관찰한다.
2. 준비한 재료 중 두세 가지를 선택한 뒤 섞어서 간식을 만든다.
3. 눈가리개로 눈을 가리고 친구가 만든 간식을 한 숟가락 먹어 본 뒤에 간식의 재료를 알아맞혀 본다.
4. 3에서 간식의 재료를 알아맞힐 수 있었던 까닭을 이야기해 본다.

결과 간식 재료의 특징 예

간식 재료	모양	색깔	맛
시리얼	원 모양, 주름이 많다.	황토색	고소하다.
초콜릿	둥글다.	빨간색, 노란색, 파란색 등	달다.
건포도	둥글고, 주름이 많다.	검은색 또는 진한 보라색	달다.
말린 바나나	납작한 원 모양이다.	노란색	달다.

▶ 여러 가지 재료를 섞어 간식을 만들어도 간식 재료의 맛은 변하지 않기 때문에 눈을 가리고 간식을 먹어도 재료를 알아맞힐 수 있다.

84 하이탑 초등 과학 4－1

“

과학 고수가 되는 길!

초등부터 HIGHTOP(하이탑)과 함께라면
과학 공부 어렵지 않아요.

”

2단계

2. 혼합물의 분리

(1) 혼합물을 분리하면 좋은 점 혼합물을 분리하면 원하는 물질을 얻을 수 있고, 이를 우리 생활의 필요한 곳에 이용할 수 있다. – 우리 주변의 물질은 대부분 혼합물이다.

(2) 혼합물을 분리하는 경우

① 금을 얻기 위해서는 광산에서 직접 캐기도 하지만 강에서 모래나 흙에 섞여 있는 금을 골라내기도 한다. 이렇게 얻은 금으로 장신구를 만든다.

② 사탕수수에서 분리한 설탕으로 사탕을 만든다. 분리한 물질을 다른 물질과 섞어 생활에 필요한 물질(혼합물)을 만들 수 있다.

▲ 사탕수수 ▲ 설탕 ▲ 사탕

용어
- 분리 무엇에서 떨어져 나가는 것. 또는 따로 떼어 내는 것.
- 광산 금, 은, 철 등과 같은 광물을 캐내는 곳.

재활용품 분리배출

- 종류에 따라 분리하여 배출하면 자원을 재활용할 수 있다.
- 자원을 재활용하면 자원과 에너지를 절약할 수 있다.

4

보충 플러스 우리 몸의 혈액도 혼합물

몸의 구석구석을 돌면서 산소와 영양분을 공급하여 주는 혈액은 크게 고체인 혈구와 액체인 혈장으로 이루어져 있다. 혈액을 눈으로 보면 붉은색 액체처럼 보이지만, 고체인 혈구를 분리해 내면 혈장이 남아 노란색 액체로 보인다. 한 물질인 것처럼 보이는 혈액도 여러 가지 물질이 섞여 있는 혼합물이다.

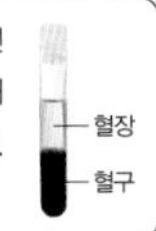

3. 크기가 다른 고체 알갱이가 섞인 혼합물 분리하기 – 혼합물에 섞여 있는 알갱이의 크기와 체의 눈 크기를 잘 살펴본다.

(1) 콩, 팥, 좁쌀의 혼합물 분리 눈의 크기가 알맞은 체를 사용하면 여러 개의 알갱이를 쉽게 분리할 수 있다. 탐구 86쪽

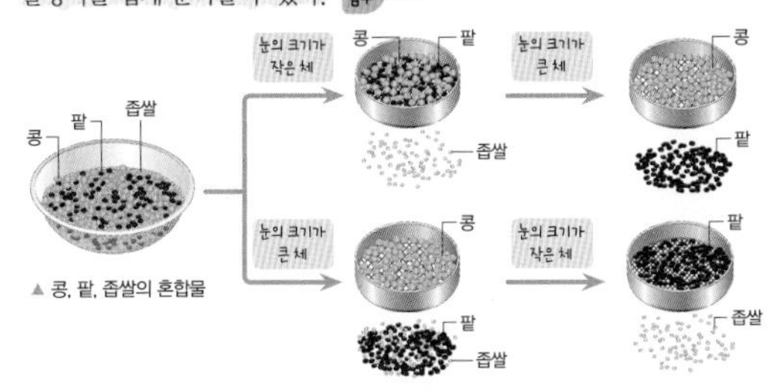

▲ 콩, 팥, 좁쌀의 혼합물

(2) 생활 속에서 알갱이의 크기 차이를 이용하여 혼합물을 분리하는 경우

① 공사장에서 모래와 자갈을 분리할 때 체를 사용한다.

② 정수기를 사용하여 물에 섞여 있을 수 있는 불순물을 제거한 후 마신다.

③ 해변 쓰레기 수거 장비는 체를 사용해서 체의 눈의 크기보다 작은 모래와 체의 눈의 크기보다 큰 플라스틱 조각, 동전 등을 분리하여 쓰레기를 수거한다.

용어
- 체 굵은 알갱이를 걸리게 하고 작은 알갱이나 가루, 액체를 빠져나가게 하는, 촘촘한 그물이나 철망이 바닥에 달린 도구.
- 불순물 순수한 물질에 섞여 있는 순수하지 않은 물질.

5. 혼합물의 분리 85

4 보충 플러스

과학 원리에 대한 보충 설명으로 개념을 더 쉽게 이해할 수 있습니다.

5 심화

초등 과학 개념보다 확장된 내용으로 이해의 폭을 넓힐 수 있습니다.

심화 거름의 원리

여과라고도 하는 거름은 액체와 고체의 혼합물을 입자(알갱이)의 크기 차이를 이용하여 분리하는 방법이다. 이때 거름종이와 같은 필터는 혼합물을 분리하는 역할을 한다. 혼합물에서 크기가 필터의 구멍보다 큰 입자는 필터를 통과할 수 없지만, 크기가 필터의 구멍보다 작은 입자와 물과 같은 액체는 필터를 통과한다.

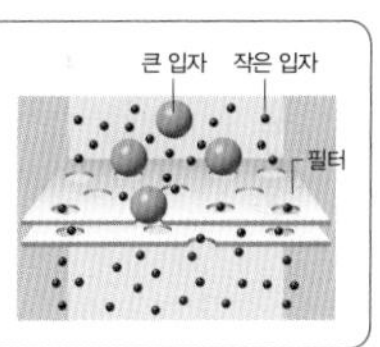

무료 스마트러닝

• 1권 초등 과학 개념 강의

개념 동영상 강의를 보고 들으면서 좀 더 쉽게 학습할 수 있습니다.

2 단계

① 교과서 속 탐구

과학 교과서의 핵심 탐구를 과정, 결과, 알 수 있는 사실까지 꼼꼼하게 정리할 수 있습니다.

② 탐구문제

탐구 관련 문제를 풀면서 탐구로 알 수 있는 사실을 다시 한 번 정리할 수 있습니다.

③ 확인 문제

문제를 풀면서 오늘 공부한 개념을 정리하고 다질 수 있습니다.

1 교과서 속 탐구

콩, 팥, 좁쌀의 혼합물 분리하기

과정
1. 콩, 팥, 좁쌀의 혼합물을 손으로 골라내어 다른 그릇에 담아 분리해 본다.
2. 눈의 크기가 다른 체 두 개를 사용하여 혼합물을 분리해 본다.

눈의 크기가 작은 체: 팥의 크기 > 눈의 크기 > 좁쌀의 크기
눈의 크기가 큰 체: 콩의 크기 > 눈의 크기 > 팥의 크기

3. 손으로 분리하는 방법과 체로 분리하는 방법을 비교한다.

결과

1 콩, 팥 / 좁쌀 → 2 콩 / 팥

1 눈의 크기가 작은 체 사용
체의 눈의 크기보다 알갱이의 크기가 큰 콩, 팥이 체 위에 남고, 좁쌀이 체 아래로 먼저 분리된다.
2 눈의 크기가 큰 체 사용
체 위에 콩이 남고, 팥이 체 아래에 분리된다.

1 콩 / 팥, 좁쌀 → 2 팥 / 좁쌀

1 눈의 크기가 큰 체 사용
체의 눈의 크기보다 알갱이의 크기가 큰 콩만 체 위에 남고, 팥과 좁쌀이 체 아래로 떨어진다.
2 눈의 크기가 작은 체 사용
체 위에 팥이 남고, 좁쌀이 체 아래에 분리된다.

- 손으로 분리하면 시간이 오래 걸리고, 크기가 작은 좁쌀은 손으로 집기도 어렵다.
- 체와 같은 도구를 사용하면 빠른 시간 내에 혼합물을 효과적으로 분리할 수 있다.

알 수 있는 사실
▶ 콩, 팥, 좁쌀의 혼합물은 알갱이의 크기가 각각 다른 점을 이용하여 분리할 수 있다.
▶ 알갱이의 크기가 다른 고체 혼합물을 분리할 때 체를 사용하면 쉽게 분리할 수 있다.

탐구 문제 2 (정답과 해설 20쪽)

1 검은콩, 팥, 쌀의 알갱이의 크기가 다음과 같을 때 눈의 크기가 검은콩보다 작고 팥보다 큰 체를 사용하면 검은콩, 팥, 쌀의 혼합물에서 무엇을 먼저 분리할 수 있는지 쓰시오.

검은콩 > 팥 > 쌀

( )

2 콩, 팥, 좁쌀의 혼합물을 손으로 분리하거나 체로 분리하는 방법에 대해 옳게 말한 사람의 이름을 쓰시오.

- 한결: 크기가 작은 좁쌀은 손으로 분리하기 쉬워.
- 도겸: 체를 사용하여 분리하면 빠르게 혼합물을 분리할 수 있어.
- 서준: 손으로 분리하면 체로 분리할 때보다 더 빠르게 분리할 수 있어.

( )

86 하이탑 초등 과학 4-1

3 확인 문제 (정답과 해설 20쪽)

1 두 가지 이상의 물질이 성질이 변하지 않은 채 서로 섞여 있는 것에 해당하지 않는 것의 기호를 쓰시오.

㉠ 소금 ㉡ 설탕물 ㉢ 비빔밥

( )

2 여러 가지 과일로 샐러드를 만들기 전과 만든 후에 관찰한 내용을 옳게 말한 사람의 이름을 쓰시오.

- 현우: 과일의 색깔은 변했지만 맛은 변하지 않았어.
- 민아: 과일 샐러드를 만든 후에 각 과일의 냄새가 변했어.
- 지찬: 과일 샐러드를 만든 후의 맛이 만들기 전과 달라지지 않았어.

( )

3 생활에서 많이 사용되는 순수한 구리는 구리 광석에서 얻습니다. 이처럼 혼합물을 분리하면 좋은 점으로 옳은 것을 보기에서 두 가지 골라 기호를 쓰시오.

구리 광석 → 순수한 구리

보기
㉠ 혼합물의 종류를 줄일 수 있다.
㉡ 생활에서 필요한 물질을 얻는다.
㉢ 다른 물질과 섞어서 필요한 곳에 이용한다.

( )

4 다음은 사탕의 비닐에 붙어 있는 표시 내용입니다. 내용 중 혼합물을 나타내는 단어를 찾아 쓰시오.

식품위생법에 의한 한글표시사항
제품명: 너무달콤해 사탕
원산지: 대한민국
제조사: Dong－a
유통기한: 제품별도표기
원료명: 물, 설탕, 소금
비닐류 OTHER

( )

5 검은콩, 쌀, 좁쌀이 섞인 혼합물의 특징을 보고 혼합물을 분리하기 위해 필요한 체를 모두 골라 ○표 하시오.

- 검은콩은 둥근 모양이고 검은색이며, 알갱이의 크기가 가장 크다.
- 쌀은 좁고 길쭉한 모양이고 흰색이며, 알갱이의 크기가 검은콩보다 작고 좁쌀보다 크다.
- 좁쌀은 둥근 모양이고 노란색이며, 알갱이의 크기가 가장 작다.

(1) 눈의 크기가 좁쌀보다 작은 체 ( )
(2) 눈의 크기가 쌀보다 작고 좁쌀보다 큰 체 ( )
(3) 눈의 크기가 검은콩보다 작고 쌀보다 큰 체 ( )

6 위 5번 답으로 혼합물을 분리하는 것은 알갱이의 어떤 차이를 이용한 것인지 보기에서 골라 기호를 쓰시오.

보기
㉠ 알갱이의 맛 ㉡ 알갱이의 무게
㉢ 알갱이의 색깔 ㉣ 알갱이의 크기

( )

5. 혼합물의 분리 87

3 단계 심화→

① 단원평가

학교에서 실시하는 단원평가에 자주 출제되는 문제 유형으로 구성하였습니다. 문제를 푼 후 틀린 문제는 자세한 풀이를 보면서 확실하게 이해할 수 있습니다.

② 서술형 문제

서술형 문제를 풀면서 답을 쓸 때 꼭 들어가야 하는 핵심 내용을 정리하는 습관을 들일 수 있습니다.

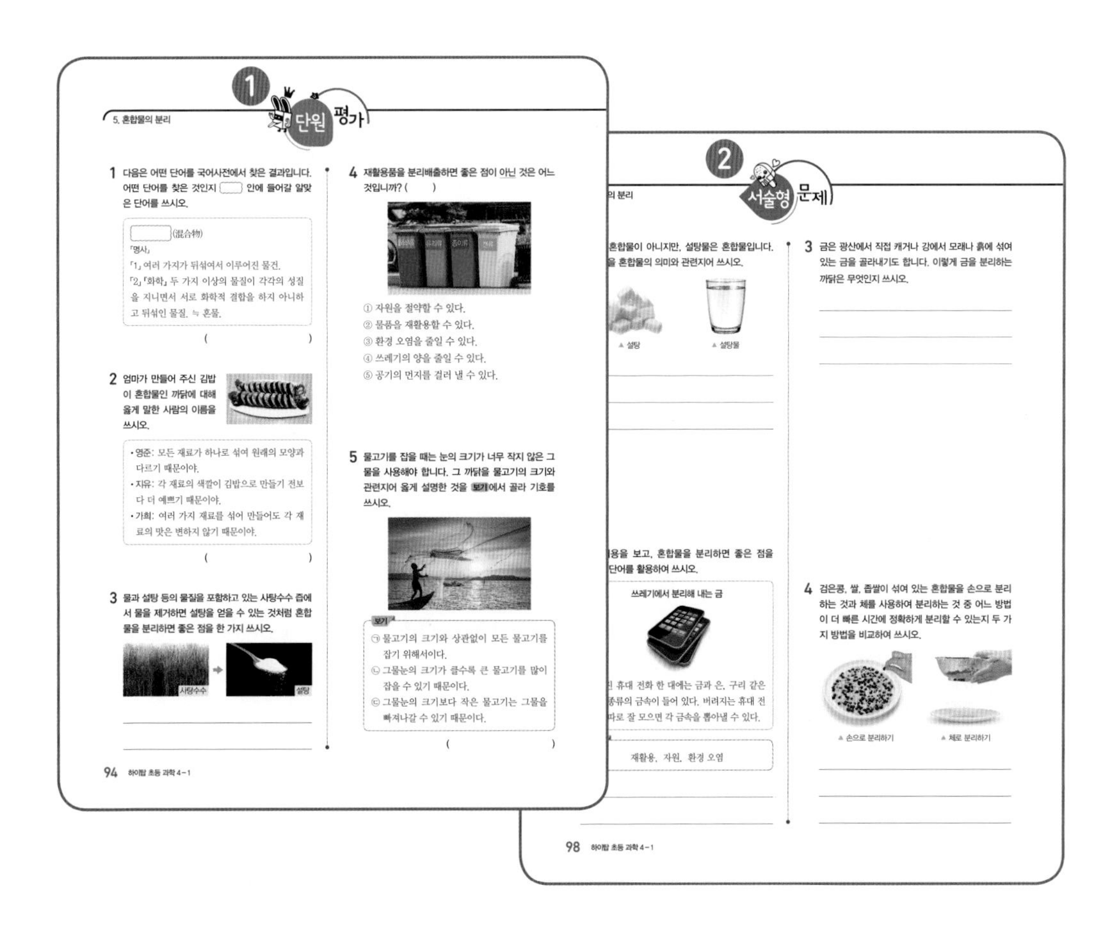
5. 혼합물의 분리

① 단원 평가

1 다음은 어떤 단어를 국어사전에서 찾은 결과입니다. 어떤 단어를 찾은 것인지 [ ] 안에 들어갈 알맞은 단어를 쓰시오.

[ ](混合物)
「명사」
「1」 여러 가지가 뒤섞여서 이루어진 물건.
「2」『화학』 두 가지 이상의 물질이 각각의 성질을 지니면서 서로 화학적 결합을 하지 아니하고 뒤섞인 물질. ≒ 혼물.

( )

2 엄마가 만들어 주신 김밥이 혼합물인 까닭에 대해 옳게 말한 사람의 이름을 쓰시오.

- 영준: 모든 재료가 하나로 섞여 원래의 모양과 다르기 때문이야.
- 지유: 각 재료의 색깔이 김밥으로 만들기 전보다 더 예쁘기 때문이야.
- 가희: 여러 가지 재료를 섞어 만들어도 각 재료의 맛은 변하지 않기 때문이야.

( )

3 물과 설탕 등의 물질을 포함하고 있는 사탕수수 즙에서 물을 제거하면 설탕을 얻을 수 있는 것처럼 혼합물을 분리하면 좋은 점을 한 가지 쓰시오.

사탕수수 → 설탕

4 재활용품을 분리배출하면 좋은 점이 아닌 것은 어느 것입니까? ( )

① 자원을 절약할 수 있다.
② 물품을 재활용할 수 있다.
③ 환경 오염을 줄일 수 있다.
④ 쓰레기의 양을 줄일 수 있다.
⑤ 공기의 먼지를 걸러 낼 수 있다.

5 물고기를 잡을 때는 눈의 크기가 너무 작지 않은 그물을 사용해야 합니다. 그 까닭을 물고기의 크기와 관련지어 옳게 설명한 것을 보기에서 골라 기호를 쓰시오.

보기
㉠ 물고기의 크기와 상관없이 모든 물고기를 잡기 위해서이다.
㉡ 그물눈의 크기가 클수록 큰 물고기를 많이 잡을 수 있기 때문이다.
㉢ 그물눈의 크기보다 작은 물고기는 그물을 빠져나갈 수 있기 때문이다.

( )

94 하이탑 초등 과학 4-1

의 분리

② 서술형 문제

혼합물이 아니지만, 설탕물은 혼합물입니다.
을 혼합물의 의미와 관련지어 쓰시오.

▲ 설탕 ▲ 설탕물

용을 보고, 혼합물을 분리하면 좋은 점을
단어를 활용하여 쓰시오.

쓰레기에서 분리해 내는 금

진 휴대 전화 한 대에는 금과 은, 구리 같은
종류의 금속이 들어 있다. 버려지는 휴대 전
따로 잘 모으면 각 금속을 뽑아낼 수 있다.

재활용, 자원, 환경 오염

3 금은 광산에서 직접 캐거나 강에서 모래나 흙에 섞여 있는 금을 골라내기도 합니다. 이렇게 금을 분리하는 까닭은 무엇인지 쓰시오.

4 검은콩, 쌀, 좁쌀이 섞여 있는 혼합물을 손으로 분리하는 것과 체를 사용하여 분리하는 것 중 어느 방법이 더 빠른 시간에 정확하게 분리할 수 있는지 두 가지 방법을 비교하여 쓰시오.

▲ 손으로 분리하기 ▲ 체로 분리하기

98 하이탑 초등 과학 4-1

1학기 HIGHTOP

초등 과학의 차례

개념

1 과학자처럼 탐구해 볼까요?

2 지층과 화석

3 식물의 한살이

물체의 무게

혼합물의 분리

1 과학자처럼 탐구해 볼까요?

1 과학 탐구하기

선수 학습

- 3~4학년군
  과학자는 어떻게 탐구할까요?
  재미있는 나의 탐구

이 단원의 학습

- 3~4학년군
  과학자처럼 탐구해 볼까요?

후속 학습

- 5~6학년군 **과학자는 어떻게 탐구할까요?**
  재미있는 나의 탐구
  과학자처럼 탐구해 볼까요?

과학 탐구하기

만화로 보는
'과학 탐구'

관찰할 때 사용할 수 있는 감각 기관
- 관찰은 눈, 코, 입(혀), 귀, 피부의 다섯 가지 감각 기관을 사용한다.
- 감각 기관만으로 관찰하기 어려울 때에는 돋보기, 현미경, 청진기 등의 관찰 도구를 사용한다.

▲ 액체의 부피 측정

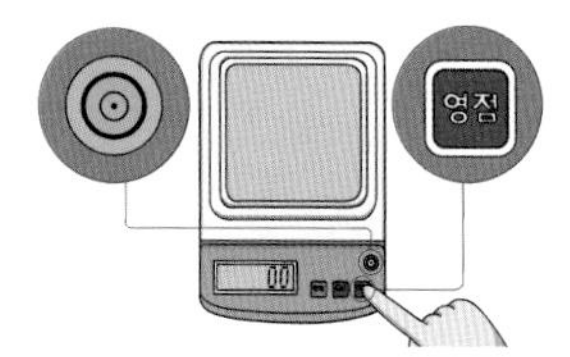

▲ 전자저울

- **약포지** 약을 싸는 종이.

1. 과학적인 관찰 방법

변화가 일어나는 대상을 관찰할 때에는 변화가 일어나기 전, 변화가 일어나는 중, 변화가 일어난 후의 모습을 모두 관찰한다. ─ 시간의 흐름에 따라 변화를 중심으로 관찰한다.

Mini 탐구 탄산수가 만들어지는 과정 관찰하기

과정

1. 투명한 유리컵에 물을 $\frac{2}{3}$ 정도 붓는다.
2. 식용 소다를 약숟가락으로 한 숟가락 떠서 1의 유리컵에 넣은 뒤 유리 막대로 저어 준다.
3. 식용 구연산을 약숟가락으로 한 숟가락 떠서 2의 유리컵에 넣은 뒤 유리 막대로 저어 준다. ─ 식용 소다를 넣은 약숟가락과 다른 약숟가락을 사용한다.

결과

변화 과정	변화가 일어나기 전	변화가 일어나는 중	변화가 일어난 후
모습			
관찰한 내용	• 식용 구연산을 만져 보니 까끌까끌하다. • 식용 소다가 유리컵 바닥에 가라앉는다.	• 식용 구연산을 넣었더니 거품이 발생한다. • 식용 구연산을 넣었을 때 '칙' 하는 소리가 난다.	• 시간이 지나자 거품의 높이가 낮아진다. • 탄산수의 색깔이 다시 투명해진다.
감각 기관	피부, 눈	눈, 귀	눈

2. 과학적인 측정 방법

관찰하는 대상을 정확하게 측정하기 위해서는 알맞은 측정 도구를 선택하여 올바른 방법으로 사용해야 한다.

(1) **액체의 부피 측정** 눈금실린더를 편평한 곳에 놓은 후 액체의 가운데 오목한 부분에 눈높이를 수평으로 맞춰 눈금을 읽는다. ─ 눈금실린더를 편평한 곳에 놓고 부피를 측정한다.

(2) **가루 물질의 무게 측정** 전자저울을 편평한 곳에 놓은 후, 전자저울 위에 •약포지를 올린 뒤 영점 단추를 누른다. 영점이 맞으면 측정할 가루 물질을 약포지 위에 올린다. ─ 전자저울을 편평한 곳에 놓고, 무게를 측정하기 전에 반드시 영점을 맞춘다.

3. 과학적인 예상 방법 교과서 속 탐구 12쪽

과학적으로 예상하기 위해서는 이미 측정한 값에서 규칙을 찾아야 한다. 측정한 값이 많을수록 규칙을 쉽게 찾아낼 수 있다. ─ 규칙을 찾아내면 측정하지 않은 값을 더 정확하게 예상할 수 있다.

4. 과학적인 분류 방법

탐구 대상의 공통점과 차이점을 바탕으로 기준을 세운다. 한 번 분류한 것을 여러 단계로 계속 분류하면 분류 대상의 공통점과 차이점이 분명하게 드러나며, 분류 대상 각각의 성질을 자세히 알 수 있다. ┌ 분류 대상 전체와 부분의 관계도 쉽게 이해할 수 있다.

예 핀치 분류하기

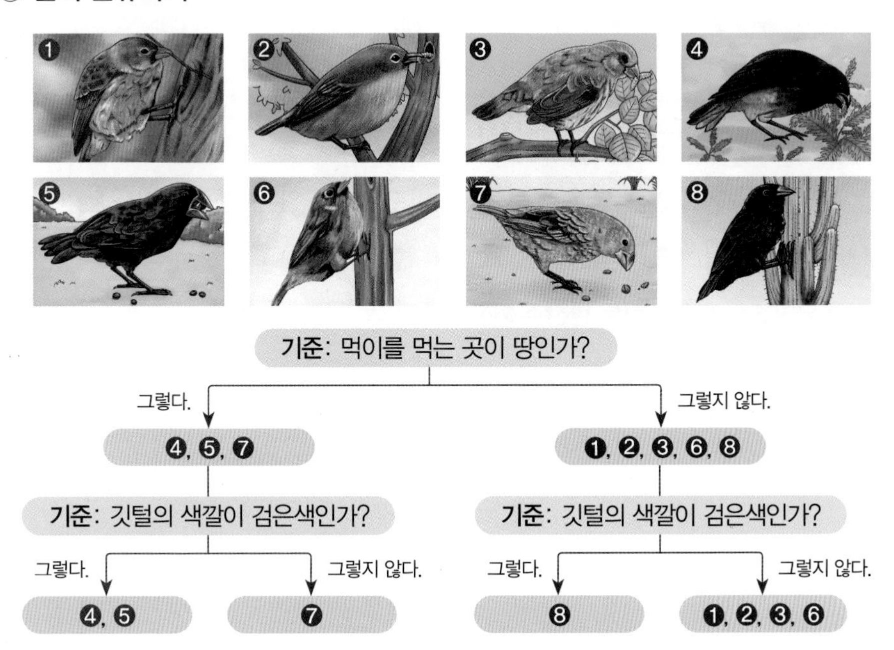

핀치를 분류할 수 있는 여러 가지 특징 예
먹이를 먹고 있는 곳, 먹고 있는 먹이의 종류, 깃털의 색깔, 부리의 모양 등

5. 과학적인 추리 방법 – 추리한 것이 관찰 결과를 모두 설명할 수 있어야 한다.

탐구 대상을 다양하고 정확하게 관찰하고 이를 바탕으로 하여 추리해야 한다. 알고 있는 것이나 과거 경험과 관련지으면 더 과학적인 추리를 할 수 있다.

예 핀치의 부리 모양과 환경과의 관계 추리하기

㉮, ㉰ 핀치	부리가 가늘고 길다.
㉯, ㉱ 핀치	부리가 두껍다.

관찰 결과		알고 있는 것 또는 경험		추리할 수 있는 것
• ㉮와 ㉰ 핀치의 부리는 가늘고 길다. • 벌레가 나무 틈에 살고 있다.	✚	• 벌새는 가늘고 긴 부리로 꽃 속의 꿀을 먹는다. • 가늘고 긴 핀셋으로 좁은 틈에 있는 것을 집을 수 있다.	➡	㉮와 ㉰ 핀치는 가늘고 긴 부리가 있기 때문에 좁은 나무 틈에 사는 벌레를 꺼내 먹기 쉬울 것이다.

6. 과학적인 의사소통 방법 ┌ 탐구 결과를 다른 사람에게 알려 다른 사람들과 생각이나 정보를 서로 주고받는다.

의사소통할 때에는 다른 사람이 이해하기 쉽게 정확한 용어를 사용하여 간단하게 설명해야 한다. 타당한 •근거를 제시하여 설명하면 자신과 생각이 다른 사람을 쉽게 설득할 수 있다. 표, 그림, 그래프, 몸짓 등을 사용하면 자신의 생각을 더 정확하게 전달할 수 있다.

용어
• **근거** 어떤 주장이나 의견이 옳음을 뒷받침하는 까닭.

탄산수 거품의 최고 높이 예상하기

과정

1. 투명한 유리컵 세 개에 각각 물을 100 mL씩 붓는다.
2. 식용 소다 4 g을 각각의 유리컵에 넣고 유리 막대로 저어 준다.
3. 식용 구연산을 첫 번째 유리컵에 1 g, 두 번째 유리컵에 2 g, 세 번째 유리컵에 3 g을 각각 넣고 발생하는 탄산수 거품의 최고 높이를 유성 펜으로 표시한다.
4. 세 개의 유리컵에 표시된 탄산수 거품의 최고 높이를 자로 측정한다.
5. 물 100 mL, 식용 소다 4 g, 식용 구연산 4 g을 유리컵에 넣어 탄산수를 만든다면 발생하는 탄산수 거품의 최고 높이가 약 몇 cm일지 예상해 본다.

결과

▶ **식용 구연산의 양을 달리했을 때 발생하는 탄산수 거품의 최고 높이**

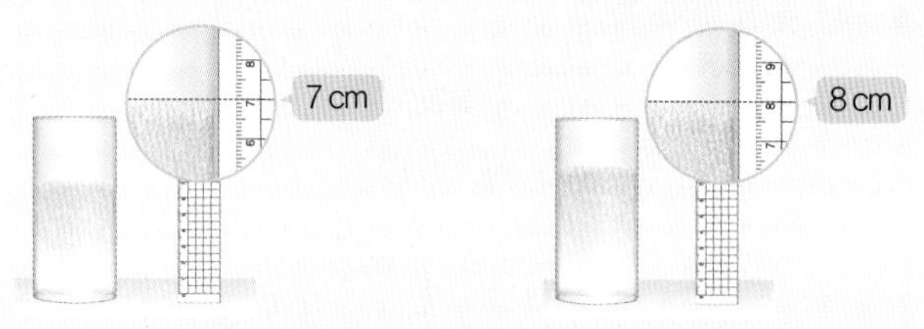

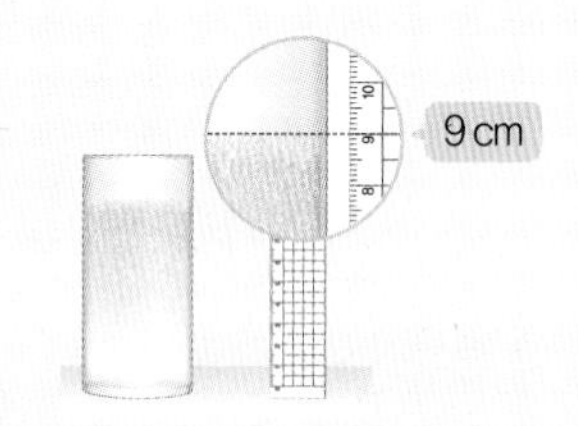

▲ 식용 구연산 1 g을 넣었을 때 ▲ 식용 구연산 2 g을 넣었을 때 ▲ 식용 구연산 3 g을 넣었을 때

알 수 있는 사실

▶ **탄산수를 만들었을 때 발생하는 탄산수 거품의 최고 높이 예상하기**

- 물 100 mL, 식용 소다 4 g, 식용 구연산 4 g을 넣었을 때 예상 높이: 약 10 cm
  ➡ 예상한 까닭: 식용 구연산의 양을 1 g씩 늘릴 때마다 발생하는 탄산수 거품의 최고 높이가 1 cm씩 높아졌기 때문에 약 10 cm일 것이다.
- 물 100 mL, 식용 소다 4 g, 식용 구연산 2.5 g을 넣었을 때 예상 높이: 약 8.5 cm
  ➡ 예상한 까닭: 식용 구연산의 양이 2 g일 때 8 cm, 3 g일 때 9 cm이고 2.5 g은 2 g과 3 g의 중간이기 때문에 약 8.5 cm일 것이다.

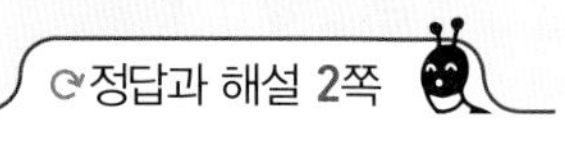

1 물 100 mL, 식용 소다 4 g에 식용 구연산의 양을 각각 다르게 넣었을 때 발생하는 탄산수 거품의 최고 높이 결과를 보고, 찾아낸 규칙으로 옳은 것에 ○표 하시오.

식용 구연산의 양(g)	1	2	3
탄산수 거품의 최고 높이(cm)	7	8	9

(1) 식용 구연산의 양을 1 g씩 늘릴 때마다 탄산수 거품의 최고 높이가 1 cm씩 높아진다. ( )

(2) 식용 구연산의 양을 1 g씩 늘려도 탄산수 거품의 최고 높이에는 영향이 없다. ( )

2 다음은 물 100 mL, 식용 소다 5 g에 식용 구연산의 양을 다르게 넣었을 때 발생하는 탄산수 거품의 최고 높이를 나타낸 결과표입니다. 식용 구연산 3.5 g을 넣었을 때 탄산수 거품의 최고 높이는 몇 cm일지 예상하여 쓰시오.

식용 구연산의 양(g)	3	4	5
탄산수 거품의 최고 높이(cm)	8	9	10

약 ( ) cm

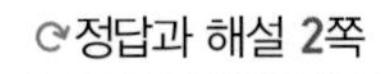

1 변화가 일어나는 대상을 관찰하는 방법으로 옳은 것에 ○표, 옳지 않은 것에 ×표 하시오.

(1) 변화가 일어나는 중에는 관찰하지 않는다. ( )

(2) 변화 과정을 시간의 흐름에 따라 관찰한다. ( )

(3) 감각 기관만으로 관찰하기 어려울 때에는 관찰 도구를 사용한다. ( )

2 탄산수를 만들 때 물의 부피를 측정하기에 적당한 도구의 기호를 쓰시오.

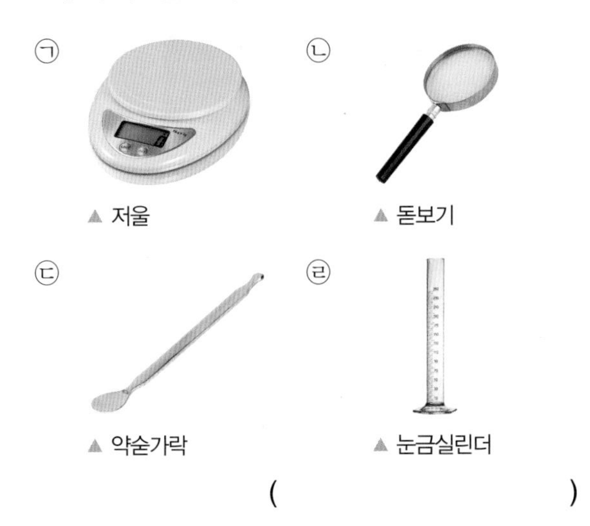

㉠ ▲ 저울 ㉡ ▲ 돋보기 ㉢ ▲ 약숟가락 ㉣ ▲ 눈금실린더

( )

3 과학적인 예상 방법에 대해 옳게 말한 사람의 이름을 쓰시오.

- 준수: 측정하지 않은 값은 예상할 수 없어.
- 호란: 측정한 값이 적을수록 더 정확한 규칙을 찾을 수 있어.
- 예나: 이미 관찰하거나 측정한 값에서 규칙을 찾을 수 있어.

( )

4 다음은 과학적인 분류 방법에 대한 설명입니다. ( ) 안에 들어갈 알맞은 말을 쓰시오.

> 탐구 대상의 공통점과 차이점을 바탕으로 ( )을/를 세워야 한다.

( )

5 다음 ( ) 안에 들어가기에 알맞은 것을 **보기**에서 두 가지 골라 기호를 쓰시오.

> 관찰 결과에 ( )을/를 관련지어 추리하면 더 과학적인 추리를 할 수 있다.

보기

㉠ 과거 경험　㉡ 좋아하는 것
㉢ 알고 있는 것　㉣ 하고 싶은 것

( )

6 탐구 결과를 다른 사람에게 알리는 의사소통을 하는 방법으로 옳은 것을 두 가지 고르시오. ( )

① 글로만 써서 설명한다.
② 타당한 근거를 제시하여 설명한다.
③ 다른 사람이 이해하기 쉽게 말한다.
④ 어려운 단어만 사용하면서 설명한다.
⑤ 자신과 생각이 다른 사람에게는 설명하지 않는다.

정답과 해설 2쪽

1 사이다에 건포도를 넣으면 일어나는 변화를 관찰하려고 합니다. 가장 과학적으로 관찰하는 사람의 이름을 쓰시오.

- 민규: 건포도를 넣은 후의 변화만 관찰할 거야.
- 희라: 건포도를 넣기 전 사이다의 모습만 관찰해.
- 수지: 건포도를 넣기 전, 변화가 일어나는 중, 변화가 일어난 후의 모습을 모두 관찰할 거야.

( )

2 탄산수를 만들기 위하여 식용 소다 4 g을 정확하게 측정하는 방법으로 옳은 것에 ○표 하시오.

(1) 눈금실린더에 식용 소다를 넣어 부피를 측정한다. ( )

(2) 약숟가락을 사용하여 짐작으로 식용 소다 4 g을 뜬다. ( )

(3) 전자저울에 올린 약포지에 식용 소다를 올려 무게를 측정한다. ( )

3 철 구슬의 무게를 측정하는 실험 과정 ❶의 ( ) 안에 들어갈 알맞은 말을 쓰고, 철 구슬 여섯 개를 올려놓으면 무게가 몇 g이 될지 예상하여 쓰시오.

❶ 전자저울의 ( )을/를 눌러 영점을 맞춘다.
❷ 플라스틱 접시에 철 구슬 한 개를 올려놓고 무게를 측정한 후, 철 구슬을 한 개씩 더 올려 가며 무게를 측정한다.

• 실험 결과

철 구슬의 수(개)	1	2	3	4	5
전자저울의 눈금(g)	15	30	45	60	75

(1) ( ) 안에 들어갈 말: ( )

(2) 철 구슬 여섯 개의 무게: ( ) g

4 탐구하는 과정에서 한 번 분류한 것을 여러 단계로 분류하면 좋은 점으로 옳은 것을 두 가지 고르시오. ( )

① 분류 기준을 정하지 않아도 된다.
② 분류 대상 각각의 성질을 자세히 알 수 있다.
③ 분류 대상 전체와 부분의 관계를 알 수 없다.
④ 분류 대상의 공통점과 차이점이 분명하게 드러난다.
⑤ 같은 분류 기준이라도 분류하는 사람에 따라 다른 결과가 나와 다양한 결과를 알 수 있다.

5 다음과 같이 핀치의 부리 모양이 다양한 까닭에 대해 옳게 추리한 것은 어느 것입니까? ( )

① 먹이가 다르기 때문일 것이다.
② 같은 환경에서 살기 때문일 것이다.
③ 서로 공통점이 없기 때문일 것이다.
④ 단단한 씨를 쉽게 부서뜨릴 수 있기 때문일 것이다.
⑤ 적으로부터 몸을 보호하는 방법이 다르기 때문일 것이다.

6 과학자처럼 탐구하는 각각의 방법에 해당하는 것을 보기에서 골라 쓰시오.

보기
관찰, 측정, 예상, 분류, 추리, 의사소통

(1) 감각 기관을 사용하여 나타나는 변화를 확인한다. ( )

(2) 누가 하더라도 같은 결과가 나오는 기준을 정한다. ( )

(3) 타당한 근거를 제시하여 설명하면 다른 사람을 설득할 수 있다. ( )

정답과 해설 3쪽

1 과학적으로 관찰할 때 사용할 수 있는 감각 기관 다섯 가지를 쓰고, 감각 기관만으로 관찰하기 어려울 때 어떻게 해야 하는지 쓰시오.

(1) 사용할 수 있는 감각 기관: ____________

(2) 감각 기관만으로 관찰하기 어려울 때: ____________

2 다음 탄산수 만드는 과정을 보고, 탄산수를 더 정확하게 만들기 위해 필요한 측정 도구를 그 까닭과 함께 쓰시오.

> ❶ 투명한 유리컵에 물을 붓고 약숟가락으로 식용 소다를 한 숟가락 떠서 유리컵에 넣은 후 유리 막대로 저어 주기
> ❷ 다른 약숟가락으로 식용 구연산을 한 숟가락 떠서 ❶의 유리컵에 넣고, 유리 막대로 저어 주기
> ❸ 유리컵에서 나타나는 변화 관찰하기

____

3 다음은 여러 종류의 핀치를 관찰하고 각 핀치를 과학적으로 분류하기 위한 기준입니다. ㉠과 ㉡ 중 과학적인 분류 기준의 기호를 쓰고, 나머지 기준은 왜 과학적이지 않은지 쓰시오.

> ㉠ 핀치가 멋있는가?
> ㉡ 깃털의 색깔이 검은색인가?

(1) 과학적인 분류 기준: (   )

(2) 나머지 기준이 과학적이지 않은 까닭: ____________

4 다음은 여러 종류의 핀치를 탐구한 결과입니다. 이 결과를 친구들에게 잘 전달하려면 어떻게 해야 하는지 쓰시오.

> **〈탐구 결과〉**
> 관찰한 핀치의 부리가 가늘고 길다.
> **〈알고 있는 것〉**
> 벌새는 가늘고 긴 부리로 꽃 속의 꿀을 먹는다.
> **〈추리할 수 있는 것〉**
> 가늘고 긴 부리로 식물의 깊은 곳에 있는 먹이를 꺼내 먹기 쉬울 것이다.

____

지층과 화석

- 3~4학년군
  지구의 모습
  지표의 변화

- 3~4학년군 **지층과 화석**

- 3~4학년군 **화산과 지진**
- 중학교 1~3학년군 **지권의 변화**

1 지층과 퇴적암

개념 강의

만화로 보는 **'퇴적암'**

1. 지층

진흙, 모래, 자갈 등으로 이루어진 암석이 층층이 쌓여 층을 이루고 있는 것을 지층이라고 한다. 지층에는 줄무늬가 보이며, 층의 두께나 색깔 등이 다르다. 지층은 산이나 바닷가의 절벽 등에서 볼 수 있다.

지층은 산기슭이나 바닷가의 절벽, 산사태가 나서 무너진 곳, 공사로 산을 깎아 낸 곳 등에서 볼 수 있다.

2. 여러 가지 지층의 모양

(1) **수평인 지층** 지층이 수평으로 쌓여 모양이 나란하며 줄무늬가 보인다. 두꺼운 층과 얇은 층이 있으며, 층마다 색깔이 조금씩 다르다.

(2) **휘어진 지층** 줄무늬가 보이며, 지층이 휘어져 있다. 층마다 두께가 다양하며, 어두운색과 밝은색이 섞여 있어 여러 가지 색깔의 층이 보인다. ('습곡'이라고 한다.)

(3) **끊어진 지층** 지층이 끊어지거나 어긋나 있기도 하다. 줄무늬가 보인다. ('단층'이라고 한다.)

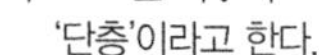

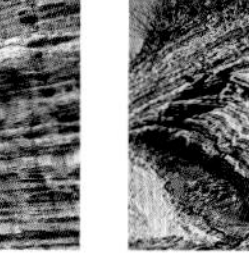
▲ 수평인 지층

▲ 휘어진 지층

▲ 끊어진 지층

심화 층리와 층리면

퇴적암 지층에 나타나는 줄무늬를 층리라고 한다. 층리는 입자의 크기, 색깔, 모양 등이 다른 퇴적물이 쌓여서 나타나는 수평 방향의 줄무늬이다. 층리면은 위아래의 퇴적암이 서로 구분되는 면이다.

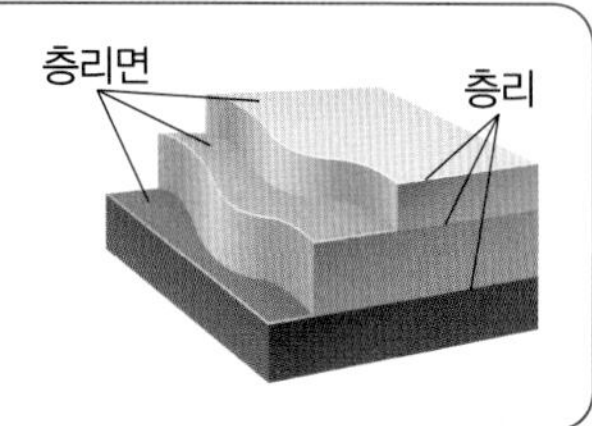

3. 지층이 만들어져 발견되는 과정

흐르는 물에 운반된 진흙, 모래, 자갈 등이 오랜 시간 동안 계속해서 쌓이고 굳어지면 지층이 만들어진다. 지층에서 아래에 있는 층은 위에 있는 층보다 먼저 쌓인 것이며, 지층이 만들어지기까지는 오랜 시간이 걸린다.

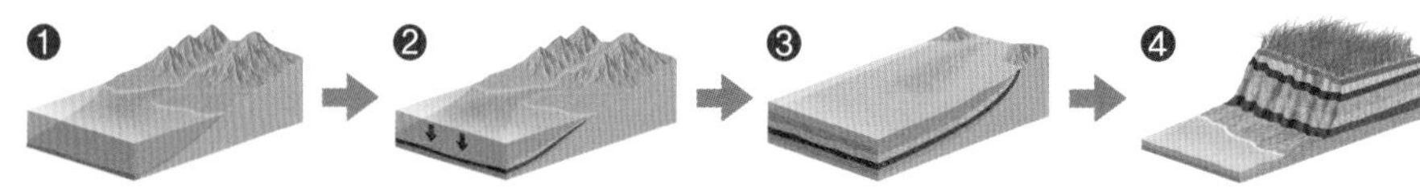

❶ 흐르는 물에 운반된 진흙, 모래, 자갈 등이 바닥에 쌓인다.

❷ 먼저 쌓인 물질 위로 새로 운반되어 온 진흙, 모래, 자갈 등이 계속해서 쌓인다.

❸ 진흙, 모래, 자갈 등이 오랜 시간 동안 쌓이고 굳어지면 지층이 만들어진다.

❹ 지층이 땅 위로 솟아오른 뒤 깎이면 볼 수 있다.

용어

- **입자** 물질을 구성하는 매우 작은 크기의 물체.
- **퇴적물** 암석의 깨지거나 부서진 조각이나 생물이 죽은 뒤에 남은 뼈 등이 물, 빙하, 바람 등에 의해 운반되어 땅 표면에 쌓인 물질.

지층에 나타나 있는 줄무늬를 따라 선 그어 보기

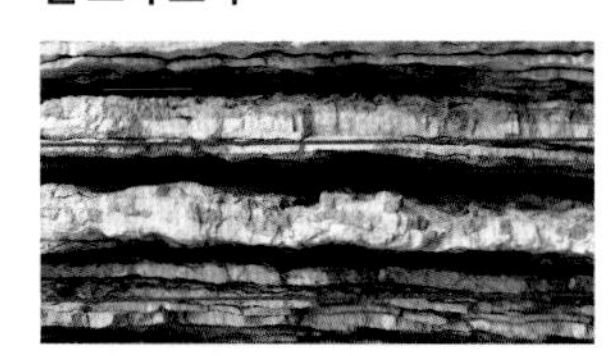
▲ 수평인 지층

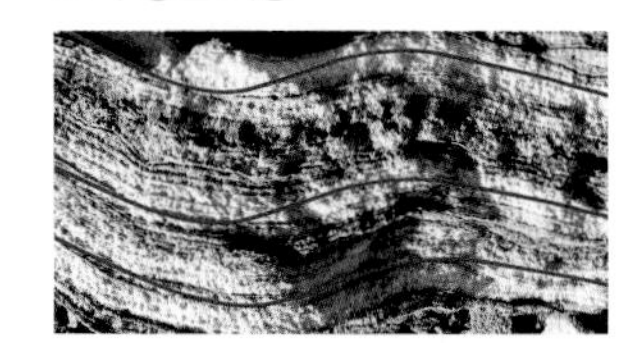
▲ 휘어진 지층

▲ 끊어진 지층

4. 지층을 이루는 암석

(1) **퇴적암** 진흙, 모래, 자갈 등의 여러 가지 알갱이가 굳어져 만들어진 암석을 퇴적암이라고 한다. 지층을 이루는 암석은 대부분 퇴적암이다.

(2) **퇴적암의 분류** 퇴적암은 알갱이의 크기에 따라 이암, 사암, 역암으로 분류할 수 있다. 이암은 진흙이나 •갯벌의 흙과 같은 작은 알갱이로 되어 있으며, 사암은 주로 진흙보다 큰 모래 알갱이로 되어 있다. 역암은 주로 자갈과 모래 등으로 되어 있어 알갱이가 가장 크다.

구분	이암	사암	역암
모습			
손으로 만진 느낌	표면이 매끄럽다.	표면이 거칠거칠하다.	표면이 울퉁불퉁하다.
색깔	밝은색이다.	연한 갈색이다.	짙은 회색과 연한 회색이 섞여 있다.
알갱이의 크기	알갱이가 매우 작다. ㄴ 맨눈으로 구별하기 어렵다.	모래 알갱이 정도이다.	크고 작은 것이 섞여 있다. ┘굵은 자갈이 뚜렷하게 보인다.

(3) **퇴적암이 만들어지는 과정** 강이나 바다로 운반된 진흙, 모래, 자갈 등의 퇴적물은 계속 바닥에 쌓인다. 먼저 쌓인 퇴적물은 나중에 그 위에 쌓이는 퇴적물이 누르는 힘 때문에 알갱이 사이의 공간이 좁아진다. 물속에 녹아 있는 여러 가지 물질이 알갱이들을 서로 붙게 하면 단단한 퇴적암이 된다. 이러한 퇴적암이 만들어지기까지는 오랜 시간이 걸린다. 교과서 속 탐구 20쪽

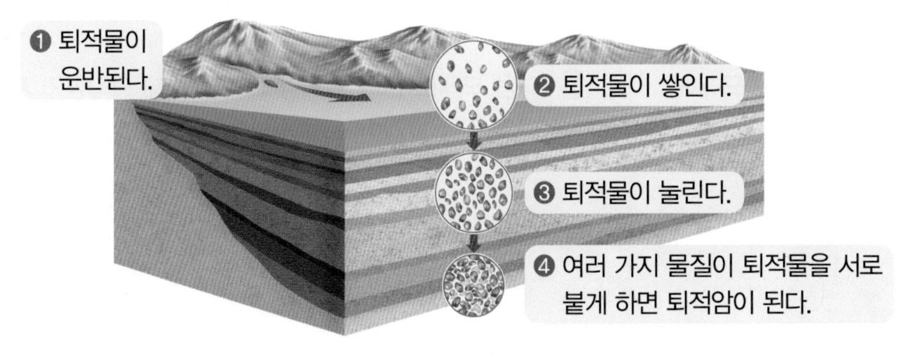

보충 플러스⁺ 퇴적물의 이동

암석이 오랜 세월 동안 공기, 물 등에 의해 부서지고 깎여 만들어지는 퇴적물은 흐르는 물과 바람, 빙하 등을 따라 이동되고 안정한 장소의 바닥에 쌓인다. 무거운 자갈 등은 주로 강의 상류에 가라앉아 쌓이고, 가벼운 모래, 진흙 등은 강의 하류까지 이동하여 가라앉아 쌓인다.

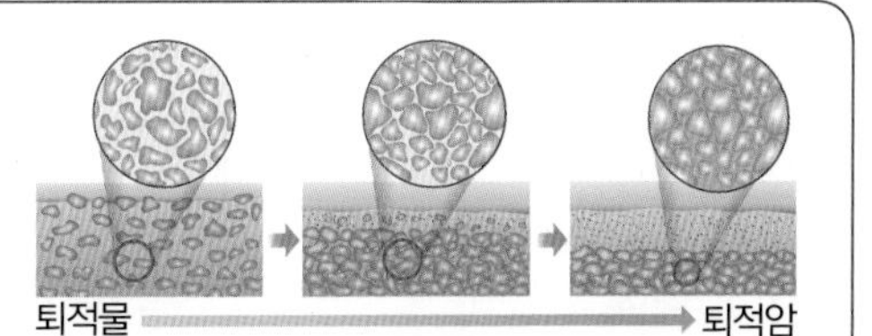

용어

•**갯벌** 밀물 때는 물에 잠기고 썰물 때는 물 밖으로 드러나는 모래 점토질의 평탄한 땅.

풍화

암석이 공기, 물, 미생물 등의 작용으로 성분이 변하거나 잘게 부서지는 현상이다. 퇴적물은 풍화 작용에 의하여 만들어진다.

“퇴적암 모형 만들기”

과정

1. 종이컵에 모래를 $\frac{1}{3}$ 정도 넣은 다음, 종이컵에 넣은 모래 양의 반 정도의 물 풀을 넣는다.
   ▶ 물 풀을 넣는 까닭: 모래와 모래 사이의 빈 곳을 채우고 서로 붙여 주기 위해서이다.
2. 나무 막대기로 섞어 모래 반죽을 만든다.
3. 다른 종이컵으로 모래 반죽을 누른다.
   ▶ 모래 반죽을 누르는 까닭: 모래와 모래 사이의 공간을 좁아지게 하기 위해서이다.
4. 하루 동안 그대로 놓아둔 다음, 종이컵을 찢어 모래 반죽을 꺼낸다.

실제 자연에서는 알갱이들을 서로 단단하게 붙게 하는 작용과 다지는 작용이 동시에 이루어져.

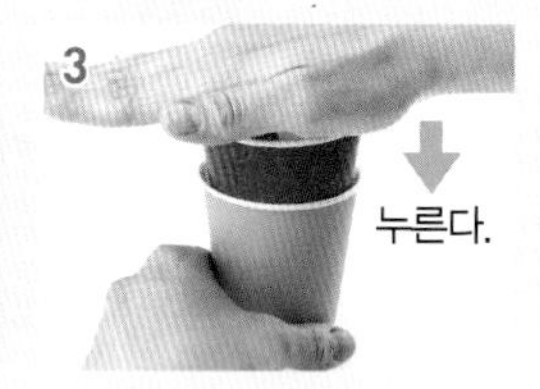

결과 및 알 수 있는 사실

▶ **퇴적암 모형과 실제 퇴적암(사암)의 공통점과 차이점**

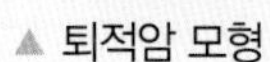
▲ 퇴적암 모형 ▲ 실제 퇴적암(사암)

공통점	모두 모래로 만들어졌다.
차이점	퇴적암 모형은 만드는 데 걸리는 시간이 짧지만, 실제 퇴적암(사암)은 만들어지는 데 오랜 시간이 걸린다.

정답과 해설 4쪽

1 모래로 퇴적암 모형을 만들 때 종이컵에 넣은 모래에 물 풀을 넣는 까닭으로 옳은 것을 보기에서 골라 기호를 쓰시오.

보기
㉠ 모래 알갱이를 잘게 부수기 위해서이다.
㉡ 모래 알갱이를 깨끗하게 하기 위해서이다.
㉢ 모래 알갱이를 서로 붙여 주기 위해서이다.
㉣ 실세 자연에서 퇴적암이 만들어질 때에도 물 풀이 필요하기 때문이다.

( )

2 다음 모래로 만든 퇴적암 모형과 실제 퇴적암인 사암의 특징을 옳게 비교하여 말한 사람의 이름을 쓰시오.

▲ 퇴적암 모형 ▲ 실제 퇴적암(사암)

- 주완: 퇴적암 모형과 실제 퇴적암은 모양이 똑같아.
- 민희: 퇴적암 모형은 알갱이가 없지만 실제 퇴적암은 알갱이가 보여.
- 수아: 실제 퇴적암이 만들어지는 과정은 퇴적암 모형을 만드는 것보다 시간이 오래 걸려.

( )

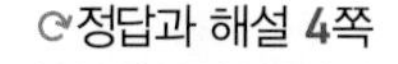

1 다음과 같은 지층에 대해 옳게 말한 사람의 이름을 쓰시오.

- 윤후: 층의 두께가 모두 같아.
- 효린: 아무런 무늬를 볼 수 없어.
- 보람: 어두운색과 밝은색이 섞여 있어.

(　　　　　　　　　　)

2 다음은 어느 지역에서 발견된 지층의 모습입니다. 이 지층의 ㉠ ~ ㉤ 중에서 가장 먼저 쌓인 층부터 순서대로 기호를 쓰시오.

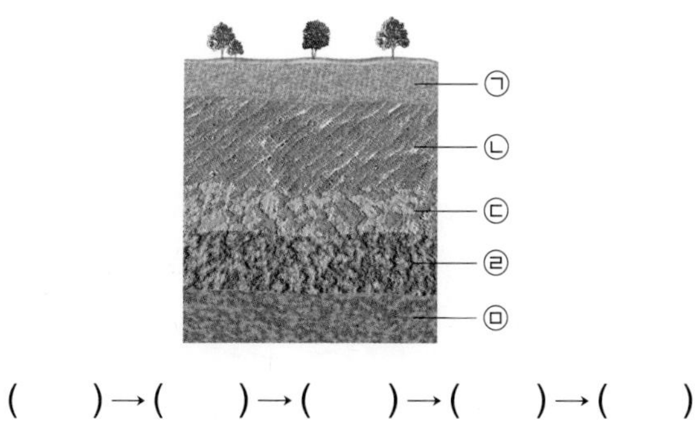

(　　) → (　　) → (　　) → (　　) → (　　)

3 물속에서 진흙, 모래, 자갈 등이 오랜 시간 동안 쌓이고 굳어져 만들어진 지층을 물속이 아닌 땅에서 볼 수도 있습니다. 그 까닭으로 옳은 것에 ○표 하시오.

(1) 새로운 생물이 생겼기 때문이다. (　　)

(2) 지층이 땅 위에서 단단해졌기 때문이다. (　　)

(3) 지층이 땅 위로 솟아오른 뒤 깎였기 때문이다. (　　)

4 다음과 같은 특징이 있는 퇴적암의 이름을 쓰시오.

- 밝은색이다.
- 표면이 매끄럽다.
- 진흙, 갯벌의 흙과 같은 작은 알갱이로 되어 있다.

(　　　　　　　　　　)

5 다음과 같이 퇴적암을 돋보기로 관찰하였더니 주로 모래 알갱이로 되어 있었습니다. 이 퇴적암에 대해 (　　) 안에 들어갈 알맞은 말을 쓰시오.

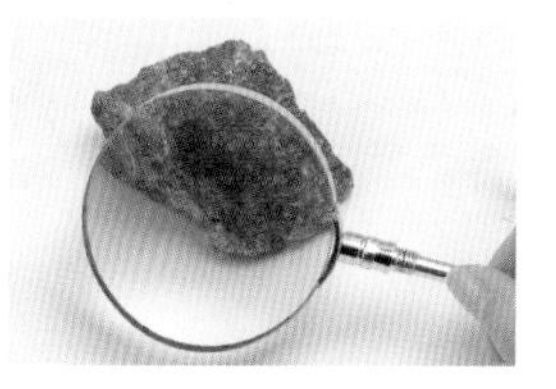

퇴적암을 알갱이의 크기에 따라 분류할 때 이 퇴적암은 (　㉠　)에 해당한다. 손으로 만졌을 때 표면의 느낌이 (　㉡　).

㉠ (　　　　　　), ㉡ (　　　　　　)

6 다음은 퇴적암 모형을 만드는 과정 중 일부입니다. 실제 퇴적암이 만들어질 때의 어떤 과정에 해당하는지 **보기**에서 골라 기호를 쓰시오.

모래와 물 풀을 섞어 만든 모래 반죽이 들어 있는 종이컵에 다른 컵을 넣고 모래 반죽을 누른다.

보기

㉠ 퇴적물이 쌓이는 과정
㉡ 퇴적물이 운반되는 과정
㉢ 퇴적물이 다져지는 과정

(　　　　　　　　　　)

2 화석

만화로 보는 '화석'

화석의 기준
최소한 생성된 뒤 약 1만 년 이상은 되어야 화석이라고 할 수 있다.

화석이 아닌 것
고인돌, 화산재에 덮인 사람, 미라, 진흙에 남겨진 신발 자국 등은 화석이 아니다.

죽은 생물이 화석이 되지 못하는 경우
- 몸이 단단하지 않은 생물은 화석이 되기 어렵다.
- 몸이 단단하더라도 퇴적물 속에 빠르게 묻히지 못하면 화석이 되지 못한다.
- 생물이 죽은 후에 다른 생물이 먹어버렸기 때문에 화석이 되지 못하기도 한다.

1. 화석 – 화석은 과거 생물에 관한 연구나 지구의 역사를 밝히는 데 도움을 준다.

옛날에 살았던 생물의 모양이나 발자국 등이 지층에 남아 있는 것을 화석이라고 한다. 거대한 동물의 뼈, 곤충의 껍데기, 식물의 잎과 같은 생물의 모습 등이 화석이 될 수 있다. 화석은 공룡의 뼈에서부터 현미경으로 관찰할 수 있는 작은 생물까지 그 크기와 종류가 다양하다.

(1) 동물 화석

① 삼엽충 화석: 머리, 가슴, 꼬리의 세 부분으로 나눌 수 있고, 벌레처럼 생겼다. ┐ 몸과 다리가 여러 개의 마디로 이루어져 있다.

② 암모나이트 화석: 돌돌 말려 있는 모양으로, 골뱅이처럼 생겼다.

③ 물고기 화석, 공룡 발자국 화석, 공룡알 화석, 새 발자국 화석 등이 있다.

▲ 삼엽충 화석

▲ 암모나이트 화석

▲ 공룡 발자국 화석
└ 동물이 남긴 발자국이나 기어간 흔적도 화석이 될 수 있다.

(2) 식물 화석 나뭇잎 화석, 고사리 화석 등이 있다.

▲ 나뭇잎 화석

▲ 나뭇잎 화석

▲ 고사리 화석

2. 화석이 잘 만들어지기 위한 조건

생물이 공기에 오래 드러나 있으면 썩을 수 있기 때문에 퇴적물 속에 빨리 묻혀야 한다. 뼈나 껍데기처럼 단단한 부분이 있으면 화석이 되기 쉽다.

심화 몰드와 캐스트

지층 속에 묻혀 있던 동물, 식물 등의 화석이 녹아 없어지고 그 형태만 남아 딱딱하게 굳어진 것을 몰드라고 한다. 몰드만 남은 부분에 퇴적물이 채워지면 원래 화석과 같은 모양의 입체적인 형태가 만들어지는데, 이것을 캐스트라고 한다.

▲ 몰드

▲ 캐스트

3. 화석이 만들어져 발견되는 과정 

교과서 속 탐구 24쪽

❶

강, 호수, 바다의 바닥에 죽은 생물이 묻힌다.

❷

그 위에 퇴적물이 쌓인다.

❸

퇴적물이 계속 쌓이고 오랜 시간이 지나면 생물의 몸은 화석이 된다.

❹

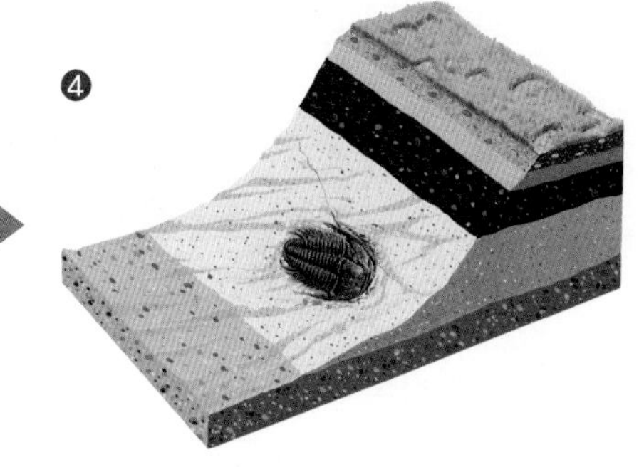

지층이 솟아오르고 비바람에 깎이면 화석이 드러난다. – 비바람에 지층이 깎이는 것을 '풍화'라고 한다.

4. 화석의 이용

(1) **화석으로 알 수 있는 것** 화석을 연구하면 옛날에 살았던 생물의 생김새와 생활 모습을 알 수 있다. 또한, 화석이 발견된 장소의 옛날 환경뿐만 아니라 지층이 언제 쌓였는지 알 수도 있다.

① **고사리 화석**: 고사리는 따뜻하고 •습기가 많은 곳에서 잘 자라므로, 고사리 화석이 발견된 장소는 옛날에 따뜻하고 습기가 많은 육지였을 것이다.

② **산호 화석**: 산호는 따뜻하고 깊이가 얕은 바다에서 살므로, 산호 화석이 발견된 곳은 옛날에 따뜻하고 깊이가 얕은 바다였을 것이다.

▲ 고사리

▲ 고사리 화석

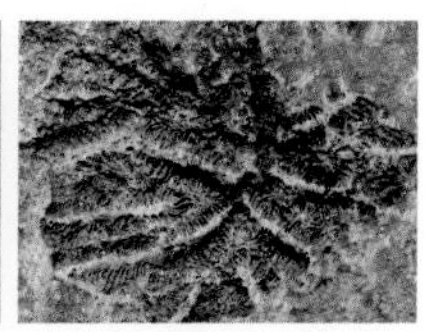

▲ 산호

▲ 산호 화석

③ **공룡 발자국 화석**: 공룡 발자국 화석이 발견된 지층은 공룡이 살던 시기에 쌓인 지층이라는 것을 알 수 있다. 공룡 발자국 화석을 연구하여 공룡의 크기, 종류 등을 알 수 있고, 공룡이 어떻게 걸어 다녔는지도 알 수 있다.

(2) **화석 연료** •연탄, 공장의 연료, 자동차의 연료 등으로 우리 생활에서 유용하게 사용되는 석탄과 석유는 옛날의 생물이 변한 것으로, 화석 연료라고 한다.

용어

- **습기** 물기가 많아 젖은 듯한 기운.
- **연탄** 불을 붙여 방을 따뜻하게 하기 위해 사용하는 연료.

▲ 타기 전의 연탄

▲ 타고 난 후의 연탄

공룡 발자국 화석

공룡 발자국이 찍힐 당시에는 단단한 지층이 아니라 부드러운 진흙(갯벌)으로 되어 있어 발자국이 찍힐 수 있었다.

화석 모형 만들기

과정

1. 찰흙 반대기 위에 조개껍데기를 올려놓고 손바닥으로 눌렀다가 떼어 낸다.
2. 종이컵에 같은 양의 알지네이트와 물을 넣고, 나무 막대로 저어 반죽을 만든다.
3. 조개껍데기 자국이 모두 덮이도록 찰흙 반대기에 알지네이트 반죽을 붓는다.
4. 알지네이트 반죽이 다 굳으면 천천히 떼어 내고, 완성된 화석 모형을 관찰한다.

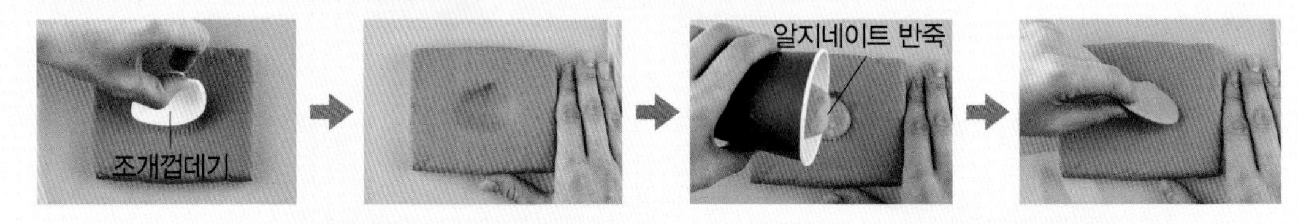

결과

▶ **조개 화석 모형과 실제 조개 화석 비교하기**

구분	조개 화석 모형	실제 조개 화석
모습		
공통점	모양과 무늬가 비슷하다.	
차이점	• 실제 화석보다 단단하지 않다. • 만들어지는 데 걸리는 시간이 짧다.	• 색깔과 무늬가 선명하다. • 화석 모형보다 단단하다. • 만들어지는 데 걸리는 시간이 길다.

알 수 있는 사실

▶ 실제 화석은 화석 모형보다 단단하고, 색깔과 무늬가 선명하다.
▶ 실제 화석은 만들어지기까지 오랜 시간이 걸리지만, 화석 모형은 짧은 시간에 만들어진다.

정답과 해설 5쪽

1 다음은 화석 모형 만들기 활동에 사용된 재료입니다. 실제 자연에서 관련 있는 것끼리 선으로 이으시오.

(1) 조개껍데기 •		• ㉠ 화석
(2) 찰흙 반대기 •		• ㉡ 지층
(3) 조개껍데기 흔적 •		• ㉢ 옛날에 살았던 생물

2 오른쪽은 찰흙 반대기에 조개껍데기를 대고 누른 후 알지네이트 반죽을 부어 조개 화석 모형을 만든 것입니다. ㉠과 ㉡에 대한 설명으로 옳은 것에 ○표, 옳지 않은 것에 ×표 하시오.

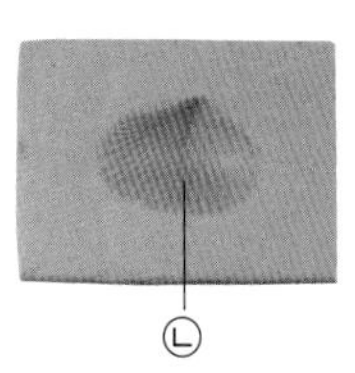

(1) ㉠은 실제 화석보다 단단하지 않다. ( )

(2) 실제 자연에서 ㉡과 같이 조개껍데기의 흔적만 남은 것은 화석이 아니다. ( )

정답과 해설 5쪽

1 다음의 모습 중 화석이 아닌 것의 기호를 쓰시오.

㉠ ▲ 호박 속에 갇힌 벌 ㉡ ▲ 고인돌

( )

2 다음 화석을 동물 화석과 식물 화석으로 분류하여 기호를 쓰시오.

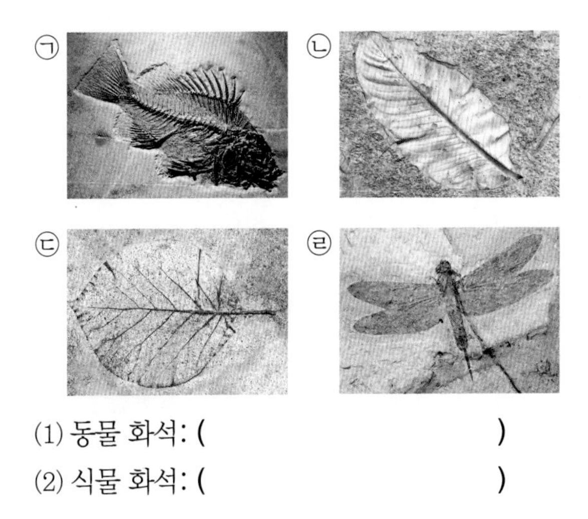

㉠ ㉡ ㉢ ㉣

(1) 동물 화석: ( )

(2) 식물 화석: ( )

3 화석이 잘 만들어지기 위한 조건을 옳게 말한 사람의 이름을 쓰시오.

- 유주: 반드시 식물이어야 해.
- 재희: 뼈처럼 단단한 부분이 있어야 해.
- 예린: 생물이 퇴적물 속에 가능한 한 천천히 묻혀야 해.

( )

[4~5] 다음은 삼엽충 화석이 만들어져 발견되기까지의 과정을 나열한 것입니다. 물음에 답하시오.

(가) 바다의 바닥에 죽은 삼엽충이 묻힌다.
(나) 죽은 삼엽충 위에 (   )이/가 쌓인다.
(다) 오랜 시간이 지나면 삼엽충의 몸은 화석이 된다.
(라) ______________________ 삼엽충 화석이 드러난다.

4 위 (나) 과정의 (   ) 안에 들어갈 알맞은 말을 쓰시오.

( )

5 화석이 발견되려면 위 (라) 과정이 필요합니다. 삼엽충이 화석이 된 이후에 화석이 드러나는 과정으로 밑줄에 들어갈 알맞은 말을 쓰시오.

( )

6 화석으로 알 수 있는 것을 보기에서 두 가지 골라 기호를 쓰시오.

보기

㉠ 화석이 발견된 날의 날씨
㉡ 옛날에 살았던 생물의 생김새
㉢ 옛날에 살았던 생물의 생활 모습
㉣ 과거 동물들이 살았던 지역의 미래 모습

( )

1 다음은 준후가 바닷가의 절벽에서 관찰한 지층을 그린 것입니다. 이 지층에 대한 설명으로 옳지 않은 것은 어느 것입니까? (　　　)

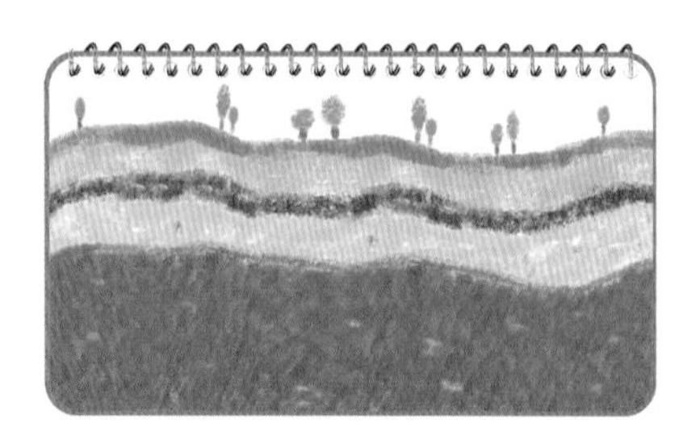

① 줄무늬가 보인다.
② 층의 두께가 다르다.
③ 층마다 색깔이 다르다.
④ 중간에 끊어져 어긋난 부분이 있다.
⑤ 가장 아래에 있는 층이 가장 두껍다.

2 다음 실제 지층과 무지개 케이크의 단면 모습에서의 공통점을 쓰고, 각각 만들어지는 데 걸리는 시간과 관련지어 차이점을 쓰시오.

▲ 실제 지층

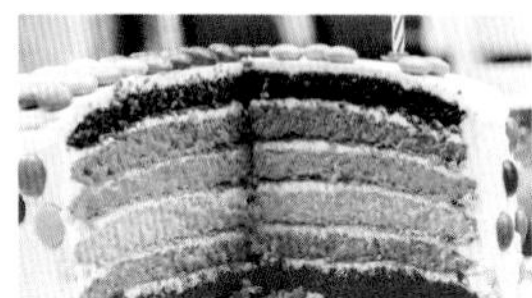
▲ 무지개 케이크

(1) 공통점: ____________________

(2) 차이점: ____________________

____

3 오른쪽은 지층에 나타난 줄무늬를 따라 선을 그어 본 것입니다. 어떤 모양의 지층을 나타낸 것인지 쓰시오.

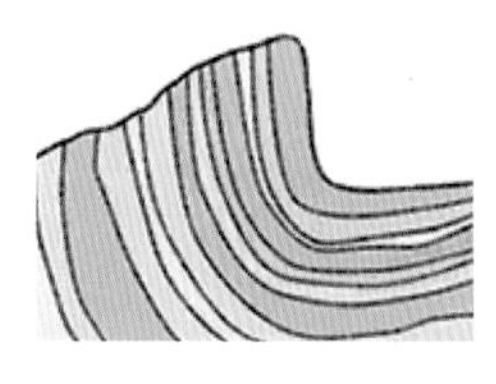

(　　　　　　　　　　)

4 다음 지층을 관찰한 내용으로 옳은 것을 보기에서 골라 기호를 쓰시오.

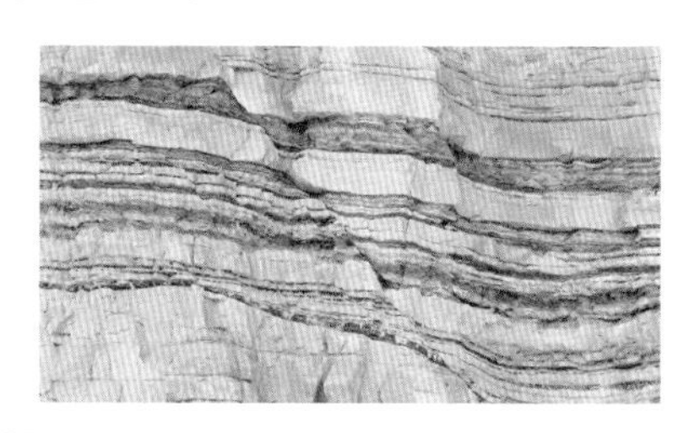

보기
㉠ 층이 어긋나 있다.
㉡ 지층이 끊어진 곳 없이 하나로 연결되어 있다.
㉢ 보통의 지층에서 보이는 줄무늬는 나타나지 않는다.

(　　　　　　　　　　)

5 투명한 통에 여러 가지 색 모래와 색 자갈을 차곡차곡 넣어 만든 지층 모형의 여러 층 중에서 어느 것이 먼저 만들어진 것인지 옳게 말한 사람의 이름을 쓰시오.

- 지아: 색 모래와 색 자갈은 서로 섞이지 않기 때문에 어느 층이 먼저 만들어졌는지 알 수 없어.
- 성준: 색 모래와 색 자갈은 무거울수록 아래에 쌓이기 때문에 위에 있는 층이 아래에 있는 층보다 먼저 만들어졌어.
- 가윤: 지층이 만들어질 때는 아래에서부터 위로 차곡차곡 쌓이기 때문에 가장 아래에 있는 층이 가장 먼저 만들어진 거야.

(　　　　　　　　　　)

[6~7] 다음은 지층이 만들어져 발견되기까지의 과정을 순서 없이 나타낸 것입니다. 물음에 답하시오.

(가)

지층이 땅 위로 솟아오른 뒤 깎인다.

(나)
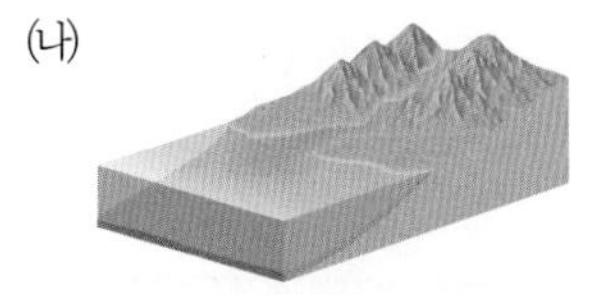
흐르는 물에 운반된 진흙, 모래, 자갈 등이 바닥에 쌓인다.

(다)

진흙, 모래, 자갈 등이 오랜 시간 동안 쌓이고 굳어지면 지층이 만들어진다.

(라)
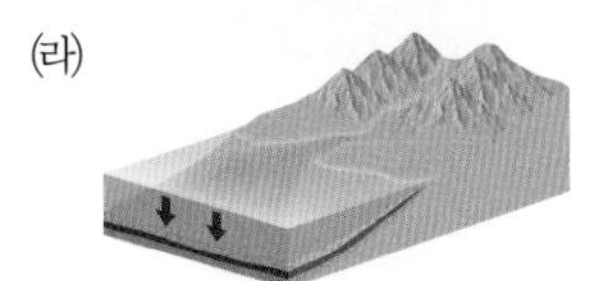
먼저 쌓인 물질 위로 새로 운반되어 온 진흙, 모래, 자갈 등이 계속해서 쌓인다.

6 위 (가) ~ (라) 과정을 순서에 맞게 기호를 쓰시오.

(　　) → (　　) → (　　) → (　　)

7 다음은 위 (가) 과정에서 발견된 지층입니다. 각 층에 대한 설명으로 옳은 것에 ○표 하시오.

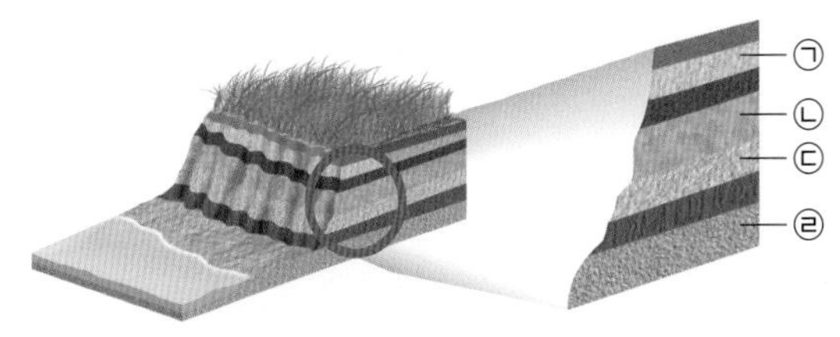

(1) ㉢이 쌓인 후에 ㉡이 쌓였다. (　　)

(2) ㉠ ~ ㉣ 중 ㉠이 가장 먼저 쌓였다. (　　)

(3) ㉡과 ㉣은 같은 시기에 쌓인 층이다. (　　)

(4) ㉣에서 화석이 발견되었다면 ㉢에서는 화석이 발견될 수 없다. (　　)

[8~9] 다음은 여러 가지 퇴적암입니다. 물음에 답하시오.

(가)

(나)

(다)

8 다음은 수호가 퇴적암을 관찰하고 기록한 내용입니다. 위 (가)~(다) 중 수호가 관찰한 퇴적암의 기호를 쓰시오.

> **퇴적암의 특징**
> • 색깔이 밝고, 손으로 만져 보니 매끄럽다.
> • 알갱이는 맨눈으로 구별하기 어렵다.

(　　)

9 다음은 위 (가)~(다) 중 어떤 것의 알갱이를 관찰한 것인지 각각 골라 기호와 퇴적암의 이름을 함께 쓰시오.

(1) 주로 자갈과 모래 등으로 되어 있다.
(　　)

(2) 진흙과 같은 작은 알갱이로 되어 있다.
(　　)

(3) 주로 진흙보다 큰 모래 알갱이로 되어 있다.
(　　)

10 다음 실제 퇴적암이 만들어지는 과정 중 밑줄 친 부분은 **보기**의 퇴적암 모형을 만들기 위한 준비물 중 어느 것에 해당하는지 골라 기호를 쓰시오.

> 바다로 운반된 퇴적물이 바닥에 쌓인다. → 위에 쌓이는 퇴적물이 누르는 힘 때문에 알갱이 사이의 공간이 좁아진다. → <u>물속에 녹아 있는 여러 가지 물질</u>이 알갱이들을 서로 붙게 한다.

보기

㉠ 모래　　㉡ 물 풀
㉢ 종이컵　　㉣ 나무 막대기

(　　)

[11~12] 다음을 보고, 물음에 답하시오.

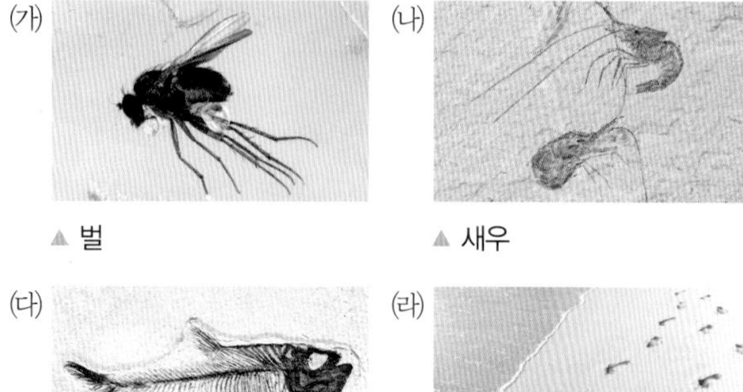

(가) ▲ 벌

(나) ▲ 새우

(다) ▲ 물고기

(라) ▲ 모래에 난 발자국

11 위 (가)~(라) 중 화석을 모두 골라 육지 생물 화석과 바다 생물 화석으로 분류하여 각각 기호를 쓰시오.

육지 생물 화석	바다 생물 화석

12 위 (가)~(라) 중 화석이 아닌 것을 찾아 기호를 쓰고, 그렇게 생각한 까닭을 쓰시오.

(1) 화석이 아닌 것: (   )

(2) 그렇게 생각한 까닭: ____________________

13 화석으로 만들어지기 가장 어려운 부분은 어느 것입니까? (   )

① 동물의 뼈　　② 식물의 씨
③ 동물의 이빨　　④ 조개껍데기
⑤ 동물의 부드러운 살

14 다음은 어느 지층의 모습입니다. 이 지층에 대한 설명으로 옳지 않은 것은 어느 것입니까? (   )

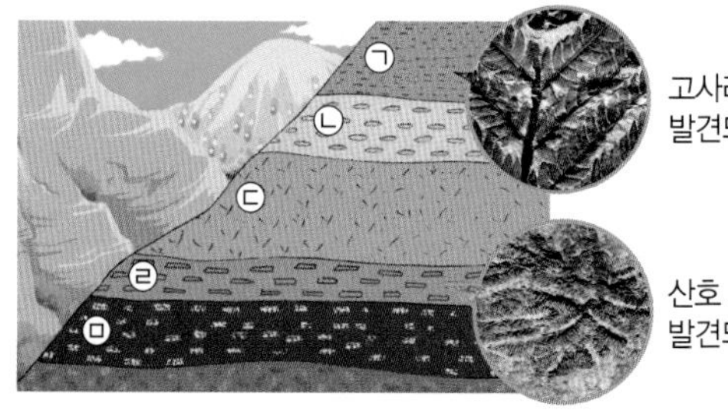

① ㉤ 지층이 가장 먼저 쌓였다.
② ㉢ 지층은 ㉡ 지층보다 먼저 쌓였다.
③ ㉣ 지층은 따뜻하고 얕은 바다에서 쌓였다.
④ 고사리가 먼저 화석이 된 후에 산호가 화석이 되었다.
⑤ ㉠ 지층이 만들어질 때 주변은 따뜻하고 습기가 많은 곳이었다.

15 조개와 같은 생물이 화석이 될 가능성이 높은 까닭입니다. (   ) 안에 들어갈 알맞은 말을 쓰시오.

▲ 조개 화석

조개는 몸 표면에 껍데기와 같은 (   ) 부분이 있기 때문에 화석이 될 가능성이 높다.

(   )

정답과 해설 5쪽

[16~17] 다음은 옛날에 살던 생물인 삼엽충이 화석이 되어 발견되기까지의 과정을 순서대로 나타낸 것입니다. 물음에 답하시오.

(가)

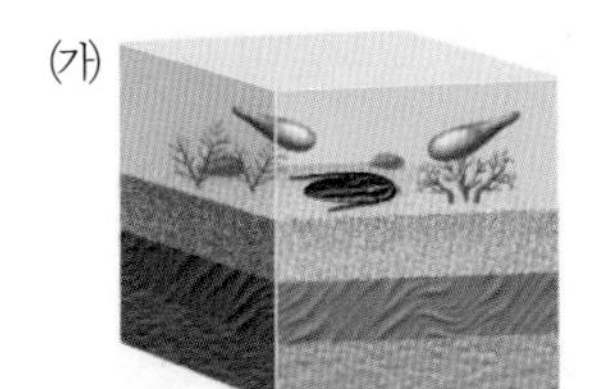

바다에 살던 삼엽충이 죽어 바닥에 가라앉는다.

(나)

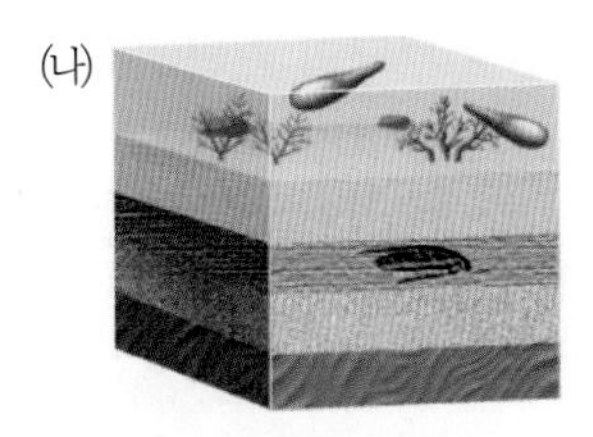

죽은 삼엽충 위로 (㉠)이/가 두껍게 쌓이고 그 속의 삼엽충이 (㉡)이/가 된다.

(다)

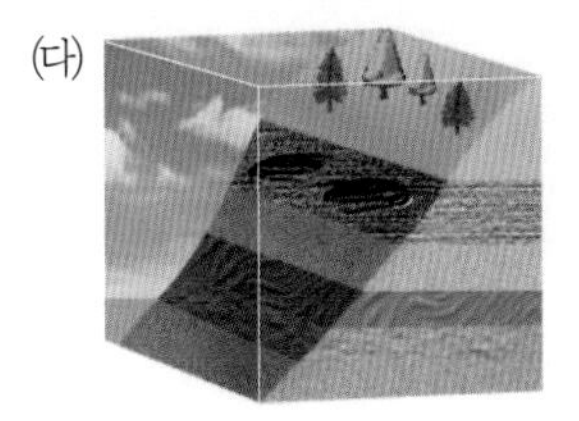

지층이 높게 솟아오른 뒤 깎인다.

(라)

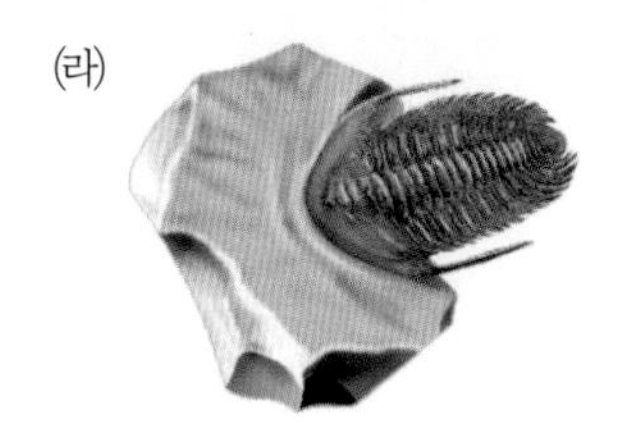

삼엽충 화석이 드러나 발견된다.

16 위 (나) 과정의 ㉠과 ㉡에 들어갈 알맞은 말을 쓰시오.

㉠ (　　　　　　　　), ㉡ (　　　　　　　　)

17 다음은 조개껍데기로 화석 모형을 만들 때 조개껍데기 자국에 알지네이트 반죽을 붓는 모습입니다. 위 (가)~(라) 화석이 만들어져 발견되는 과정 중 어디에 해당하는지 기호를 쓰시오.

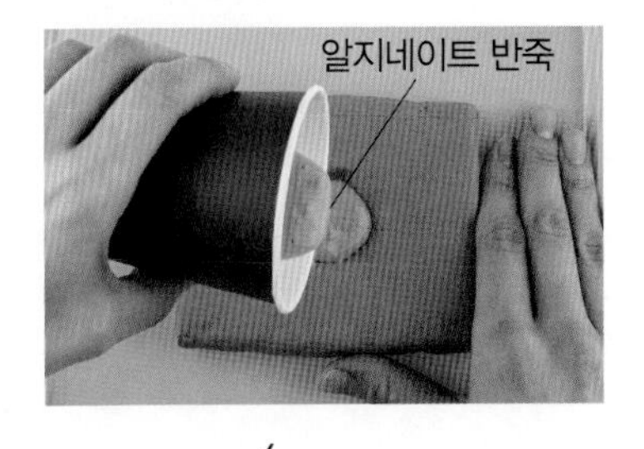

(　　　　　　　　)

18 옛날에 바다에 살던 상어의 화석이 높은 산에서 발견되었습니다. 바다에서 살던 생물의 화석이 높은 산에서 발견된 까닭을 옳게 말한 사람의 이름을 쓰시오.

- 채원: 옛날에는 상어가 산에서 살았기 때문이야.
- 서연: 상어가 산으로 올라가서 죽었기 때문이야.
- 민준: 상어가 화석이 된 후 지층이 높게 솟아 올랐기 때문이지.

(　　　　　　　　)

19 다음의 물고기 화석이 산에서 발견되었습니다. 이를 통해 알 수 있는 사실은 무엇인지 한 가지 쓰시오.

____

____

20 다음은 인터넷 국어사전에서 단어를 검색한 모습입니다. 검색한 단어가 무엇이었을지 쓰시오.

『천연자원』 지질 시대에 생물이 땅속에 묻히어 화석같이 굳어져 오늘날 연료로 이용하는 물질. 석탄 따위가 이에 속한다.

(　　　　　　　　)

1 다음은 색깔이 다른 고무찰흙 여러 장을 쌓아서 여러 방향으로 자른 모습입니다. 물음에 답하시오.

(1) 위와 같이 쌓은 고무찰흙은 실제 자연에서 물이 운반한 진흙, 모래, 자갈 등이 쌓인 뒤에 만들어진 무엇의 모형을 만든 것인지 쓰시오.

( )

(2) 위 고무찰흙 모형에서 가장 아래에 있는 층과 가장 위에 있는 층 중 먼저 쌓은 층은 무엇인지 (1)번 답에서 볼 수 있는 것과 관련지어 쓰시오.

2 다음은 먼저 쌓인 진흙, 모래, 자갈 등의 위로 흐르는 물에 의해 새로 운반되어 온 진흙, 모래, 자갈 등이 계속해서 쌓이는 모습을 나타낸 것입니다. 먼저 쌓인 진흙, 모래, 자갈 등이 어떻게 변하는지 쓰시오.

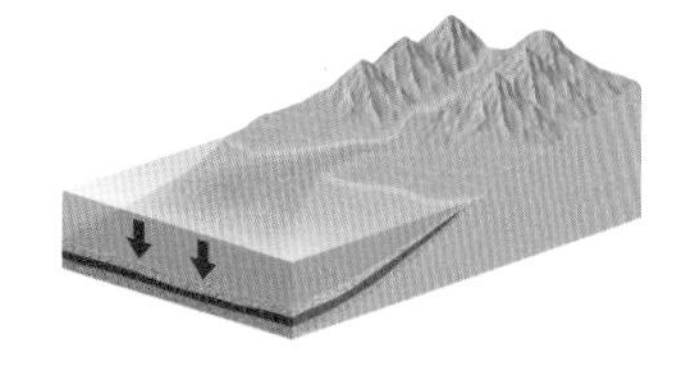

3 다음은 바닷가에서 거리에 따라 주로 쌓이는 퇴적물과 그곳에서 만들어진 퇴적암을 나타낸 것입니다. 육지로부터의 거리에 따라 만들어진 퇴적암이 다른 까닭을 쓰시오.

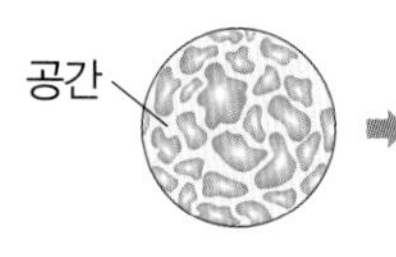
▲ 역암

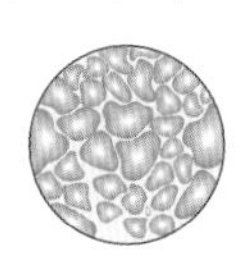
▲ 사암

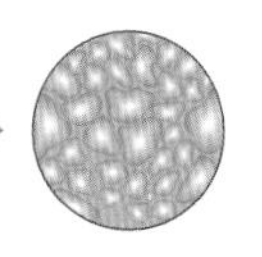
▲ 이암

4 강으로 운반된 퇴적물이 쌓여 퇴적암이 만들어지는 (가)와 (나) 과정이 일어나는 까닭을 쓰시오.

(가) 퇴적물의 알갱이 사이의 공간이 좁아진다.
(나) 퇴적물의 알갱이들이 서로 단단하게 붙는다.

공간

퇴적물 → → 퇴적암

5 다음과 같이 새 발자국이 남은 것은 화석이지만, 진흙 위에 남겨진 신발 자국은 화석이 아닙니다. 진흙 위 신발 자국은 화석이 아닌 까닭을 화석의 의미와 관련지어 쓰시오.

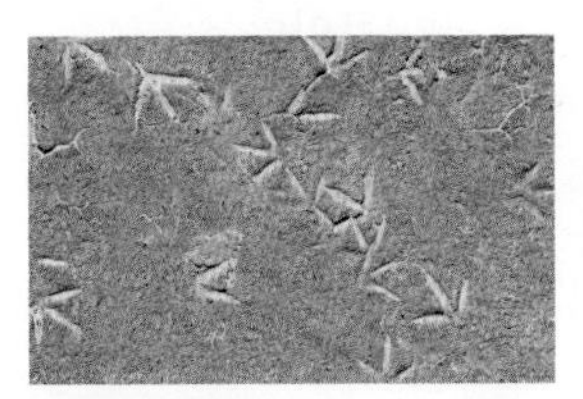
▲ 새 발자국 화석

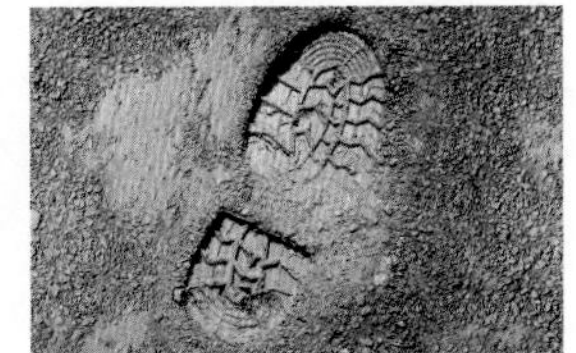
▲ 진흙 위 신발 자국

6 다음은 화석이 만들어져 발견되기까지의 과정을 나타낸 것입니다. 2단계 와 4단계 에 대한 설명을 간단하게 쓰시오.

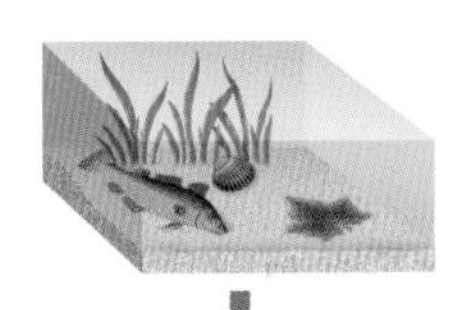

1단계
강, 호수, 바다의 바닥에 죽은 생물이 묻힙니다.

2단계

3단계
퇴적물이 계속 쌓이고, 지층이 만들어지고 그 속에 묻힌 생물이 화석이 됩니다.

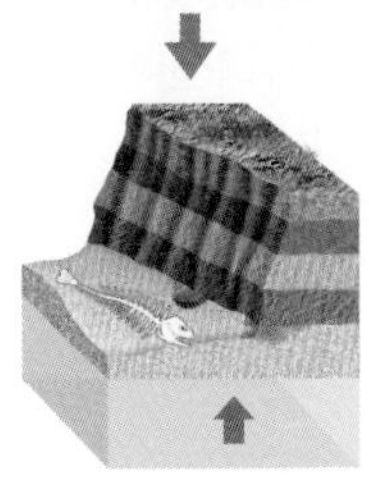

4단계

7 지질학자는 화석을 발굴하고 연구합니다. 지질학자와 같은 과학자들은 왜 화석을 발굴하여 연구하는지 화석으로 알 수 있는 것을 한 가지 이상 관련지어 쓰시오.

8 다음은 여러 동물들이 지나간 발자국이 화석이 된 모습입니다. 동물들의 발자국 화석이 어떻게 단단한 지층에 남았는지 그 까닭을 쓰시오.

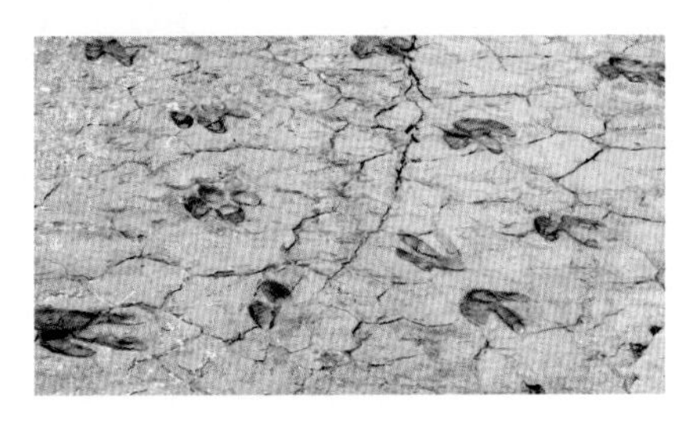

핵심 정리

지층

지층	• 암석이 층층이 쌓여 층을 이루고 있는 것이다. 자료 1 • 층마다 색깔, 두께, 모양 등이 다양하다.
지층의 모양	• 수평인 지층: 수평으로 쌓여 모양이 나란하며 줄무늬가 보인다. • 휘어진 지층: 줄무늬가 보이며, 지층이 휘어져 있다. • 끊어진 지층: 지층이 끊어져 있고, 어긋나 있기도 하다.
지층 발견 과정	❶ → ❷ → ❸ → ❹ ❶ 흐르는 물에 운반된 진흙, 모래, 자갈 등이 바닥에 쌓인다. ❷ 먼저 쌓인 물질 위로 새로 운반되어 온 진흙, 모래, 자갈 등이 계속해서 쌓인다. ❸ 진흙, 모래, 자갈 등이 오랜 시간 동안 쌓이고 굳어져 지층이 만들어진다. ❹ 지층이 땅 위로 솟아오른 뒤 깎이면 볼 수 있다.

퇴적암

퇴적암	진흙, 모래, 자갈 등의 여러 가지 알갱이가 굳어져 만들어진 암석이다.
퇴적암의 분류	• 알갱이의 크기에 따라 이암, 사암, 역암으로 분류할 수 있다. • 이암: 진흙이나 갯벌의 흙과 같은 작은 알갱이로 되어 있다. • 사암: 주로 진흙보다 큰 모래 알갱이로 되어 있다. • 역암: 주로 자갈과 모래 등으로 되어 있어 알갱이가 가장 크다.
퇴적암이 만들어지는 과정	❶ 강, 바다로 운반된 진흙, 모래, 자갈 등의 퇴적물이 계속 바닥에 쌓인다. ❷ 먼저 쌓인 퇴적물은 나중에 그 위에 쌓이는 퇴적물이 누르는 힘 때문에 알갱이 사이의 공간이 좁아진다. ❸ 물속에 녹아 있는 여러 가지 물질이 알갱이들을 서로 붙게 하면 단단한 퇴적암이 된다.

▶ 퇴적암이 만들어지기까지는 오랜 시간이 걸린다.

화석

화석	옛날에 살았던 생물의 몸체나 생활한 흔적이 남아 있는 것으로, 크기와 종류가 다양하다. 자료 2
화석이 만들어지기 위한 조건	• 죽은 생물이 퇴적물 속에 빨리 묻혀야 한다. • 동물의 뼈, 껍데기, 이빨, 식물의 잎, 줄기 등과 같이 단단한 부분이 있으면 화석이 되기 쉽다.
화석 발견 과정	❶ 강, 호수, 바다의 바닥에 죽은 생물이 묻힌다. ❷ 그 위에 퇴적물이 쌓인다. ❸ 퇴적물이 계속 쌓여 지층이 만들어지고 그 속에 묻힌 생물이 화석이 된다. ❹ 지층이 솟아오른 뒤 비, 바람 등에 깎이면 화석이 드러난다.
화석으로 알 수 있는 것	• 옛날에 살았던 생물의 생김새와 생활 모습 • 화석이 발견된 장소의 옛날 환경과 지층이 쌓인 시기 등

▶ 화석이 만들어지기까지는 오랜 시간이 걸린다.

과학 자료

자료 1 지층과 지구의 역사

오랜 시간에 걸쳐 만들어진 지층으로 지구의 역사를 알 수 있다. 각 지층은 흐르는 물에 의해 운반된 흙이 쌓일 때의 기후 변화, 계절 변화, 바다 밑으로 내려간 시기 등을 알려 주는 증거가 된다. 또한, 지층을 만든 퇴적물의 크기에 따라 바다의 깊이를 짐작할 수 있다. 자갈 등과 같이 무거운 물질로 이루어진 퇴적암은 해안 가까이에서 만들어진 것이고, 진흙처럼 알갱이가 작고 가벼운 물질로 이루어진 퇴적암은 비교적 먼 바다에서 만들어진 것이다.

지층 구조를 보면 지구 내부의 원인 때문에 지구 표면의 땅이 어떻게 변했는지 지구의 역사를 알 수 있다. 지구는 지금도 여러 가지 힘에 의해 그 모습이 계속 변하고 있다.

자료 2 화석으로만 존재하는 삼엽충

삼엽충은 바다에서 살았던 생물이다. 모양은 편평하며 몸이 머리, 가슴, 꼬리의 세 부분으로 구분된다. 공격을 당하면 몸을 돌돌 말아 적으로부터 몸을 지킬 수 있었다. 삼엽충이라는 이름은 세로로 보았을 때 왼쪽, 가운데, 오른쪽의 세 부분으로 뚜렷이 구분되기 때문에 지어졌다.

삼엽충은 1 mm에서 최대 72 cm의 다양한 크기였다. 새우처럼 떠다니면서 영양분을 걸러 먹거나 바닷속을 기어 다니며 바다 밑에 가라앉는 유기물 조각을 주워 먹기도 하며 깊은 곳에서 살았을 것으로 추정한다. 삼엽충은 고생대를 대표하는 화석으로, 다양한 종류가 발견되고 있다. 특정 지질 시대를 구분하는 기준이 되는 이러한 화석을 표준 화석이라고 한다.

VISUAL SCIENCE

비주얼 사이언스

습곡

지각을 이루는 지층이나 암석이 양쪽에서 미는 큰 힘을 받아 휘어진 것을 습곡이라고 한다.

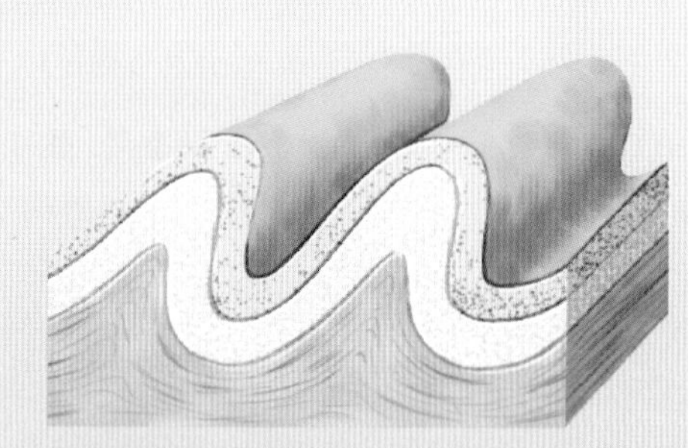
경사 습곡

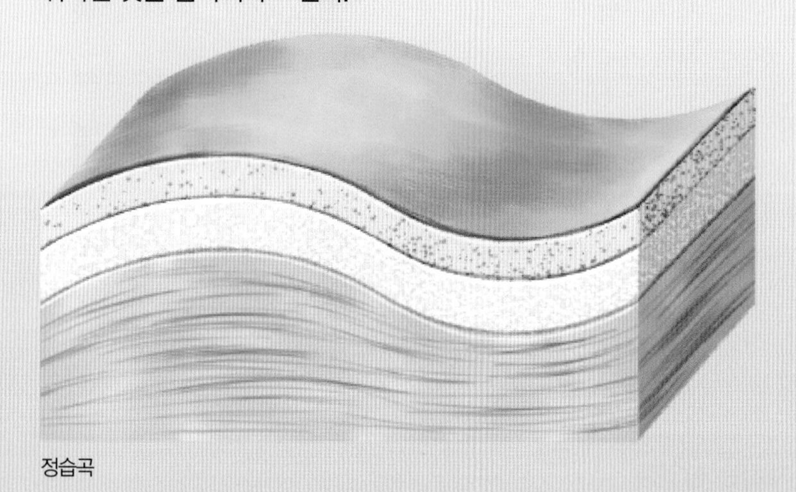
정습곡

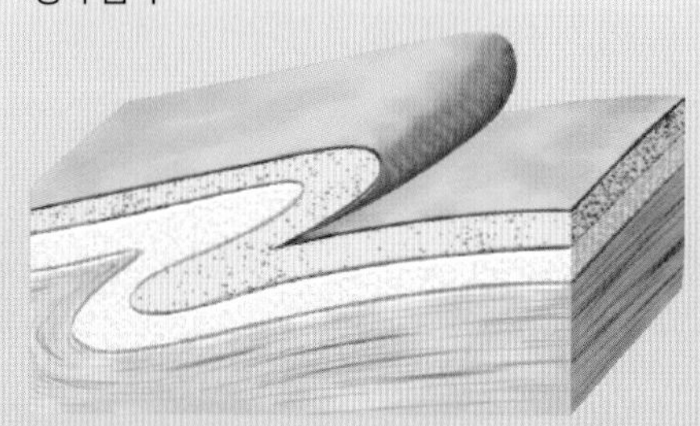
횡와 습곡

퇴적 환경

지표의 암석이 비와 바람 등에 의해 깎이면서 작은 입자가 되면 물이나 바람, 빙하 등에 의해 다른 곳으로 운반되고 물 흐름의 변화 등에 의해 퇴적된다. 이렇게 퇴적물 입자가 다시 쌓이는 다양한 환경을 퇴적 환경이라고 한다.

단층

지층이나 암석에 힘이 작용하여 끊어지고, 끊어진 면을 경계로 양쪽의 암반이 상대적으로 이동하여 서로 어긋난 것을 단층이라고 한다.

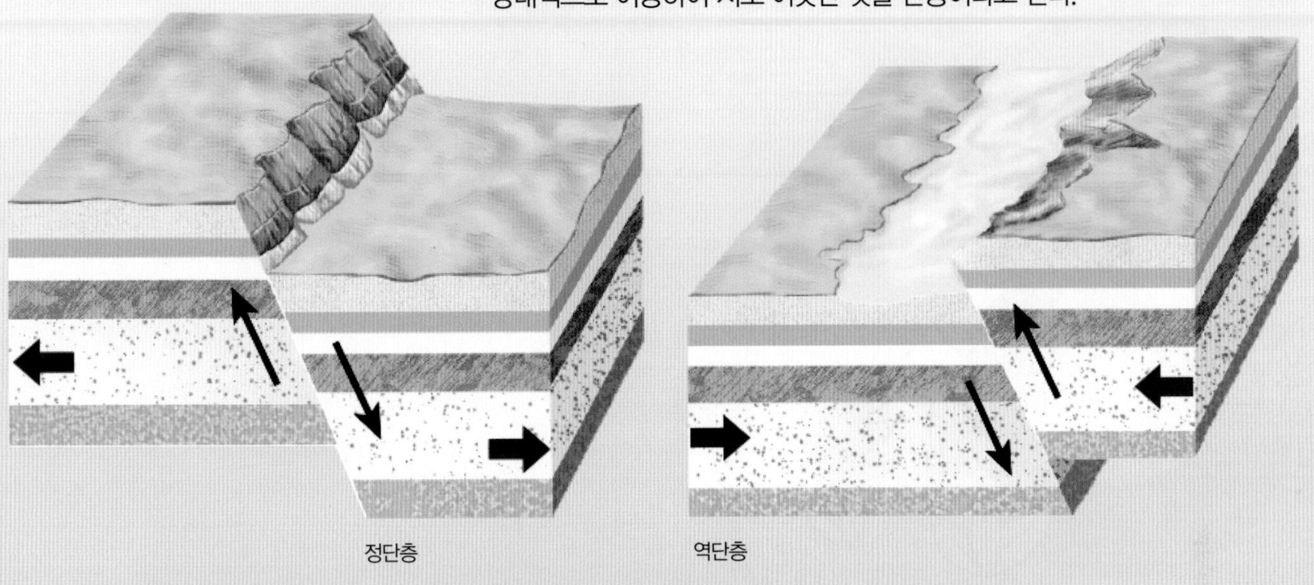

정단층　　역단층

22쪽 참고

화석으로 알 수 있는 것

지층에서 발견된 말의 화석을 연대순으로 정리하면 말은 발가락 수가 줄어들고, 몸집이 커지며, 어금니가 커지면서 주름이 많아지는 모습으로 변화해 온 것을 알 수 있다. 이렇게 화석을 통해 과거부터 현재까지 생물의 모습이 어떻게 달라졌는지를 알 수도 있다.

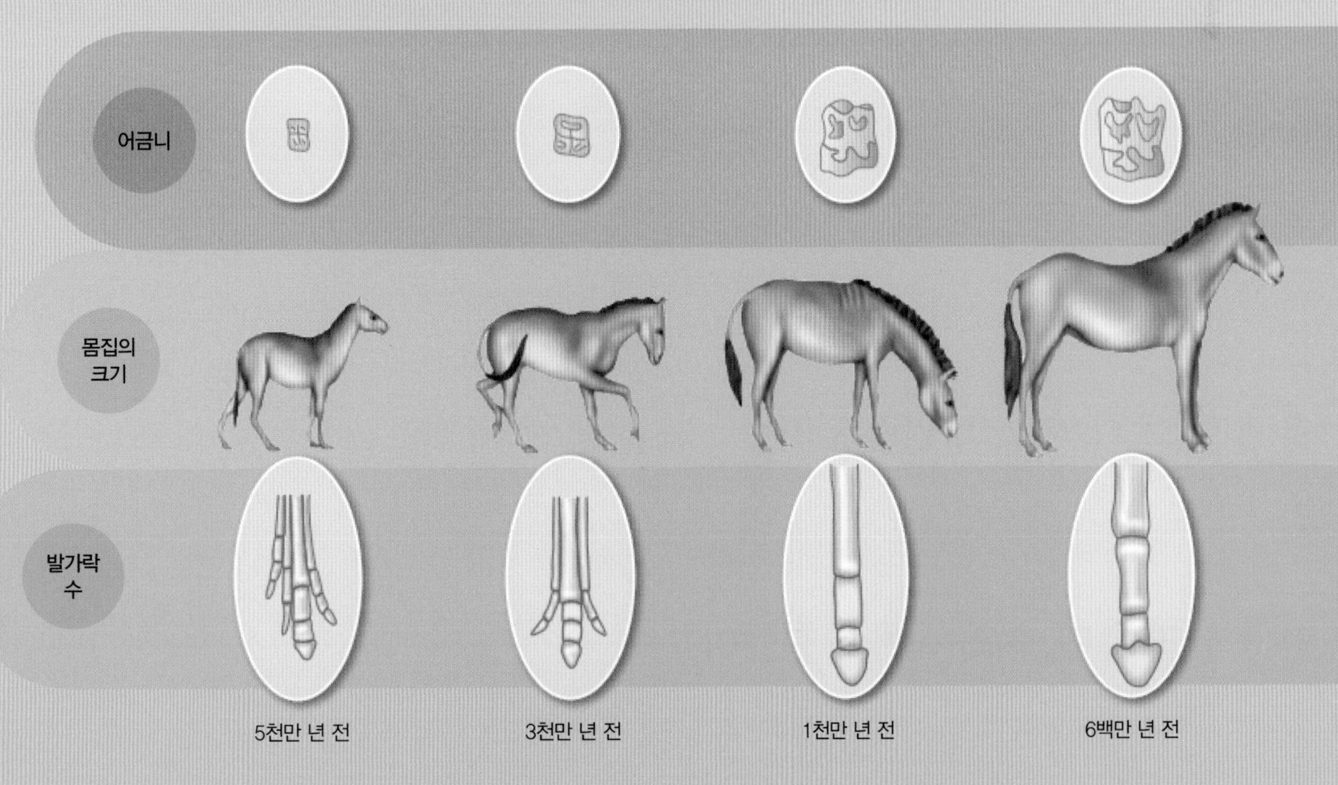

식물의 한살이

1 씨가 싹 트는 조건

2 싹 트기, 식물의 잎과 줄기

3 꽃과 열매, 여러 식물의 한살이

식물은 어떤 과정을
거쳐 자라는 걸까?
선수
학습
• 통합 1~2학년군
도란도란 봄 동산
초록이의 여름 여행
가을아 어디 있니
이 단원의
학습
• 3~4학년군
식물의 한살이
후속
학습
• 3~4학년군 식물의 생활
• 5~6학년군 다양한 생물과 우리 생활, 식물의 구조와 기능
• 중학교 1~3학년군 식물과 에너지, 생식과 유전

1 씨가 싹 트는 조건

만화로 보는 '씨'

식물의 씨
- 씨는 식물의 열매에서 생기는 것으로, 자라서 새로운 식물체가 된다.
- 씨는 스스로 양분을 만들지 못하지만 어느 정도 자랄 수 있을 때까지 사용할 수 있는 양분을 가지고 있다.

- **탈지면** 불순물이나 지방 따위를 제거하고 소독한 솜.

1. 여러 가지 모양의 씨

(1) **여러 가지 씨** 씨는 식물의 종류에 따라 모양, 색깔, 크기 등이 다양하다. 씨의 바깥은 대부분 껍질로 둘러싸여 있고, 그 속에는 자라서 식물이 될 부분이 들어 있다. 식물은 씨를 퍼뜨리고, 씨가 싹이 트면 새로운 식물로 자란다.

구분	강낭콩	볍씨	옥수수	은행	호두
모양	둥글고 길쭉하다.	길쭉하다.	둥근 쪽과 모가 난 쪽이 있다.	달걀처럼 둥글다.	크고 둥글며 주름이 있다.
색깔	검붉은색	노란색	노란색	연한 노란색	연한 갈색
크기	–	가장 작다.	–	–	가장 크다.

(2) **여러 가지 씨의 공통점과 차이점** 씨는 단단하고 껍질이 있으며 대부분 주먹보다 크기가 작은 공통점이 있다. 그러나 씨마다 모양, 색깔, 크기 등의 생김새는 다르다는 차이점이 있다.

2. 씨가 싹 트는 조건 교과서 속 탐구 40쪽

씨가 싹 트려면 충분한 물이 있어야 하고, 적당한 온도가 유지되어야 한다.

Mini 탐구 씨가 싹 트는 데 물이 미치는 영향

과정

1. 크기가 같은 페트리 접시 두 개에 같은 양의 탈지면을 깔고, 비슷한 크기의 강낭콩을 올려놓는다.
2. 한쪽 페트리 접시에만 탈지면이 흠뻑 젖도록 물을 주고 약 일주일 동안 변화를 관찰한다.
   └ 물의 조건만 다르게 한다.

결과

물을 준 페트리 접시	물을 주지 않은 페트리 접시
약 일주일 뒤	약 일주일 뒤
강낭콩이 싹 텄다.	강낭콩이 싹 트지 않았다.

▶ 씨가 싹 트려면 적당한 양의 물이 필요하다.

3. 식물의 한살이 관찰 계획 세우기

(1) **식물의 한살이** 식물의 씨가 싹 터서 잎과 줄기가 자라고 꽃과 열매를 맺어 다시 씨가 만들어지는 과정이다. 식물의 한살이를 관찰할 때에는 강낭콩, 봉숭아, 나팔꽃, 토마토 등과 같이 한살이 기간이 짧고 잎, 줄기, 꽃, 열매 등을 관찰하기 쉬운 식물을 선택하는 것이 좋다.

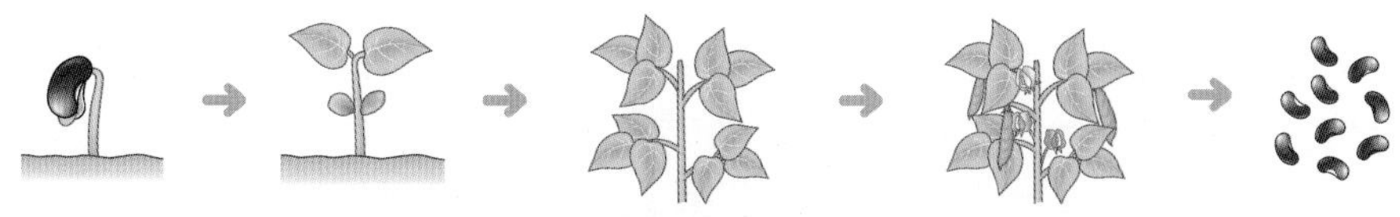

싹 트기 → 자라기 → 잎과 줄기 자라기 → 꽃 피기(열매 맺기) → 새로운 씨

▲ 강낭콩의 한살이: 한살이 과정을 통해 강낭콩이 자라는 과정을 관찰할 수 있다.

(2) **식물의 한살이 관찰 계획** 식물의 한살이 관찰 계획서에는 관찰자, 관찰할 식물, 씨를 심을 날짜를 쓴다. 씨가 싹 트는 모습, 잎의 개수와 길이, 줄기의 길이, 꽃의 색깔과 모양, 열매의 모양 등의 관찰할 내용도 함께 기록한다.

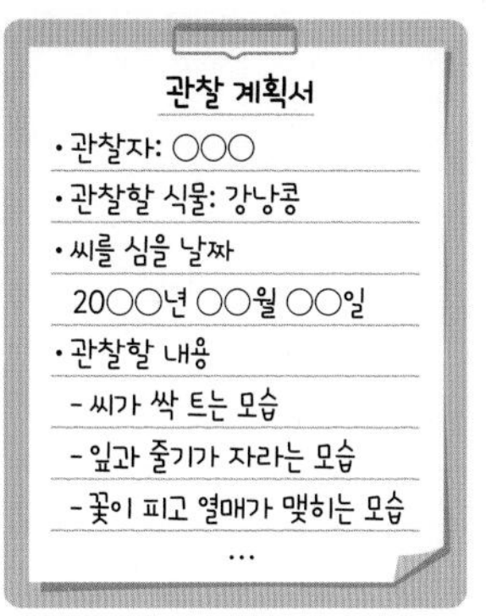

관찰 계획서

- 관찰자: ○○○
- 관찰할 식물: 강낭콩
- 씨를 심을 날짜
  20○○년 ○○월 ○○일
- 관찰할 내용
  - 씨가 싹 트는 모습
  - 잎과 줄기가 자라는 모습
  - 꽃이 피고 열매가 맺히는 모습

  …

(3) **식물의 씨 심기**

❶ 화분 바닥에 그물망과 작은 돌을 놓아 구멍을 막는다.

❷ 화분에 거름흙을 $\frac{3}{4}$ 정도 넣는다.

❸ 씨를 씨 크기의 두세 배 정도의 깊이에 심는다.

└ 씨를 심는 깊이는 씨 크기의 두세 배보다 조금 깊거나 얕아도 씨가 싹 틀 수 있다.

❹ 물뿌리개로 물을 충분히 뿌려 준다.

❺ 팻말을 꽂고 햇빛이 잘 드는 곳에 놓아둔다.

└ 팻말에는 식물 이름과 심은 날짜, 심은 모둠 이름을 쓴다.

(4) **식물의 한살이 중 관찰할 내용** 식물의 한살이를 알아보려면 씨가 싹 트고 잎과 줄기가 자라는 모습, 꽃이 피고 열매가 자라는 모습 등을 꾸준하게 관찰해야 한다. ➡ 관찰 일지를 쓰면 식물이 자라는 모습을 자세하게 기록할 수 있다. 잎, 꽃, 열매의 모습을 사진으로 찍거나 그림으로 남긴다. 자를 이용하여 잎과 줄기의 길이를 측정하고, 특징을 글로 쓴다.

그물망이나 작은 돌로 화분 바닥의 구멍을 막는 까닭

화분에 물을 주었을 때 흙이 화분 바닥의 구멍을 막지 않고 물이 잘 빠져나가게 하기 위해서 그물망과 작은 돌로 물 빠짐 구멍을 막는다.

씨를 물에 담가 두기

씨를 심기 전에 하루 정도 물에 담가 두면 씨가 물을 충분히 흡수하기 때문에 씨를 심었을 때 싹이 틀 가능성이 높아진다.

"씨가 싹 트는 데 온도가 미치는 영향"

과정

1. 크기가 같은 페트리 접시 두 개에 같은 양의 탈지면을 깔고, 비슷한 크기의 강낭콩을 서너 개씩 올려놓고 분무기로 물을 충분히 준다.
2. 페트리 접시를 각각 상자에 넣은 후 상자 한 개는 냉장고에 넣어 두고, 다른 한 개는 냉장고 밖에 둔다.

다르게 한 조건	온도
같게 한 조건	물, 공기, 햇빛, 페트리 접시, 탈지면 등

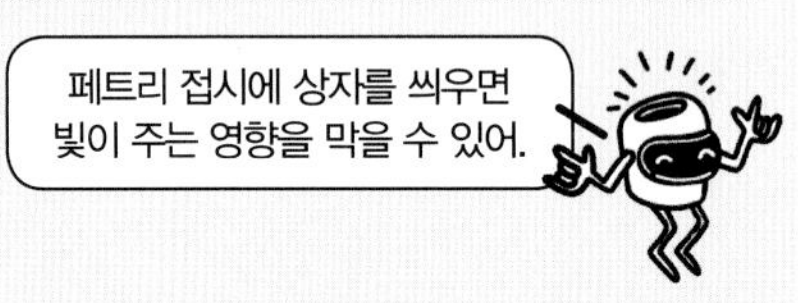

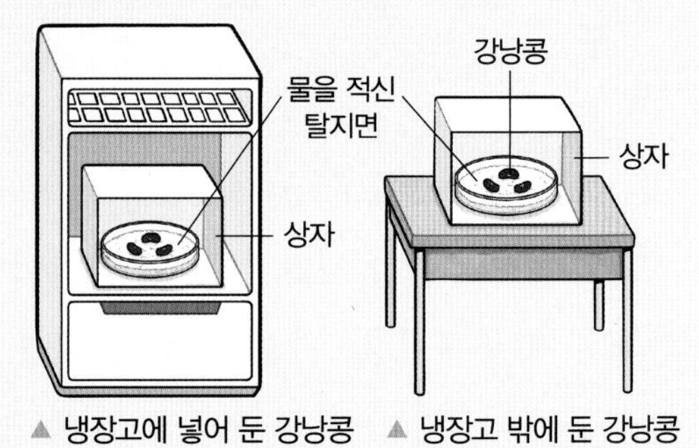

▲ 냉장고에 넣어 둔 강낭콩 ▲ 냉장고 밖에 둔 강낭콩

3. 며칠 동안 강낭콩에서 생긴 변화를 관찰한다.

결과

▶ **며칠 동안 강낭콩에서 생긴 변화**

냉장고에 넣어 둔 페트리 접시	냉장고 밖에 둔 페트리 접시
강낭콩이 싹 트지 않았다.	강낭콩이 싹 텄다.

알 수 있는 사실 ▶ 온도가 낮으면 씨가 싹 트기 어렵다. 씨가 싹 트려면 적당한 온도가 필요하다.

정답과 해설 10쪽

1 두 개의 페트리 접시에 각각 탈지면을 깔고 강낭콩을 올려놓은 후, 강낭콩이 싹 트는 데 온도가 어떤 영향을 미치는지 알아보려고 합니다. 다르게 할 조건과 같게 할 조건으로 분류하여 기호를 쓰시오.

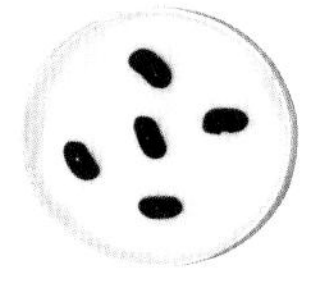

㉠ 물	㉡ 빛
㉢ 공기	㉣ 온도
㉤ 탈지면의 양	㉥ 페트리 접시의 종류

(1) 다르게 할 조건: (　　　　)

(2) 같게 할 조건: (　　　　)

2 다음은 비슷한 크기의 강낭콩을 올려놓고 탈지면에 물을 충분히 준 후, 한 개는 냉장고에 넣고 다른 한 개는 냉장고 밖에 두었던 것입니다. 강낭콩을 관찰한 후 실험 결과를 잘못 이해한 사람의 이름을 쓰시오.

▲ 냉장고에 넣어 둔 것

▲ 냉장고 밖에 둔 것

- 수연: 온도가 높을수록 씨가 싹 트기 좋아.
- 예림: 온도가 낮으면 씨가 싹 트기 어렵구나.
- 효석: 씨가 싹 트려면 적당한 온도가 필요해.

(　　　　)

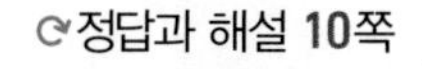

1 여러 가지 씨의 공통점으로 ( ) 안에 들어갈 알맞은 말을 쓰시오.

> 씨는 단단하고 (㉠)이/가 있으며, 대부분 주먹보다 크기가 (㉡)다.

㉠ ( ), ㉡ ( )

2 페트리 접시 두 개에 각각 탈지면을 깔고 비슷한 크기의 강낭콩을 올려놓은 후 한쪽 페트리 접시에만 탈지면이 마르지 않게 물을 계속해서 주었습니다. 약 일주일 뒤에 싹 튼 강낭콩을 볼 수 있는 것에 ○표 하시오.

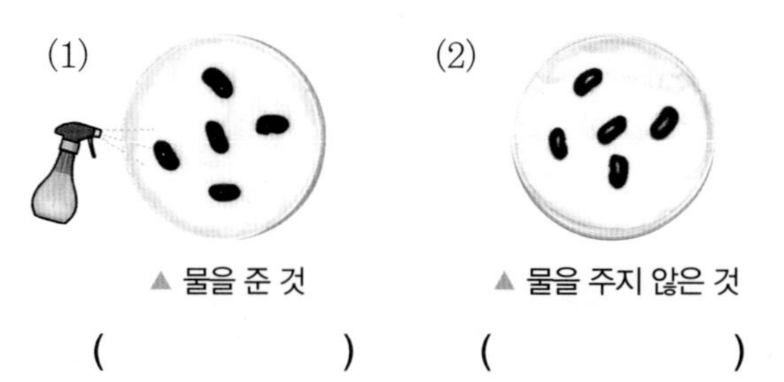

(1) ▲ 물을 준 것 ( )

(2) ▲ 물을 주지 않은 것 ( )

3 강낭콩을 올려놓은 탈지면에 물을 주고, 다음의 조건에 놓아두었을 때, 며칠 후 볼 수 있는 페트리 접시 속 강낭콩의 모습으로 알맞은 것끼리 선으로 이으시오.

(1) 페트리 접시를 냉장고 밖에 둔다. • • ㉠

(2) 페트리 접시를 냉장고에 넣어 둔다. • • ㉡

4 씨가 싹 트는 조건에 대한 설명으로 옳지 않은 것을 보기에서 골라 기호를 쓰시오.

> **보기**
>
> ㉠ 물과 온도, 공기가 모두 적당해야 한다.
>
> ㉡ 물을 주지 않아도 따뜻한 곳에 두면 싹이 튼다.
>
> ㉢ 물과 온도, 공기가 적당하면 빛이 없는 곳에 두어도 싹이 튼다.

( )

5 한살이를 관찰하기에 적합한 식물에 대해 옳게 말한 사람의 이름을 쓰시오.

> • 보영: 키우기 어려운 식물이 관찰하기에 좋아.
>
> • 진아: 한살이 기간이 길수록 자세히 관찰할 수 있어.
>
> • 민혁: 잎, 줄기, 꽃과 열매의 구분이 잘 되어야 해.

( )

6 다음을 화분에 식물의 씨를 심는 순서대로 기호를 쓰시오.

㉠ 물을 충분히 뿌려 준다.

㉡ 거름흙을 $\frac{3}{4}$ 정도 넣는다.

㉢ 팻말을 꽂고 햇빛이 잘 드는 곳에 놓아둔다.

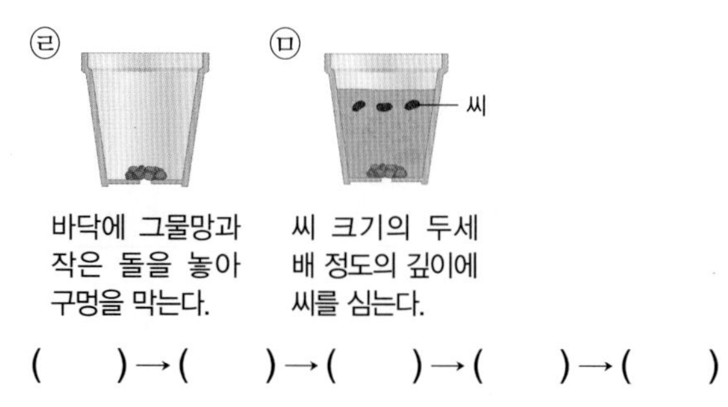

㉣ 바닥에 그물망과 작은 돌을 놓아 구멍을 막는다.

㉤ 씨 크기의 두세 배 정도의 깊이에 씨를 심는다.

( ) → ( ) → ( ) → ( ) → ( )

싹 트기, 식물의 잎과 줄기

만화로 보는
'싹 트기'

- **떡잎** 씨가 싹 터서 처음 나오는 잎.
- **본잎** 떡잎이 나온 뒤에 나오는 잎. 보통의 잎.

쭈글쭈글해지는 떡잎

씨는 떡잎에 있는 양분으로 싹 트고 본잎이 자란다. 떡잎에 있는 양분이 사용되면 떡잎은 쭈글쭈글해지고 나중에는 시들어 떨어진다.

1. 강낭콩이 싹 트는 모습

구분	싹 트기 전	싹 튼 뒤
겉모양	• 둥글고 길쭉하다. • 크기가 작고 말라 있다. • 씨껍질이 딱딱하고 잘 벗겨지지 않는다.	• 씨가 부풀어 커졌다. • 씨의 배꼽 근처(배꼽의 윗부분)에서 뿌리가 자라 나왔다. 뿌리
속 모양	떡잎 사이에 작은 뿌리와 잎이 납작하게 붙어 있다.	떡잎 사이에서 뿌리와 잎이 자라 나오고 있다.

2. 씨가 싹 터서 자라는 모습

(1) **강낭콩이 싹 터서 자라는 과정** 강낭콩이 물을 흡수하여 부풀면, 뿌리가 나오고 씨껍질이 벗겨지면서 두 장의 떡잎이 나온다. 줄기는 처음에 끝부분이 굽어 있다가 땅을 뚫고 나오면 펴져서 곧게 자란다. 떡잎 사이로 본잎이 나와 자라고 떡잎은 점점 시든다.

(2) **옥수수가 싹 터서 자라는 과정** 옥수수는 싹 틀 때 뿌리가 나온 후 줄기를 둘러싸고 있는 떡잎싸개가 먼저 나와 위쪽으로 밀고 올라간다. 본잎은 떡잎싸개의 빈 공간을 이용하여 떡잎싸개에 둘러싸여 땅 위로 나와 자란다. 한 장인 옥수수의 떡잎은 흙 위로 나오지 않고 땅 밑에 남아서 분해된다.
└ 옥수수의 떡잎은 씨 속에서 양분으로 사용된다.

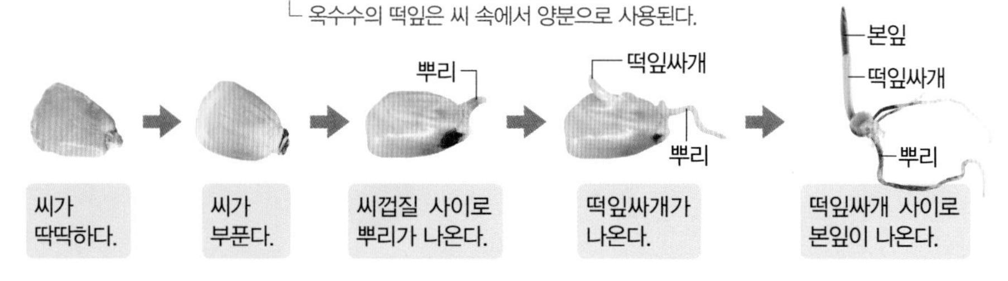

3. 강낭콩의 잎과 줄기의 자람

(1) **강낭콩이 잘 자라는 조건** 식물이 잘 자라기 위해서는 물과 적당한 온도가 필요하다. 충분한 햇빛도 필요하다. 교과서 속 탐구 44쪽

(2) **잎과 줄기의 자람** 강낭콩은 자라면서 잎이 점점 넓어지고 개수도 많아진다. 줄기도 점점 굵어지고 길어진다.

보충 플러스⁺ 강낭콩의 잎이 나는 순서

싹이 트면 가장 먼저 떡잎이 두 장 나오고, 떡잎 사이에서 줄기가 나온다. 줄기 끝에서는 두 장의 본잎이 마주 보고 나오며, 그 사이에서 다시 새로운 줄기가 자란다. 이 줄기 끝에서 •잎자루 한 개가 나오고 여기에 새로운 잎 세 장이 자란다. 그 뒤 줄기가 뻗을 때마다 한 번에 잎이 세 장씩 자라서 잎의 개수가 많아진다.

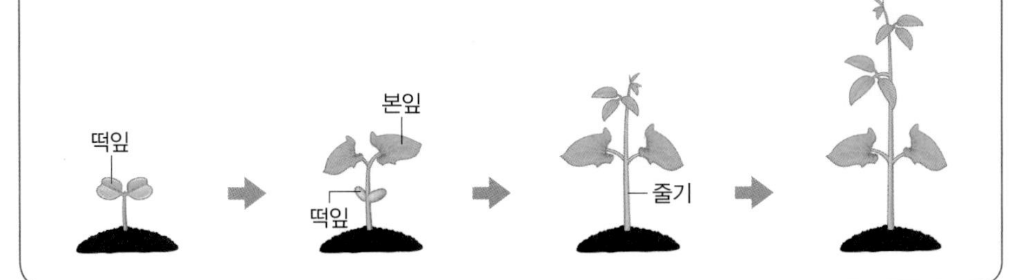

용어
•**잎자루** 잎을 줄기나 가지에 붙어 있게 하는 가는 부분.

(3) **잎과 줄기가 자란 정도 측정하기** 잎의 개수를 세어 본다. 자를 이용하여 잎이 줄기에 붙어 있는 부분부터 잎의 끝부분까지의 길이를 잰다. 줄자를 이용하여 줄기가 흙 위로 처음 나온 부분부터 •새순이 난 바로 아래까지의 길이를 잰다.

용어
•**새순** 나무의 가지나 풀의 줄기에서 새로 돋아나온 연한 싹.

▲ 잎의 길이 측정: 자를 이용하여 잎이 줄기에 붙어 있는 부분부터 잎의 끝부분까지의 길이를 잰다.

▲ 강낭콩이 자라는 모습

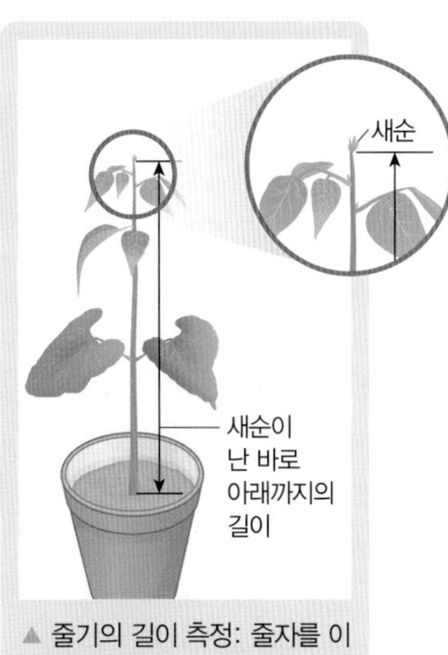

▲ 줄기의 길이 측정: 줄자를 이용하여 줄기가 흙 위로 처음 나온 부분부터 새순이 난 바로 아래까지의 길이를 잰다.

강낭콩 줄기의 자람을 측정하는 다양한 방법

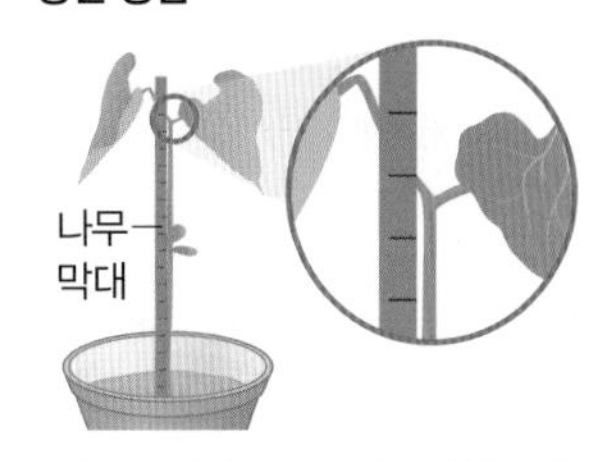

긴 나무 막대에 1cm마다 선을 그은 뒤 화분에 꽂아 두어 줄기가 자란 정도를 잰다.

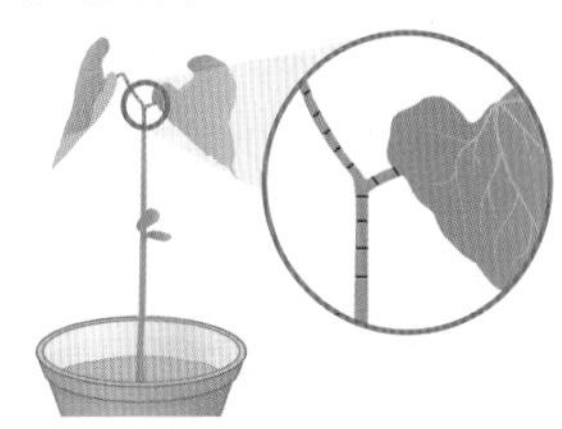
줄기에 일정한 간격으로 선을 그은 뒤 표시한 선의 간격이 얼마나 벌어졌는지 확인한다.

"식물이 자라는 데 필요한 조건 알아보기"

탐구 1 식물이 자라는 데 물이 미치는 영향

과정

식물이 비슷한 크기로 자란 화분 두 개 중 약 10일 동안 한 화분에는 물을 적당히 주고, 다른 화분에는 물을 주지 않으면서 식물의 변화를 관찰한다.

➡ 다르게 한 조건: 물 / 같게 한 조건: 화분의 크기, 식물의 종류, 햇빛, 양분, 온도 등

결과

물을 적당히 준 화분의 강낭콩이 잘 자랐다.

물을 주지 않은 화분의 강낭콩이 시들고 잘 자라지 못하였다.

탐구 2 식물이 자라는 데 햇빛이 미치는 영향

과정

식물이 비슷한 크기로 자란 화분 두 개를 햇빛이 잘 드는 곳에 두고, 한 화분에만 햇빛 차단 장치를 씌운다. 약 10일 동안 두 화분에 모두 물을 적당히 주면서 식물의 변화를 관찰한다.

➡ 다르게 한 조건: 햇빛 / 같게 한 조건: 화분의 크기, 식물의 종류, 물, 양분, 온도 등

결과

햇빛을 받은 화분의 강낭콩 잎의 색깔이 진하고 줄기가 굵게 자랐다.

햇빛을 받지 않은 강낭콩 잎의 색깔이 연하고 줄기가 가늘게 자랐다.

알 수 있는 사실

▶ 식물이 자라는 데 적당한 양의 물이 필요하다.

▶ 식물이 자라는 데 충분한 햇빛이 필요하다.

정답과 해설 11쪽 

1 식물이 비슷한 크기로 자란 화분 두 개 중 한 화분에는 물을 적당히 주고, 다른 화분에는 물을 주지 않았습니다. 이 실험은 식물이 자라는 데 어떤 조건이 필요한지 알아보기 위한 것인지 쓰시오.

(　　　　　　　　　　)

2 식물이 비슷한 크기로 자란 화분 두 개를 햇빛이 잘 드는 곳에 두고, 한 화분에만 햇빛 차단 장치를 씌웠습니다. 약 10일 동안 두 화분에 물을 적당히 주었을 때 ㉠과 ㉡ 중 식물 잎의 색깔이 연하고 줄기가 가늘게 자란 화분의 기호를 쓰시오.

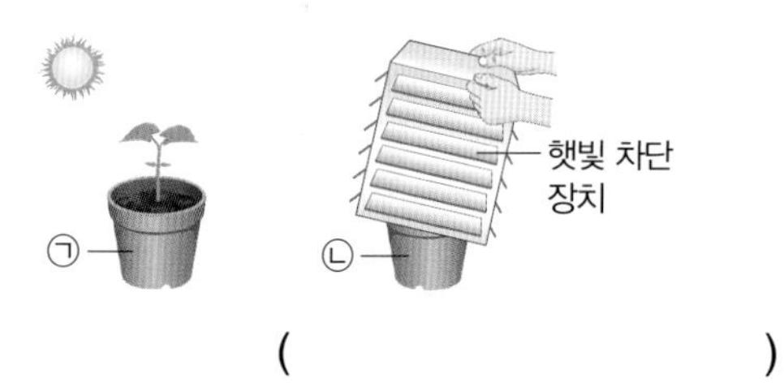

(　　　　　　　　　　)

정답과 해설 11쪽

[1~2] 다음은 강낭콩이 싹 터서 자라는 과정입니다. 물음에 답하시오.

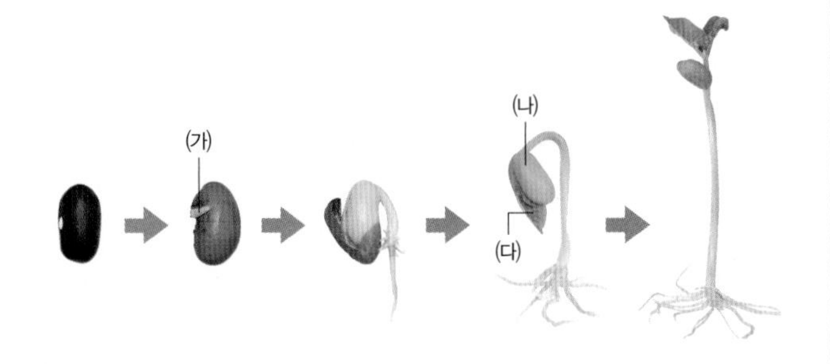

1 위 (가), (나), (다) 부분의 이름을 쓰시오.

(가) (　　　　　　), (나) (　　　　　　)
(다) (　　　　　　)

2 위 (나)와 (다)에 해당하는 특징을 알맞게 선으로 이으시오.

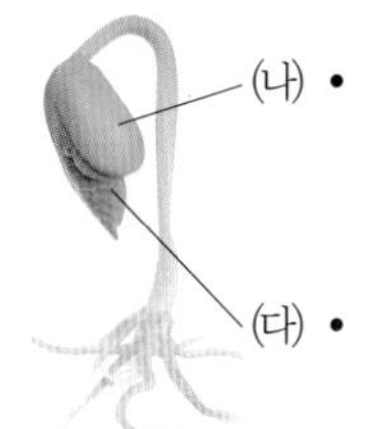

(나) • 　　• ㉠ 점점 커진다.
(다) • 　　• ㉡ 쭈글쭈글해지다가 시들어 떨어진다.

3 다음은 옥수수가 싹 터서 자라는 과정을 순서 없이 나타낸 것입니다. 순서대로 기호를 쓰시오.

㉠ 씨가 부푼다.
㉡ 본잎이 나온다.
㉢ 뿌리가 나온다.
㉣ 떡잎싸개가 나온다.

(　　) → (　　) → (　　) → (　　)

[4~5] 다음은 강낭콩이 비슷한 크기로 자란 화분 두 개를 같은 환경에 두고, 10일 동안 한 화분에만 물을 적당히 준 후의 모습입니다. 물음에 답하시오.

(가)

(나)

4 위 (가)와 (나) 화분 중 10일 동안 물을 적당히 준 것의 기호를 쓰고, 그 까닭으로 옳은 것을 보기에서 골라 기호를 쓰시오.

(1) 물을 적당히 준 화분: (　　　　　　)
(2) 까닭으로 옳은 것

보기
㉠ 물을 적당히 주면 강낭콩이 시든다.
㉡ 물을 적당히 주면 강낭콩이 잘 자란다.
㉢ 물을 주는 양과 강낭콩이 자라는 정도는 관계가 없다.

(　　　　　　)

5 위 실험을 보고, 강낭콩이 잘 자라기 위해 어떤 조건이 필요한지 쓰시오.

(　　　　　　)

6 화분에 심은 강낭콩이 자라는 모습을 관찰한 결과를 잘못 말한 사람의 이름을 쓰시오.

- 화영: 잎의 개수가 점점 많아졌어.
- 연아: 잎이 점점 넓어진 것을 알 수 있어.
- 준기: 줄기가 길어졌지만 굵기는 변하지 않았어.

(　　　　　　)

3 꽃과 열매, 여러 식물의 한살이

개념 강의

만화로 보는
'식물의 한살이'

용어
- **꽃봉오리** 아직 피지 않은 꽃.
- **번식** 생물의 수가 늘거나 널리 퍼지는 것.

열매의 길이 측정

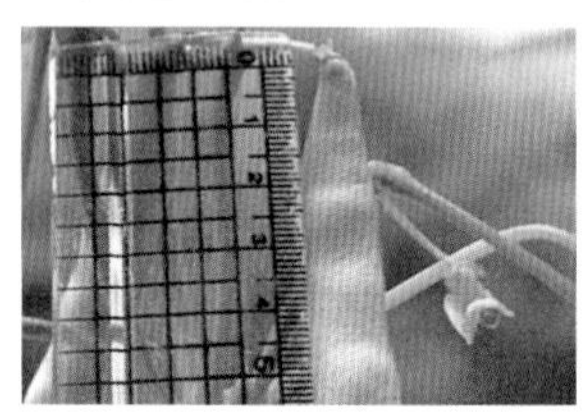

열매(꼬투리)의 길이는 열매가 시작되는 지점부터 끝까지 자 또는 줄자로 잰다.

1. 강낭콩의 꽃과 열매의 자람

(1) **식물의 꽃과 열매의 자람** 식물이 자라면 꽃이 피고, 꽃이 지면 열매가 생긴다. 열매 속에는 씨가 들어 있다. 열매 속에 들어 있는 씨를 심으면 다시 싹이 트고 자라 꽃이 피고 열매를 맺는다.

(2) **강낭콩의 꽃과 열매** 강낭콩의 꽃이 지고 나면 열매가 생기는데, 이것을 꼬투리라고 한다. 꼬투리는 가늘고 길쭉한 모양이며, 어린 꼬투리는 초록색이지만 자라면서 색깔이 변한다.
└ 황색 또는 황갈색 등

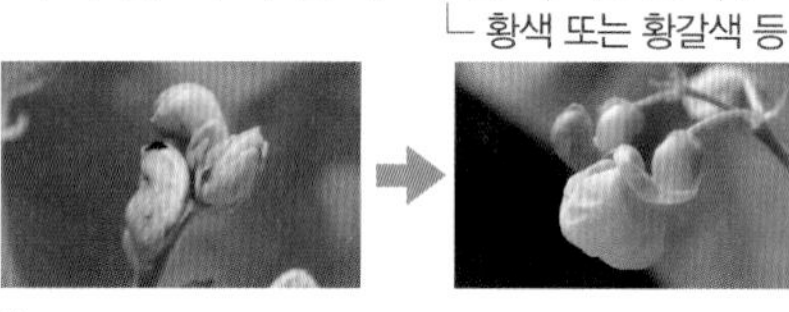
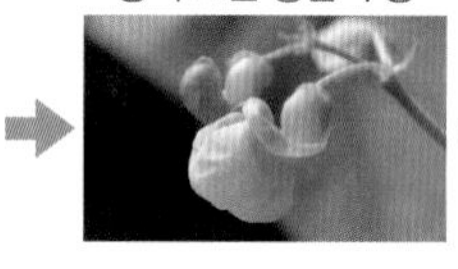

꽃봉오리가 생긴다. → 꽃이 핀다. → 꽃이 지면 꼬투리가 생긴다. → 꼬투리가 자란다.

(3) **꽃과 열매가 자라면서 달라지는 것** 꽃봉오리의 개수가 점점 많아지고 꽃이 피기 시작한다. 꽃이 지면 열매가 생기며 개수가 많아지고 점점 커진다.

(4) **꽃이 피고 열매를 맺는 까닭** 식물이 씨를 맺어 번식하기 위해서이다.

Mini 탐구 강낭콩의 꽃과 열매의 변화 관찰하기

과정 강낭콩 한 그루에 있는 꽃과 열매, 다 자란 꼬투리 속 씨의 개수를 세어 본다.

결과 강낭콩의 꽃과 열매의 변화 예

○○월 ○○일	○○월 ○○일
 • 꽃의 개수: 4개, 열매의 개수: 1개 • 작은 꽃봉오리가 생겼으며, 길이는 5 mm 정도이다.	 • 꽃의 개수: 11개, 열매의 개수: 7개 • 열매의 개수가 점점 많아진다.

심화 꽃의 역할은 수분(꽃가루받이)

꽃이 씨를 만들기 위해 수술에서 만든 꽃가루를 암술로 옮기는 것을 '수분' 또는 '꽃가루받이'라고 한다. 수분은 수술의 꽃가루가 같은 그루의 꽃에 있는 암술머리에 수분되는 자가 수분과 수술의 꽃가루가 다른 그루의 꽃에 있는 암술머리에 수분되는 타가 수분으로 나뉜다.

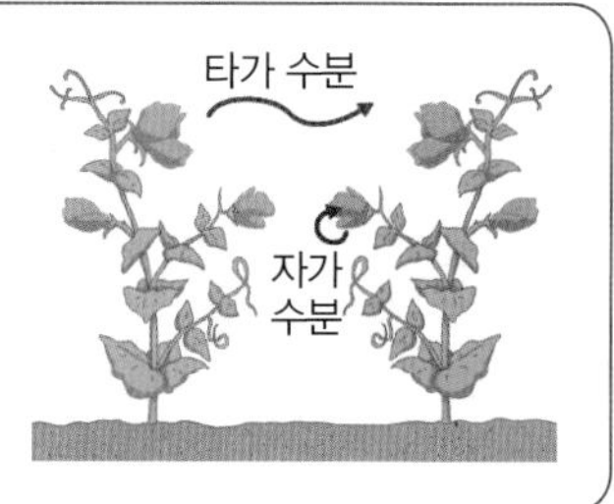

2. 여러 가지 식물의 한살이

(1) **한해살이 식물** 한 해 동안 한살이를 거치고 일생을 마치는 식물이다. 보통 풀이 한해살이 식물에 속한다. 교과서 속 자료 48쪽

(2) **여러해살이 식물** 여러 해 동안 죽지 않고 살아가는 식물이다. 여러해살이 식물은 씨를 심어 적당한 크기로 자라는 데 몇 년이 걸리고, 어느 정도 자란 뒤 새로운 잎이 나고 열매와 씨를 만드는 한살이 과정을 여러 해 동안 반복한다. 나무와 일부 풀이 여러해살이 식물에 속한다. 교과서 속 자료 49쪽

└ 나무와 같은 여러해살이 식물은 대부분 잎을 떨어뜨리고 줄기와 뿌리만 남긴 채 겨울을 난다.

(3) **한해살이 식물과 여러해살이 식물의 공통점과 차이점**

공통점	씨가 싹 터서 자라며 꽃이 피고 열매를 맺어 번식한다.
차이점	한해살이 식물은 열매를 맺고 한 해만 살고 죽지만, 여러해살이 식물은 여러 해를 살면서 열매 맺는 것을 반복한다.

한해살이 식물의 한살이 | 벼

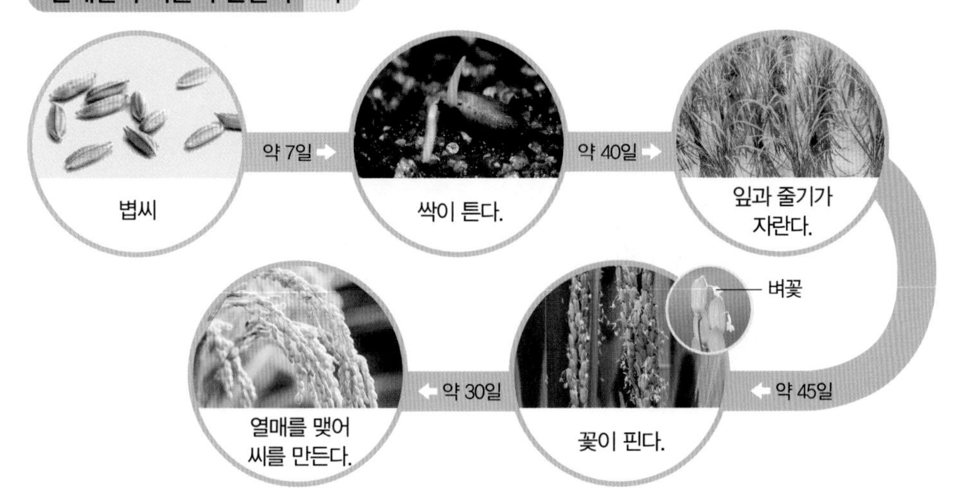

여러해살이 식물의 한살이 | 감나무

한해살이 식물과 여러해살이 식물

- 한해살이 식물: 벼, 봉숭아, 강낭콩, 옥수수, 해바라기, 코스모스 등
- 여러해살이 식물(풀): 민들레, 엉겅퀴, 비비추 등
- 여러해살이 식물(나무): 감나무, 사과나무, 개나리, 무궁화, 목련, 단풍나무, 진달래 등

볍씨가 싹 터서 자라는 과정

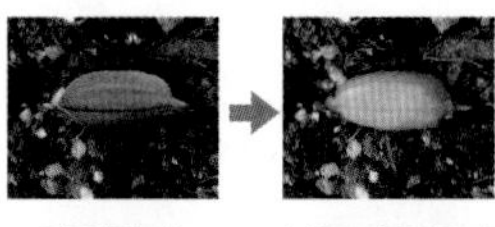
딱딱하다. → 부풀어오른다.

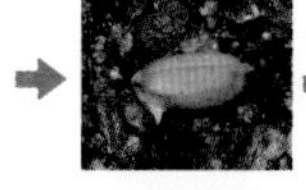
→ 뿌리가 나온다. → 떡잎싸개가 나온다.

→ 본잎이 나온다. → 본잎이 자란다.

교과서 속 자료

"한해살이 식물의 한살이 – 봉숭아"

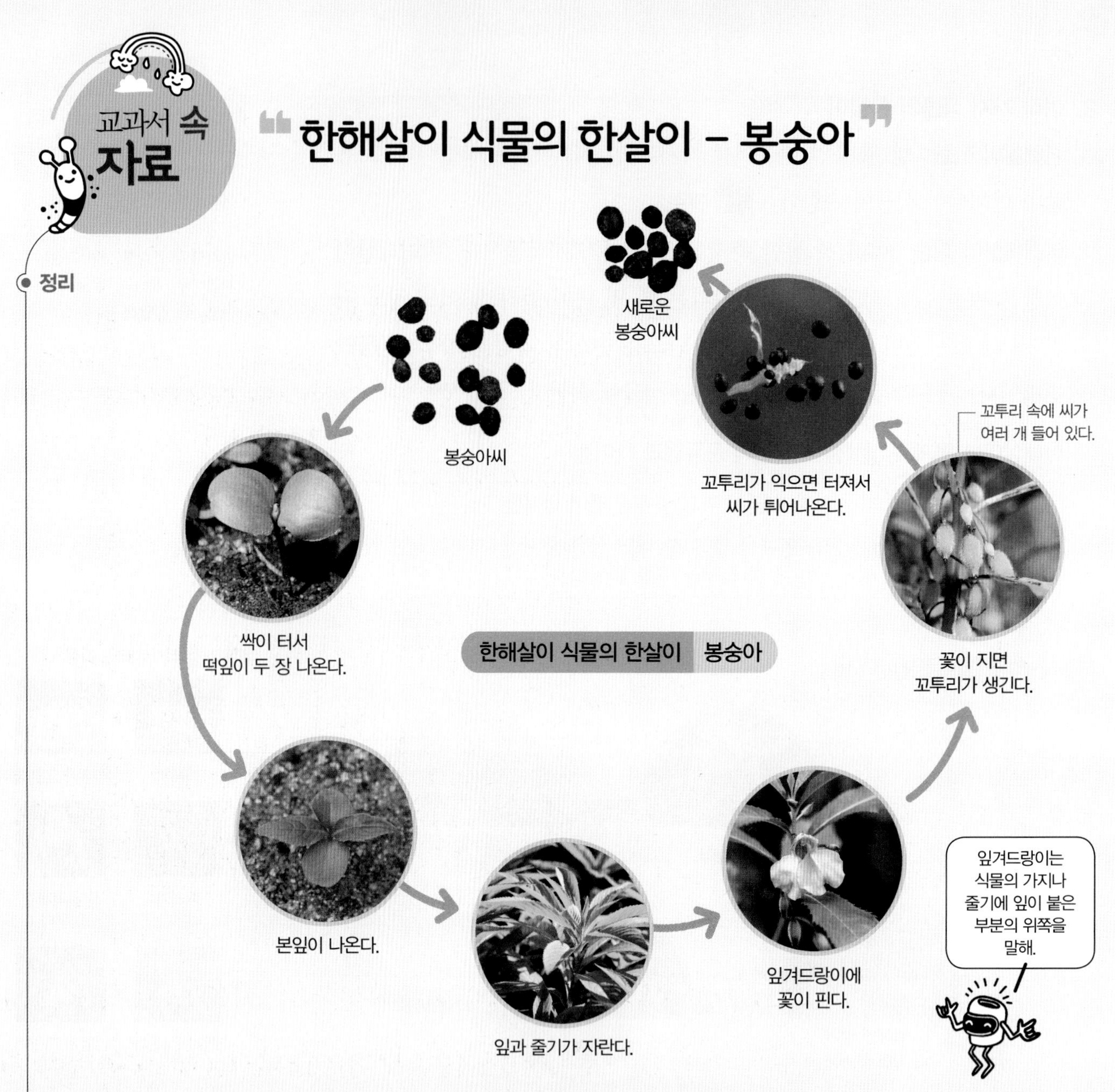

알 수 있는 사실 ▶ 봉숭아는 봄에 싹이 터서 가을에 열매와 씨를 남기고 한살이 과정을 끝낸다.

탐구 문제

정답과 해설 11쪽

1 다음은 봉숭아의 한살이를 나타낸 것입니다. ( ) 안에 들어갈 알맞은 말을 쓰시오.

> 씨 → 씨가 싹 터서 두 장의 (㉠)이/가 나온다. → 본잎이 나온다. → 잎과 줄기가 자란다. → (㉡)이/가 핀다. → 열매인 (㉢)이/가 생긴다.

㉠ ( ), ㉡ ( )
㉢ ( )

2 봉숭아의 한살이 과정에서 볼 수 있는 모습으로 옳은 것에 ○표, 옳지 않은 것에 ×표 하시오.

(1) 꼬투리가 익으면 터져서 씨가 튀어나온다. ( )

(2) 길쭉한 꼬투리 속에 새로운 씨가 한 개 들어 있다. ( )

(3) 새로운 씨를 만든 봉숭아는 한살이를 마치고 시들어 죽는다. ( )

여러해살이 식물의 한살이 – 사과나무

정리

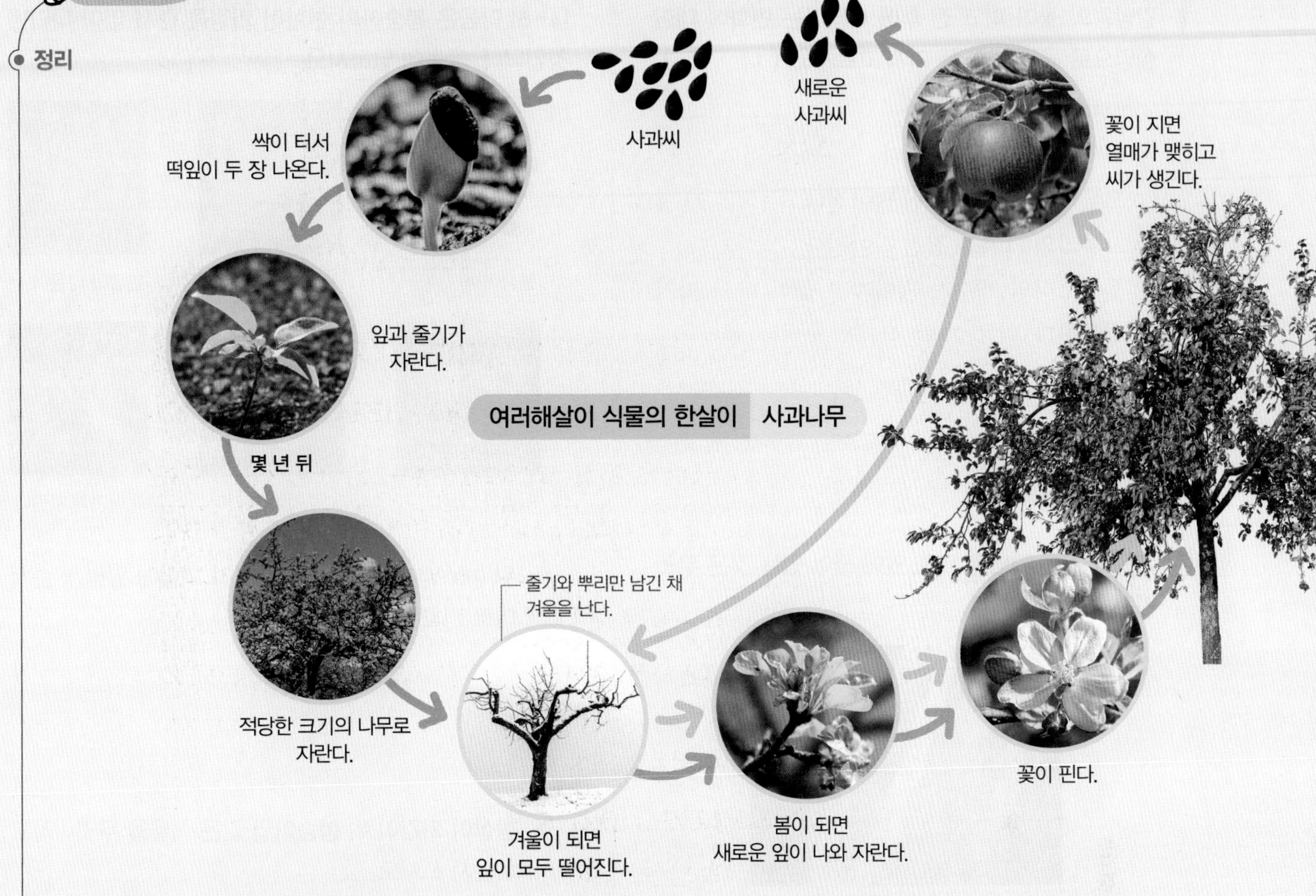

알 수 있는 사실 ▶ 사과씨를 심으면 싹이 터서 몇 년간 자라다가 죽지 않고 겨울을 지낸 후 이듬해 새순이 나오며 한살이를 반복한다.

정답과 해설 11쪽

1 다음 사과나무의 한살이 과정에서 볼 수 있는 모습에 대한 보기의 설명 중 잘못된 것의 기호를 쓰시오.

보기
- ㉠ 봄에 새로운 잎이 나와 자란다.
- ㉡ 열매 속에 새로운 씨가 생긴다.
- ㉢ 사과씨가 싹 터서 떡잎이 두 장 나온다.
- ㉣ 겨울이 되면 잎이 모두 떨어지고 죽는다.

(　　　　　　　　　　)

2 사과씨를 땅에 심은 후에는 몇 년 동안 잎과 줄기가 자라기만 합니다. 겨울이 지나고 새로운 봄이 되었을 때 적당한 크기로 자란 사과나무에서 볼 수 있는 모습을 순서대로 기호를 쓰시오.

㉠ 꽃이 핀다.

㉡ 열매가 맺힌다.

㉢ 새잎이 나온다.

(　　　　) → (　　　　) → (　　　　)

1 강낭콩의 꽃이 피고 진 후에 나타나는 변화에 대한 설명으로 옳은 것을 두 가지 고르시오. ( )

① 꼬투리가 생겨 자란다.
② 줄기의 길이가 짧아진다.
③ 꼬투리의 개수가 점점 많아진다.
④ 꼬투리의 크기가 점점 작아진다.
⑤ 꽃봉오리의 개수가 많아지고 꽃이 다시 피기 시작한다.

2 다음과 같은 강낭콩 열매 안에 들어 있는 것은 무엇인지 쓰시오.

( )

3 며칠 동안 강낭콩 한 그루에 있는 꽃과 열매의 개수와 다 자란 열매 속을 관찰하였습니다. 결과를 잘못 말한 사람의 이름을 쓰시오.

- 도현: 열매의 개수가 점점 많아지고 있어.
- 나은: 다 자란 열매 안에는 새로운 꽃이 여러 개 들어 있어.
- 하율: 어제는 꽃의 개수가 네 개였는데 오늘은 활짝 핀 꽃이 다섯 개가 되었어.

( )

[4~6] 다음은 봉숭아의 한살이 과정을 순서 없이 나타낸 것입니다. 물음에 답하시오.

(가)
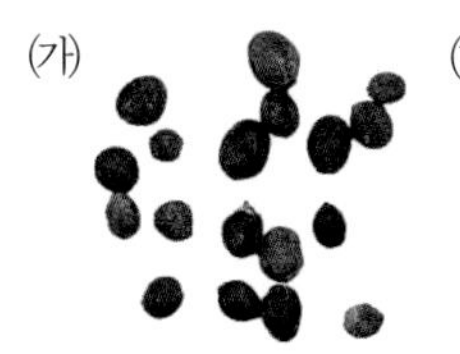
봉숭아씨

(나)

꽃이 핀다.

(다)

본잎이 나온다.

(라)

떡잎이 나온다.

(마)

꼬투리가 생긴다.

(바)

잎과 줄기가 자란다.

4 위 (가)~(바)를 봉숭아의 한살이 과정에 알맞게 순서대로 기호를 쓰시오.

(가) → ( )

5 한살이 기간이 위 봉숭아와 같은 식물을 무엇이라고 하는지 쓰시오.

( )

6 위 봉숭아와 한살이 기간이 비슷한 식물은 어느 것입니까? ( )

①

▲ 민들레

②

▲ 옥수수

③

▲ 비비추

④

▲ 무궁화

7 강낭콩과 봉숭아의 한살이 과정에서 볼 수 있는 모습이 아닌 것을 두 가지 고르시오. (   )

① 잎과 줄기가 자라고 꽃이 핀다.
② 싹이 터서 떡잎이 두 장 나온다.
③ 열매 속에 새로운 씨가 들어 있다.
④ 새순이 난 후에 바로 열매가 생긴다.
⑤ 떡잎싸개에 둘러싸여 본잎이 두 장 나온다.

8 다음과 같이 식물이 꽃을 피우는 까닭으로 옳은 것을 보기에서 골라 기호를 쓰시오.

▲ 엉겅퀴

▲ 장미

보기
㉠ 햇빛을 더 많이 받기 위해서이다.
㉡ 줄기를 더 길게 자라게 하기 위해서이다.
㉢ 열매를 맺고 씨를 퍼뜨려 번식하기 위해서이다.

(   )

9 식물도감에서 목련을 찾았습니다. [   ] 안에 들어갈 내용에 대해 옳게 말한 사람의 이름을 쓰시오.

• 은우: 몇 년 동안 계속 반복돼.
• 화정: 목련은 열매를 맺고 바로 시들어.
• 수민: 여러 해를 살지만 한살이는 한 번만 진행돼.

(   )

10 개나리, 단풍나무와 같은 여러해살이 식물이 겨울을 나는 모습으로 (   ) 안에 들어갈 알맞은 말을 쓰시오.

▲ 개나리

▲ 단풍나무

(㉠)을/를 떨어뜨리고 가지, (㉡)와/과 (㉢)만 남긴 채 겨울을 난다.

㉠ (   ), ㉡ (   )
㉢ (   )

11 다음 보기의 설명을 각각에 해당하는 식물로 분류하여 기호를 쓰시오.

보기
㉠ 열매를 맺고 죽는다.
㉡ 열매 맺는 것을 반복한다.
㉢ 한 해 동안만 한살이를 거친다.
㉣ 씨를 심어 적당한 크기로 자라는 데 몇 년이 걸린다.

(1) 한해살이 식물: (   )
(2) 여러해살이 식물: (   )

12 한해살이 식물과 여러해살이 식물의 공통점을 식물의 한살이와 관련지어 쓰시오.

1 다음 여러 가지 씨 각각의 특징으로 옳지 않은 것은 어느 것입니까? (   )

▲ 호두 ▲ 참외씨 ▲ 사과씨 ▲ 강낭콩 ▲ 채송화씨

① 호두는 둥글고 주름이 있다.
② 채송화씨는 크기가 가장 작다.
③ 참외씨는 연한 노란색이고, 길쭉하다.
④ 강낭콩은 검붉은색이고, 껍질이 없다.
⑤ 사과씨는 둥글고 길쭉하며, 한쪽은 모가 나 있다.

2 다음은 강낭콩이 싹 트는 데 필요한 조건을 알아보는 실험 과정과 결과입니다. 이 실험을 통해 알 수 있는 사실을 한 가지 쓰시오.

• 실험 과정
크기가 같은 페트리 접시 두 개에 같은 양의 탈지면을 깔고, 비슷한 크기의 강낭콩을 올려놓는다. → 한쪽 페트리 접시에만 물을 주어 탈지면이 흠뻑 젖게 한다. → 약 일주일 후 페트리 접시에 있는 강낭콩의 모습을 관찰한다.

• 실험 결과

▲ 물을 준 페트리 접시

▲ 물을 주지 않은 페트리 접시

____

____

3 다음 ㉠~㉢ 중 약 10일 후에 오른쪽과 같은 부푼 강낭콩 속 모양을 관찰할 수 있는 경우의 기호를 쓰시오.

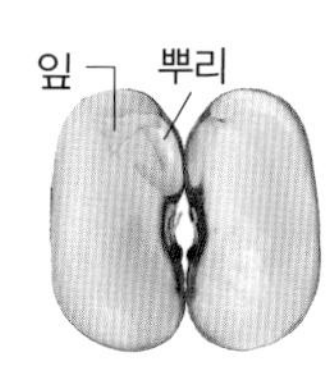

㉠
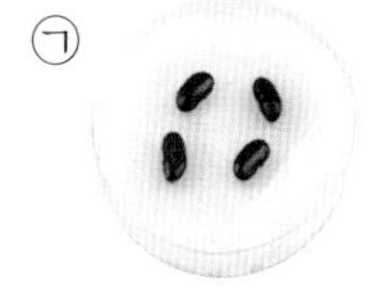
탈지면에 물을 주고 창가에 두기

㉡

탈지면에 물을 주지 않고 창가에 두기

㉢

탈지면에 물을 주고 냉장고에 넣어 두기

(   )

4 다음과 같이 씨를 보관하면 씨가 싹 트지 않아서 오랫동안 보관할 수 있습니다. 씨가 싹 트는 데 필요한 조건 중 어느 것과 가장 관계가 있는지 쓰시오.

• 씨를 냉장고에 보관한다.
• 씨를 지하 동굴 저장소에 보관한다.

(   )

5 다음 여러 가지 식물 중 (1) 한살이를 관찰하기에 적당한 것을 모두 골라 ○표 하고, (2) 한살이를 관찰하기에 적당한 까닭으로 옳은 것을 **보기**에서 골라 기호를 쓰시오.

(1)

(   ) (   ) (   ) (   )

(2) 한살이를 관찰하기에 적당한 까닭

보기
㉠ 한살이 기간이 길다.
㉡ 다 자란 식물의 크기가 매우 크다.
㉢ 잎, 줄기, 꽃, 열매 등이 잘 구분된다.

(   )

6 다음 식물 관찰 계획서에서 잘못된 부분을 찾아 기호를 쓰시오.

관찰 계획서

㉠ 관찰자: ○○○

㉡ 관찰할 식물: 토마토

㉢ 씨를 심을 날짜: 20○○년 ○○월 ○○일

㉣ 화분 관찰 장소: 방 안 책상 아래

㉤ 관찰할 내용

- 씨가 싹 트는 모습
- 잎과 줄기가 자라는 모습
- 꽃이 피고 열매가 맺히는 모습

( )

7 오른쪽과 같이 화분 바닥 구멍을 그물망과 작은 돌로 막아 주는 까닭을 옳게 말한 사람의 이름을 쓰시오.

- 현우: 화분에 넣는 흙을 절약하기 위해서야.
- 예슬: 화분에 준 물이 빠져나가지 못하게 하기 위해서지.
- 태리: 물을 주었을 때 흙이 화분 바닥의 구멍을 막지 않고 물이 빠져나가게 하기 위해서야.

( )

8 오른쪽과 같이 강낭콩을 흙에 심었습니다. 강낭콩이 싹 터서 자라는 과정에 대한 설명으로 옳지 않은 것은 어느 것입니까? ( )

① 본잎이 나와 자란다.
② 두 장의 떡잎이 나온다.
③ 뿌리가 가장 먼저 나온다.
④ 씨껍질이 더욱 단단해진다.
⑤ 처음에 굽어 있던 줄기가 땅을 뚫고 나오면서 펴진다.

9 다음은 옥수수가 싹 튼 모습입니다. ㉠과 ㉡은 각각 무엇인지 쓰고, 강낭콩이 싹 터서 자랄 때는 볼 수 없는 부분은 어느 것인지 기호를 쓰시오.

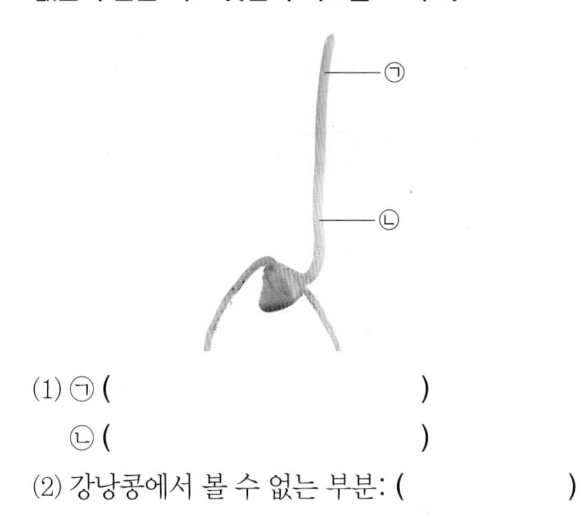

(1) ㉠ ( )
㉡ ( )

(2) 강낭콩에서 볼 수 없는 부분: ( )

10 강낭콩이 자라는 모습을 관찰하면서 잎의 길이를 재는 모습입니다. 가장 바르게 잰 것의 기호를 쓰고, 재는 방법을 쓰시오.

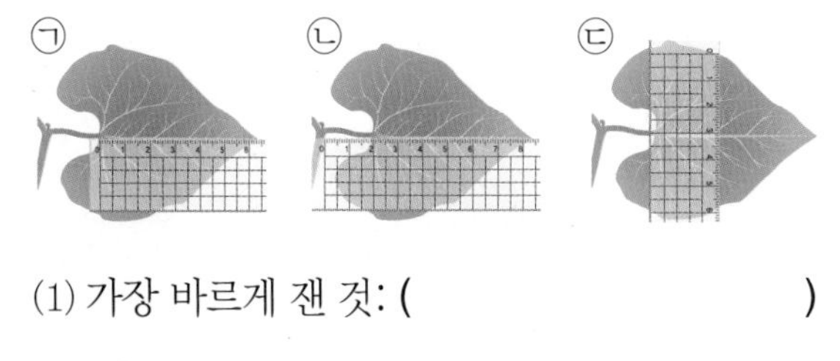

(1) 가장 바르게 잰 것: ( )

(2) 재는 방법: ______________________

____

11 다음과 같이 줄기에 일정한 간격으로 선을 긋고 며칠 후에 관찰한 결과로 옳은 것을 보기에서 골라 기호를 쓰시오.

보기
㉠ 선의 간격이 처음과 같다.
㉡ 선의 간격이 처음보다 벌어졌다.
㉢ 선의 간격이 처음보다 벌어진 부분도 있고, 좁아진 부분도 있다.

( )

12 그늘진 곳에 있는 강낭콩 화분에 적당한 양의 물을 주었는데도 강낭콩이 잘 자라지 못했습니다. 강낭콩을 잘 자라게 하려면 어떻게 해야 하는지 쓰시오.

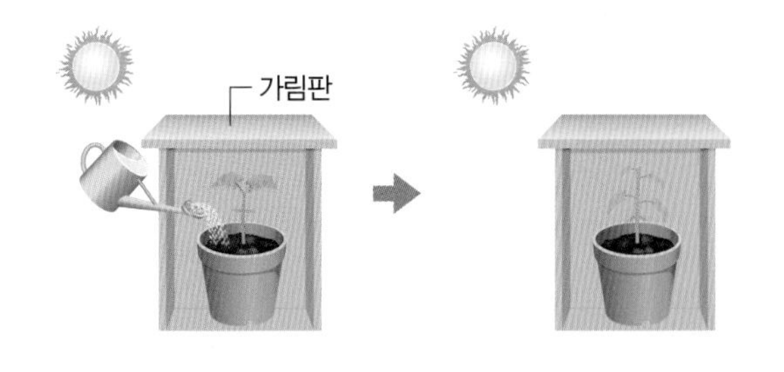

---

13 강낭콩이 자라고 있는 화분에 오랫동안 물을 주지 않았을 때의 모습으로 옳은 것은 어느 것입니까? ( )

① 잎이 커진다.
② 줄기가 점점 굵어진다.
③ 흙 속의 뿌리가 썩는다.
④ 줄기가 처음보다 짧아진다.
⑤ 잎과 줄기가 시들어 축 늘어진다.

14 다음은 식물이 자라는 데 온도가 어떤 영향을 미치는지 알아보기 위한 실험 과정과 결과입니다. 실험 결과를 보고 알 수 있는 사실로 옳은 것은 어느 것입니까? ( )

• 실험 과정
❶ 크기가 비슷한 봉숭아 화분 네 개를 준비한다.
❷ 다른 조건은 모두 같고, 온도만 다른 장소에 네 개의 화분을 각각 둔다.
❸ 약 10일 후 봉숭아가 자란 길이를 측정한다.

• 실험 결과

온도(℃)	6	15	30	45
봉숭아가 자란 길이(cm)	5	6	13	1

① 봉숭아는 온도가 높을수록 잘 자란다.
② 봉숭아는 15 ℃에서 가장 많이 자란다.
③ 봉숭아는 온도가 낮을수록 빨리 자란다.
④ 봉숭아가 자라기 적당한 온도는 30 ℃이다.
⑤ 온도는 봉숭아가 자라는 데 영향을 미치지 않는다.

[15~17] 다음은 강낭콩의 꽃이 피고 열매를 맺는 과정을 순서 없이 나타낸 것입니다. 물음에 답하시오.

(가)
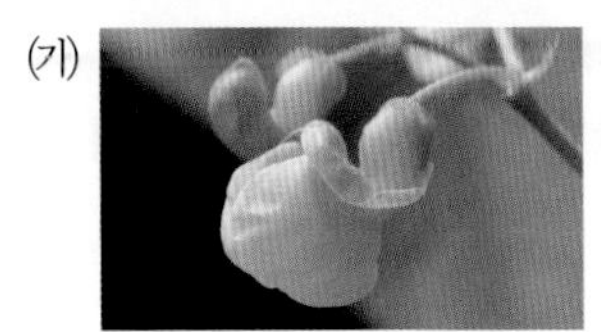
▲ 꽃이 핀다.

(나)

▲ (   )이/가 자란다.

(다)

▲ (   )이/가 생긴다.

(라)
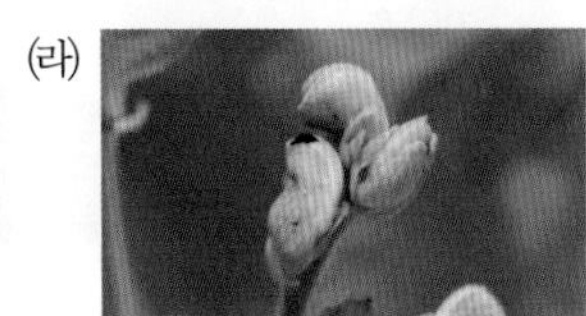
▲ 꽃봉오리가 생긴다.

15 위 (나)와 (다) 과정의 (1) (   ) 안에 공통으로 들어갈 말을 쓰고, (2) 그것에 대한 설명으로 옳은 것을 보기에서 골라 기호를 쓰시오.

(1) (   ) 안에 들어갈 말: (   )

(2) 설명으로 옳은 것

보기
㉠ 씨가 들어 있다.
㉡ 안에서 새로운 잎이 나온다.
㉢ 처음에 황갈색이고 점점 초록색으로 변한다.

(   )

16 위 (가)~(라) 과정을 강낭콩의 한살이 과정에 알맞게 순서대로 기호를 쓰시오.

(   ) → (   ) → (   ) → (   )

17 위와 같이 강낭콩이 자라면서 꽃이 피고 열매를 맺는 까닭으로 (   ) 안에 들어갈 알맞은 말을 쓰시오.

식물이 (㉠)을/를 맺어 (㉡)(하)기 위해서이다.

㉠ (   ), ㉡ (   )

18 화단에 다양한 꽃이 피었습니다. 한해살이 식물과 여러해살이 식물로 분류하고, 분류 기준은 무엇인지 쓰시오.

▲ 목련

▲ 진달래

▲ 해바라기

▲ 코스모스

(1)

한해살이 식물	여러해살이 식물

(2) 분류 기준: (   )

19 다음은 벼의 한살이 과정의 일부를 나타낸 것입니다. 꽃이 피는 과정은 어디에 들어가는지 기호를 쓰시오.

싹이 튼다. 잎과 줄기가 자란다. 열매가 자란다.

(   )

20 다음은 풀인 비비추와 나무인 무궁화의 모습입니다. 겨울이 지난 후 비비추와 무궁화의 한살이 과정에서의 공통점을 쓰시오.

▲ 비비추

▲ 무궁화

1 나팔꽃과 토마토는 식물의 한살이를 관찰하기에 좋은 식물입니다. 왜 그런지 식물의 한살이를 관찰하기에 좋은 조건과 관련지어 두 가지 쓰시오.

▲ 나팔꽃

▲ 토마토

2 크기가 같은 페트리 접시 두 개에 같은 양의 탈지면을 깔고, 비슷한 크기의 강낭콩을 올려놓았습니다. 한쪽 페트리 접시에만 물을 주어 탈지면이 흠뻑 젖게 하고 따뜻한 곳에 둔 후, 약 일주일 뒤 관찰한 결과가 다음과 같았습니다. 물을 준 페트리 접시는 어느 것인지 기호를 쓰고, 그렇게 생각한 까닭을 쓰시오.

㉠

▲ 싹이 트지 않았다.

㉡
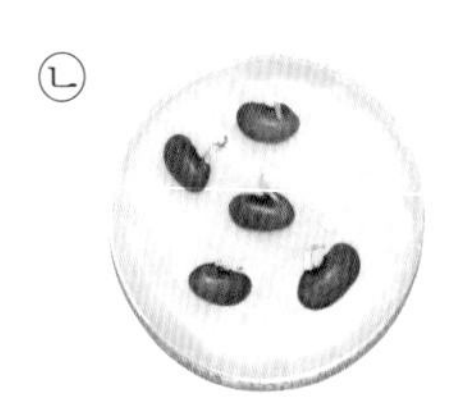
▲ 싹이 텄다.

(1) 물을 준 페트리 접시: (   )

(2) 그렇게 생각한 까닭:

3 강낭콩과 옥수수가 싹 트는 과정 중 ㉠ 단계에서 가장 먼저 나오는 것은 같지만 ㉡ 단계에서 밖으로 나오는 것은 다릅니다. 각 단계별로 무엇이 나오는지 비교하여 쓰시오.

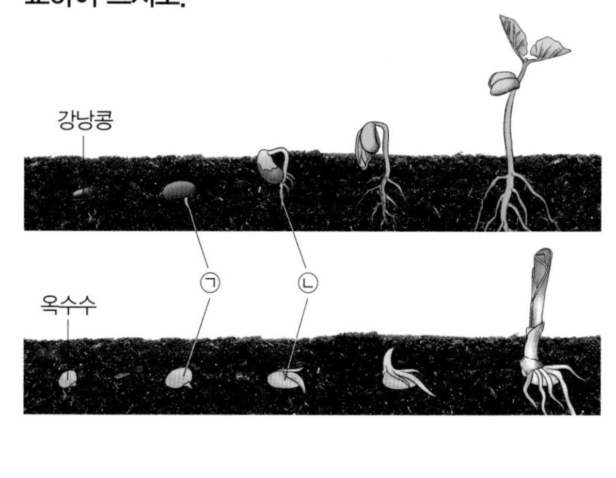

4 햇빛이 잘 드는 곳에 다음과 같이 장치하고 약 10일 뒤에 강낭콩이 자란 모습을 관찰하였습니다. 각 조건에 따른 강낭콩의 변화를 비교하기 위해 선택해야 할 화분의 기호와 그 까닭을 함께 쓰시오.

㉠ 물을 적당히 준다.

㉡ 물을 주지 않는다.

㉢ 물을 적당히 주고 햇빛 차단 장치를 씌운다.

(1) 식물이 자라는 데 물이 미치는 영향:

(2) 식물이 자라는 데 햇빛이 미치는 영향:

5 다음 (가)는 벼의 한살이를 나타낸 것이고, (나)는 벼의 한살이 과정 중 볍씨가 싹 터서 자라는 과정을 자세하게 나타낸 것입니다. (나) 과정 중 뿌리가 나온 후 나오는 ㉠의 이름을 쓰고, ㉠이 하는 역할을 쓰시오.

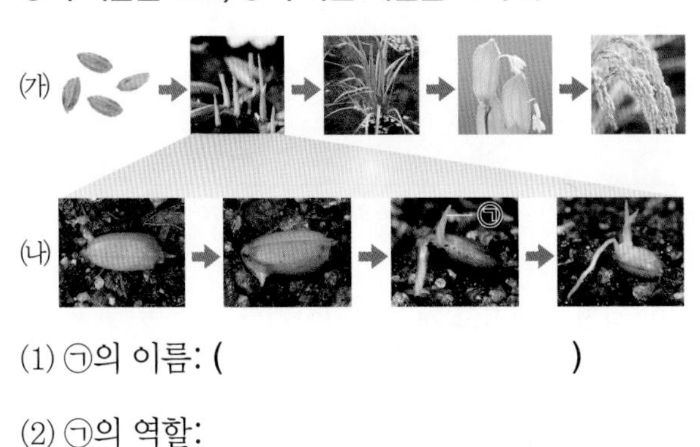

(1) ㉠의 이름: (   )

(2) ㉠의 역할: ____________________

____

6 다음은 예진이가 집 앞 화단에서 찍은 민들레 사진입니다. 봄과 그해 겨울, 이듬해 봄에 다시 찍은 민들레 사진을 비교하여 보고, 민들레의 꽃이 다시 필 수 있었던 까닭을 한살이와 관련지어 쓰시오.

____

____

____

7 다음은 감나무의 한살이 과정입니다. 열매가 자란 후 마지막 빈칸에 들어갈 알맞은 모습에 대해 그렇게 생각한 까닭과 함께 쓰시오.

____

____

8 다음은 밀을 수확하는 모습과 사과를 따는 모습입니다. 밀은 수확할 때 줄기까지 베어 내고, 사과는 나뭇가지에서 열매만 땁니다. 열매를 수확하는 방법의 차이를 식물의 한살이와 관련지어 쓰시오.

▲ 밀 수확하기

▲ 사과 따기

____

____

____

핵심 정리

씨가 싹 트는 조건

여러 가지 씨	• 씨는 단단하고 껍질이 있으며, 대부분 주먹보다 크기가 작다. • 씨마다 모양, 색깔, 크기 등의 생김새가 다르다. 강낭콩 ▶
씨가 싹 트는 조건	• 씨가 싹 트려면 충분한 물이 필요하다. 자료 1 • 씨가 싹 트려면 적당한 온도가 유지되어야 한다.

식물의 한살이

식물의 한살이	식물의 씨가 싹 터서 잎과 줄기가 자라고 꽃과 열매를 맺어 다시 씨가 만들어지는 과정이다.
잎과 줄기의 자람	• 식물은 자라면서 잎이 점점 넓어지고 개수도 많아진다. • 줄기도 점점 굵어지고 길어진다. ➡ 식물은 자라는 데 적당한 양의 물과 충분한 햇빛이 필요하다.
꽃과 열매의 자람	• 식물은 자라면 꽃이 피고, 꽃이 지면 열매가 생긴다. • 열매 속에 씨가 들어 있으며, 씨를 심으면 다시 싹 트고 자라 꽃이 피고 열매를 맺는다. ➡ 식물은 씨를 맺어 번식하기 위해서 꽃이 피고 열매를 맺는다.

한해살이 식물과 여러해살이 식물

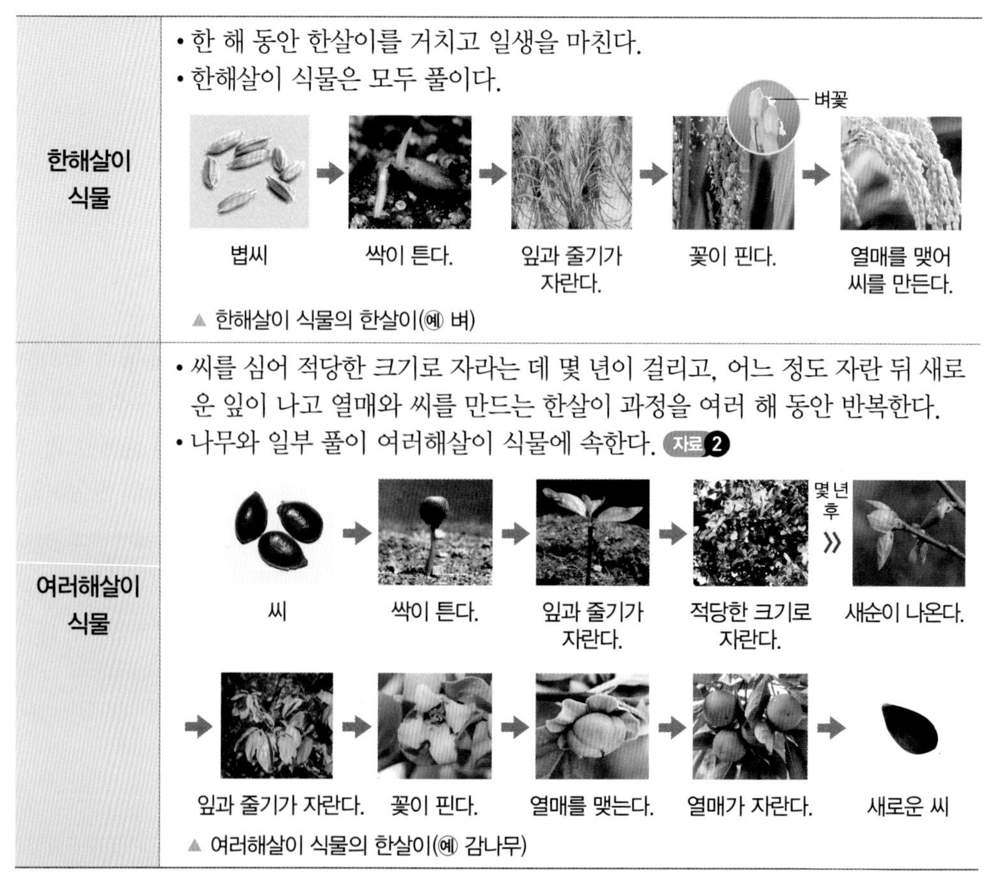

한해살이 식물	• 한 해 동안 한살이를 거치고 일생을 마친다. • 한해살이 식물은 모두 풀이다. ▲ 한해살이 식물의 한살이(예 벼)
여러해살이 식물	• 씨를 심어 적당한 크기로 자라는 데 몇 년이 걸리고, 어느 정도 자란 뒤 새로운 잎이 나고 열매와 씨를 만드는 한살이 과정을 여러 해 동안 반복한다. • 나무와 일부 풀이 여러해살이 식물에 속한다. 자료 2 ▲ 여러해살이 식물의 한살이(예 감나무)

▶ **공통점**: 씨가 싹 터서 자라며 꽃이 피고 열매를 맺어 번식한다.

▶ **차이점**: 한해살이 식물은 열매를 맺고 한 해만 살고 죽지만, 여러해살이 식물은 여러 해를 살면서 열매 맺는 것을 반복한다.

과학 자료

자료 1 빛이 없어도 싹 트는 씨

식물이 자라기 위해서는 햇빛이 필요하다. 빛을 받아서 자라는 데 필요한 양분을 스스로 만들기 때문이다. 그러나 씨가 싹 트는 데에는 반드시 햇빛이 필요하지는 않다. 씨가 양분을 만들지 않고도 싹 터서 자랄 수 있는 까닭은 씨는 싹 터서 어느 정도 자랄 때까지 사용할 수 있는 양분을 이미 가지고 있기 때문이다. 씨 속에는 자라서 잎, 줄기, 뿌리가 될 부분인 배와 씨가 싹 터서 자라는 데 필요한 양분이 저장되어 있는 배젖이 있다. 이 배젖의 양분으로 씨는 어느 정도까지 자랄 수 있다. 옥수수, 사과, 보리 등이 배젖의 양분으로 자라는 식물에 속한다. 콩과 같이 배젖이 발달하지 않은 씨는 배젖의 양분이 떡잎에 흡수되어 떡잎의 크기가 크고, 싹 틀 때 떡잎의 양분을 사용한다.

자료 2 나무처럼 보이는 풀

여러해살이 나무로 보이는 식물 중 사실은 여러해살이풀인 경우가 많다. 대나무는 이름에 나무가 붙어 있지만 키가 20～30 m, 지름이 약 30 cm까지 자라기도 하는 여러해살이풀이다. 줄기 속은 비어 있고 마디가 있으며, 죽순은 하루에 8 cm가 넘게 자랄 정도로 매우 빠르게 자란다. 대나무는 약 60～120년을 살면서 꽃은 여름에 한 번 피우고 죽는다.

바나나는 나무에서 열리는 것이 아니라 풀에서 열리는 여러해살이풀이다. 바나나가 한 번 열린 줄기에는 다시 바나나가 열리지 않기 때문에 바나나 농장에서는 바나나를 수확하자마자 풀을 베어 버린다. 약 6개월이 지나면 땅속줄기에서 새로운 어린줄기가 나와 자란다.

VISUAL SCIENCE

비주얼 사이언스

38쪽 참고 여러 가지 강낭콩

종류가 같은 씨라도 품종에 따라 색깔과 모양이 다양한 씨들이 있다.
강낭콩은 콩과에 속하는 종류이지만 품종이 150여 종이나 된다.

식물의 꼬투리

꼬투리 안에는 식물의 한살이 결과로 만들어진 새로운 씨가 들어 있다. 꼬투리가 익으면 터지면서 씨가 멀리 튕겨 나가고 새롭게 한살이를 시작한다.

해바라기의 한살이

한해살이 식물인 해바라기는 키가 2 m 정도로 자라고 거친 털이 있다.
잎은 심장 모양이고 가장자리에 톱니가 나 있으며 줄기에 어긋나게 붙어 있다.

물체의 무게

1 수평 잡기의 원리

2 용수철저울

이 단원의 학습

- 3~4학년군 **물체의 무게**

후속 학습

- 중학교 1~3학년군 **여러 가지 힘**

수평 잡기의 원리

만화로 보는
'수평 잡기'

- **어림잡다** 대강 짐작으로 헤아려 보다.
- **받침점** 물체를 떠받치는 지렛대를 받친 고정된 점.

무게를 측정하는 예

- 마트: 고기, 채소와 같은 상품의 무게를 측정하여 무게에 따라 가격을 정한다.
- 주방: 요리 재료의 무게를 측정하여 음식의 맛을 일정하게 낸다.
- 공항: 가방의 무게를 측정하여 비행기에 실을 무게를 확인한다.
- 과학 실험실: 실험에 필요한 약품의 무게를 측정하여 정확한 실험 결과를 얻는다.
- 운동 경기를 하기 전: 운동선수의 몸무게를 측정하여 체급을 나눈다.

1. 물체의 무게 측정

손으로 물체를 들어 보면 가벼운 정도를 어림잡아 비교할 수 있지만, 정확한 무게는 알 수 없다. 물체의 정확한 무게는 저울을 사용해 측정한다.

Mini 탐구 여러 가지 물체를 손으로 들어 보고 무거운 순서 정하기

과정 연필, 가위, 필통, 휴대 전화 등을 손으로 들어 보고, 무거운 순서대로 나열한다.

결과 내가 정한 순서와 친구가 정한 순서 ㉢

구분	가장 무거운 것	두 번째로 무거운 것	세 번째로 무거운 것	가장 가벼운 것
나	필통	휴대 전화	가위	연필
친구	휴대 전화	가위	필통	연필

▶ 사람마다 느끼는 물체의 무게가 달라 물체의 무게가 얼마인지 정확하게 알 수 없다.

2. 두 물체의 무게 비교하기

(1) **수평** 어느 한쪽으로 기울지 않고 평평한 상태를 수평이라고 한다.

(2) **나무판자로 수평 잡기** 두 물체를 받침점으로부터 같은 거리에 각각 올려놓을 때 물체의 무게가 같으면 나무판자는 수평이 되지만, 무게가 다르면 무거운 물체 쪽으로 기울어진다. 교과서 속 탐구 66쪽

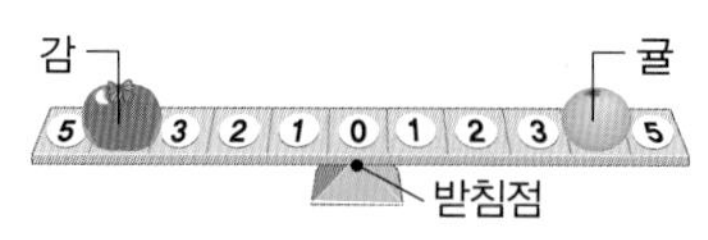

▲ 감과 귤의 무게가 같다.

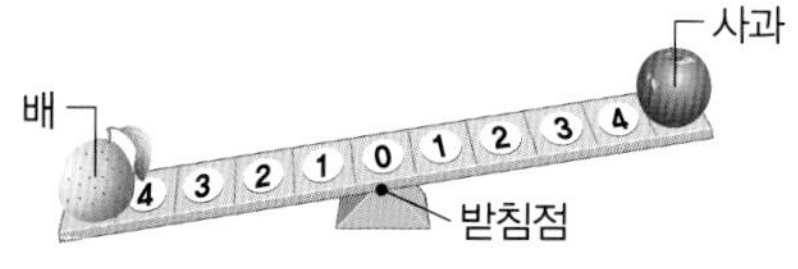

▲ 배가 사과보다 무겁다.

(3) **시소에서 수평 잡기** 몸무게가 비슷한 두 사람이 시소의 받침점으로부터 양쪽으로 같은 거리에 앉을 때, 몸무게가 다른 두 사람 중 무거운 사람이 가벼운 사람보다 시소의 받침점에서 가까운 쪽에 앉을 때 수평을 잡을 수 있다.

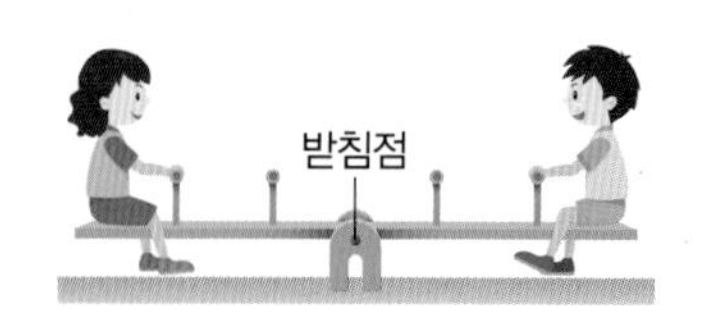

▲ 몸무게가 비슷할 때

▲ 몸무게가 다를 때

3. 양팔저울 – 양팔저울은 받침점을 중심으로 움직인다.

(1) **양팔저울** 양팔저울은 수평 잡기의 원리를 이용해 받침점으로부터 양쪽으로 같은 거리에 있는 저울접시에 각각의 물체를 올려 무게를 비교한다.

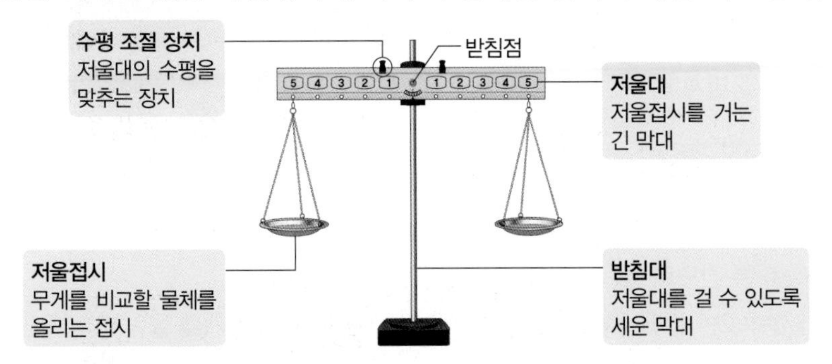

(2) **양팔저울로 두 물체의 무게 비교하기** 받침점으로부터 양쪽으로 같은 거리에 있는 저울접시에 물체를 각각 올리면 저울대가 무거운 물체 쪽으로 기울어진다.

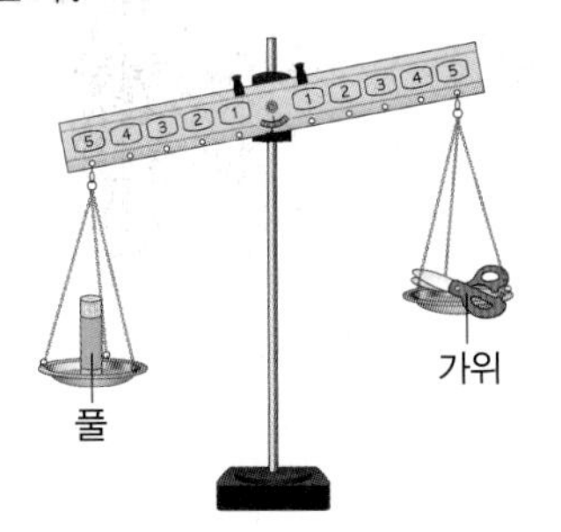

▲ 풀이 가위보다 무겁다.

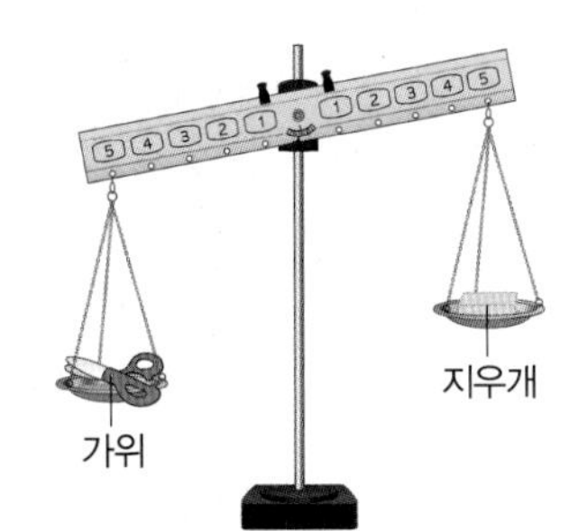

▲ 가위가 지우개보다 무겁다.

(3) **양팔저울로 여러 가지 물체의 무게 비교하기** 한쪽 저울접시에 물체를 올리고 다른 쪽 저울접시에 저울대가 수평을 잡을 때까지 클립을 올린다. 저울접시에 올린 클립의 개수가 많을수록 무거운 물체이다.

Mini 탐구 양팔저울로 물체의 무게 비교하기

과정 – 저울접시에 물체를 올리기 전에 수평 조절 장치로 저울대의 수평을 맞춘다.

1. 양팔저울의 한쪽 저울접시에 무게를 비교할 물체를 올리고 저울대가 수평이 될 때까지 다른 쪽 저울접시에 클립을 올린 후, 그 개수를 세어 본다.
2. 물체를 바꿔 1을 반복하고, 물체들의 무게를 비교해 본다.

결과 물체의 무게에 해당하는 클립의 수 ㉮

구분	지우개	가위	풀
클립의 수(개)	27	41	46

▶ **측정한 물체의 무거운 순서**
풀 > 가위 > 지우개

▶ 클립은 무게가 일정하기 때문에 클립을 올려 저울대가 수평이 되었을 때 클립의 전체 무게와 물체의 무게가 같으므로, 클립의 개수가 많을수록 더 무거운 물체이다.

양팔저울의 수평 맞추기

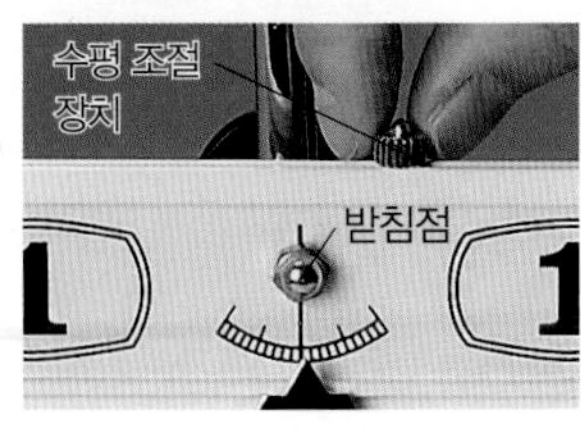

수평 조절 장치를 저울대가 올라간 쪽으로 조금씩 밀면서 저울대의 수평을 맞춘다.

수평 잡기의 원리를 이용한 저울

윗접시저울은 받침점에서 같은 거리에 물체를 올릴 수 있는 접시가 있고, 가운데에 저울대의 수평이 잡혔는지 확인하는 바늘이 있다.

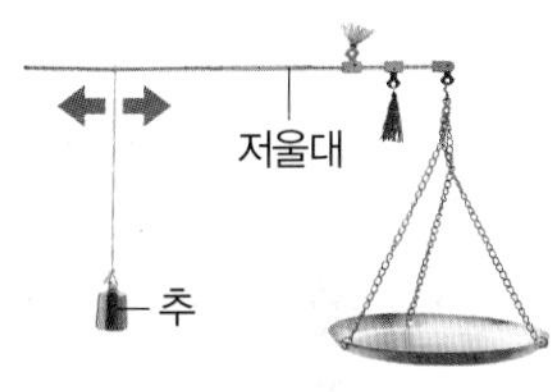

대저울은 추의 위치를 이동하여 저울대의 수평을 잡는다.

클립과 같은 역할을 할 수 있는 물체의 조건

- 무게가 일정해야 한다.
- 한 개의 무게는 측정하는 물체의 무게보다 가벼워야 한다.
- 올려놓는 접시의 크기에 비하여 적당히 작아야 한다. ㉮ 금액이 같은 동전, 똑같은 단추

"수평 잡기로 물체의 무게 비교하기"

과정

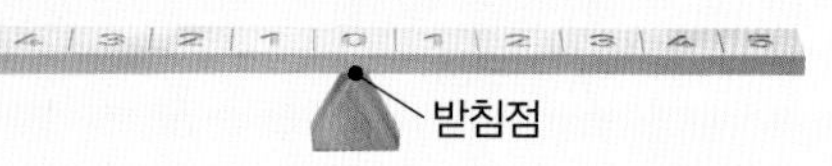

1. 나무판자 가운데에 받침대를 받쳐 나무판자가 수평을 이루도록 한다.
2. 나무토막 한 개를 나무판자의 한쪽 3번 칸에 올린다.
3. 다른 나무토막 한 개를 반대쪽에 올려 나무판자의 수평을 잡아 본다.
4. 처음에 올린 나무토막을 다른 칸으로 옮기고, 3을 반복한다.
5. 나무토막 두 개를 쌓아 한쪽 2번 칸에 올리고, 반대쪽 2번 칸에 나무토막 한 개를 올린 후 나무판자가 어느 쪽으로 기울어지는지 확인한다.
6. 5에서 반대쪽에 올린 나무토막 한 개를 좌우로 옮기면서 나무판자의 수평을 잡아 본다.

결과

무게가 같은 물체로 수평 잡기

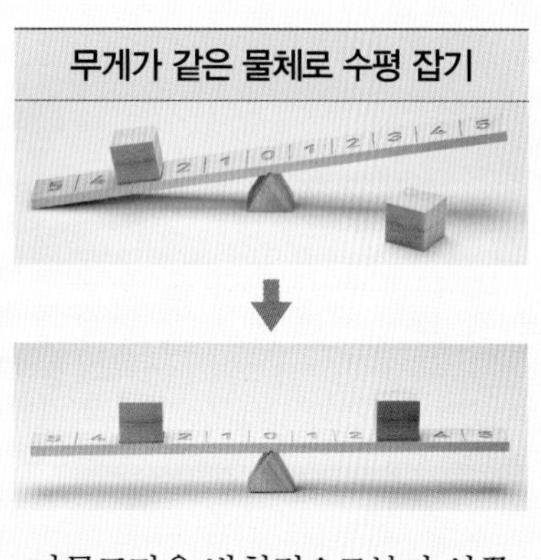

나무토막을 받침점으로부터 양쪽으로 같은 거리에 올려놓는다.

무게가 다른 물체로 수평 잡기

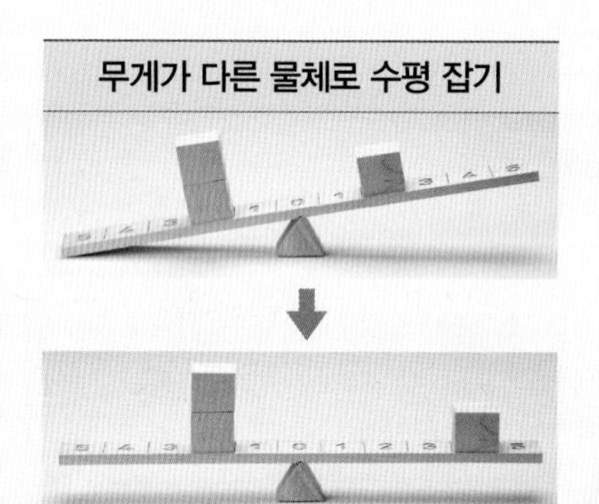

무거운 나무토막(두 개)을 가벼운 나무토막(한 개)보다 받침점에 더 가까이 올려놓는다.

알 수 있는 사실

▶ **무게가 같은 두 물체로 수평 잡기**: 나무판자의 받침점으로부터 양쪽으로 같은 거리에 두 물체를 올려 수평을 잡는다.

▶ **무게가 다른 두 물체로 수평 잡기**: 무거운 물체를 가벼운 물체보다 나무판자의 받침점에서 가까운 쪽에 올려 수평을 잡는다.

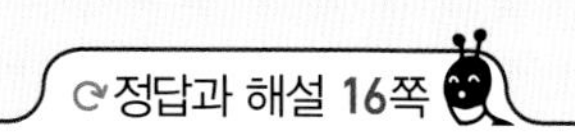
정답과 해설 16쪽

1 다음과 같이 왼쪽 ④번 칸에 나무토막 한 개를 올렸습니다. 무게가 같은 나무토막 한 개를 올려 나무판자의 수평을 잡으려면 어느 곳에 올려야 하는지 기호를 쓰시오.

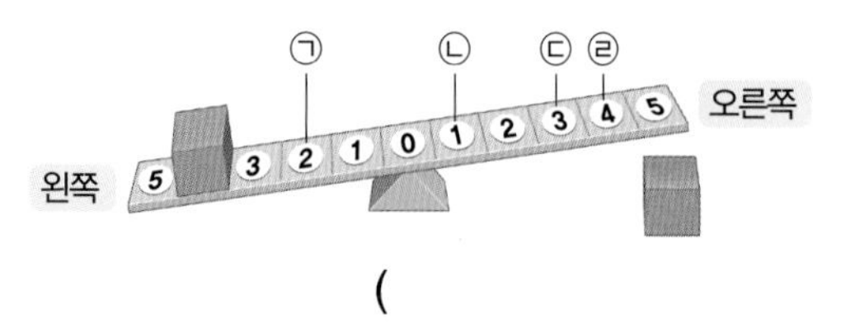

( )

2 나무판자의 왼쪽에 나무토막 두 개, 오른쪽에 나무토막 한 개를 올렸더니 다음과 같이 나무판자가 기울어졌습니다. 나무토막 한 개를 어느 방향으로 움직여야 나무판자의 수평을 잡을 수 있는지 기호를 쓰시오.

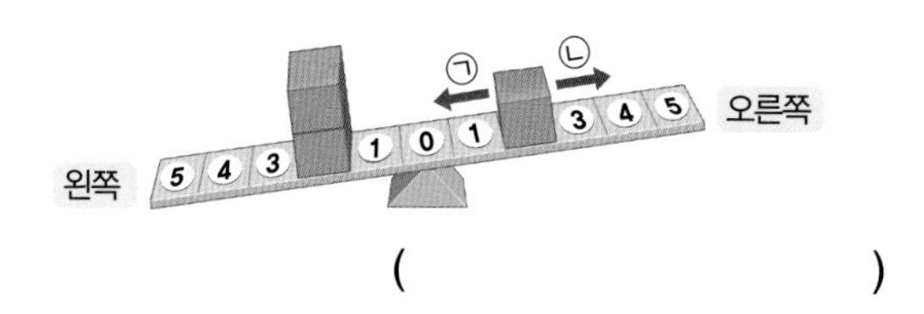

( )

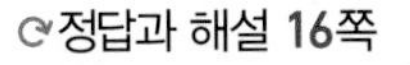

1 무게를 정확하게 측정하는 경우로 알맞은 것을 두 가지 고르시오. (　　　　)

① 병원에서 키를 잴 때
② 마트에서 고기를 살 때
③ 학교에서 급식을 받을 때
④ 편의점에서 음료수를 살 때
⑤ 운동선수의 체급을 정할 때

2 다음과 같이 굵기와 모양이 일정한 나무판자의 수평을 잡으려고 합니다. 어디에 받침대를 받쳐야 수평이 되는지 번호를 쓰고, 받침대가 받치고 있는 점을 무엇이라고 하는지 함께 쓰시오.

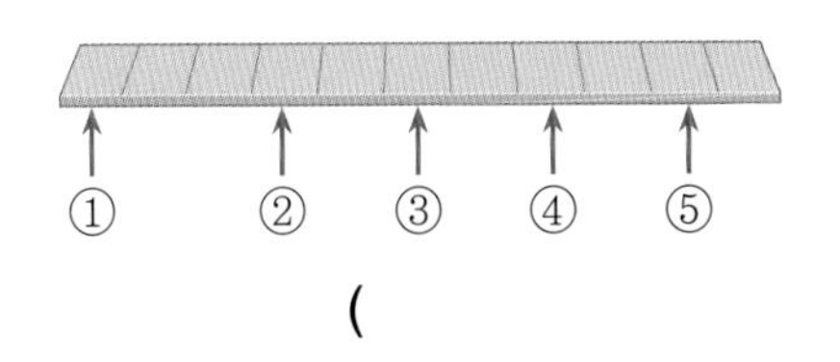

(　　　　　　　　　　)

3 다음은 세 장난감 자동차의 무게를 비교하는 모습입니다. ㉠, ㉡, ㉢ 장난감 자동차의 무게를 >, =, < 를 사용하여 비교하시오.

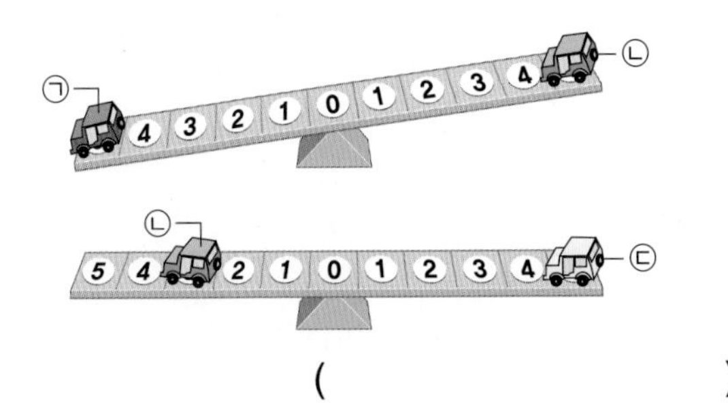

(　　　　　　　　　　)

4 몸무게가 다른 두 사람이 시소에 앉아 시소의 수평을 잡으려고 합니다. 왼쪽에는 몸무게가 가벼운 지아가, 오른쪽에는 몸무게가 무거운 윤후가 앉을 때 각각 어느 자리에 앉으면 좋을지 기호를 쓰시오.

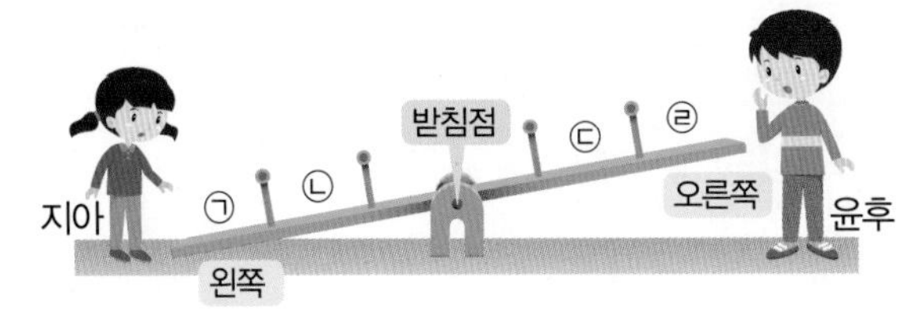

(1) 지아가 앉을 자리: (　　　　　　)
(2) 윤후가 앉을 자리: (　　　　　　)

5 다음의 양팔저울에 물체를 올려놓기 전에 수평을 맞춰야 합니다. 무엇의 위치를 조절해야 하는지 기호와 이름을 함께 쓰시오.

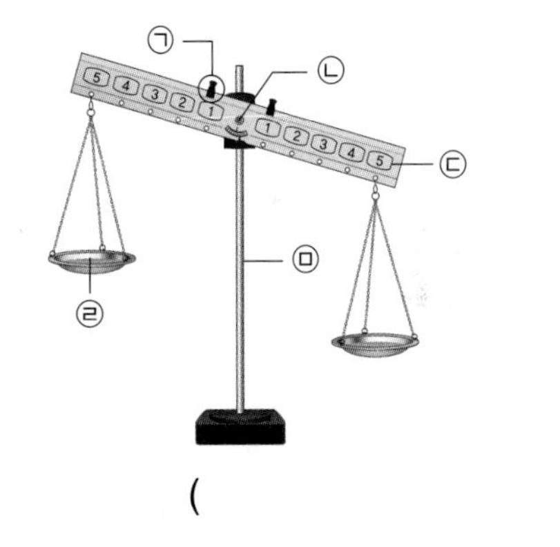

(　　　　　　　　　　)

6 다음은 양팔저울로 필통과 풀의 무게를 비교한 모습입니다. 어느 물체가 더 무거운지 쓰시오.

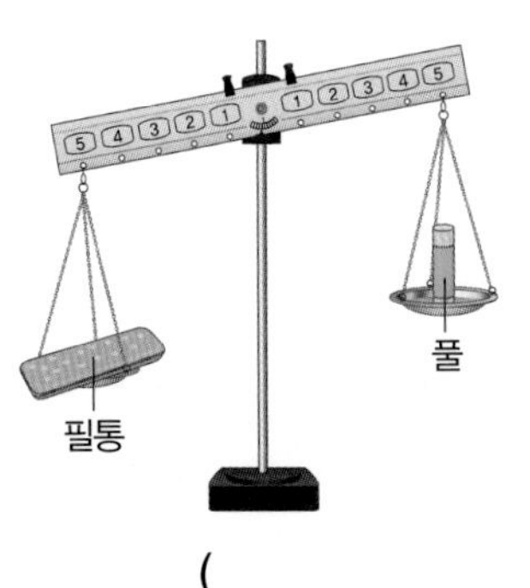

(　　　　　　　　　　)

2 용수철저울

개념 강의

만화로 보는
'용수철의 성질'

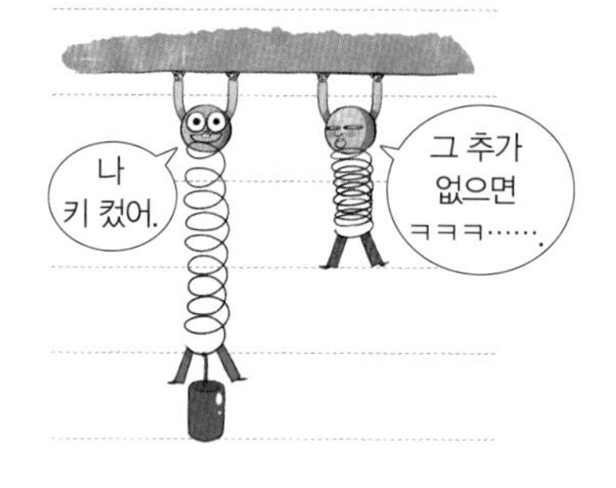

1. 무게

지구가 물체를 끌어당기는 힘의 크기를 무게라고 한다. 지구는 가벼운 물체보다 무거운 물체를 더 세게 끌어당긴다. g중(그램중), kg중(킬로그램중), N(뉴턴) 등의 단위로 무게를 나타내지만, 일상생활에서는 줄여서 g(그램), kg(킬로그램)을 무게 단위로 사용하기도 한다.

2. 용수철의 성질

(1) 용수철에 물체를 매달았을 때의 변화 용수철은 당기면 길이가 늘어나고, 놓으면 원래 길이로 되돌아간다. 용수철에 물체를 매달면 용수철의 길이가 늘어나는 것은 지구가 물체를 지구 중심으로 끌어당기기 때문이다.

(2) 추의 무게와 용수철이 늘어난 길이
용수철에 걸어 놓은 추의 무게가 일정하게 늘어나면 용수철의 길이도 일정하게 늘어난다. 교과서 속 탐구 70쪽

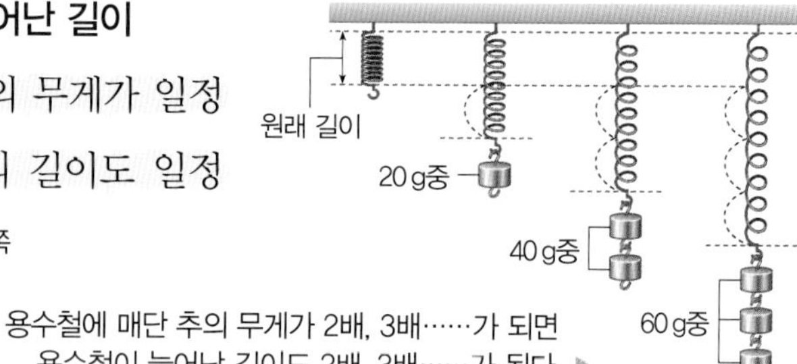

용수철에 매단 추의 무게가 2배, 3배……가 되면 용수철이 늘어난 길이도 2배, 3배……가 된다. ▶

용어
- **용수철** 나선형으로 된 쇠줄. 힘을 가하면 모양이 변하고 힘을 제거하면 원래의 모양으로 돌아가려는 성질이 있음.

용수철을 사용한 도구

▲ 볼펜

▲ 스테이플러

▲ 펀치

용수철을 사용한 도구들은 용수철에 힘을 가하면 모양과 길이가 변하고, 가했던 힘이 사라지면 원래 모양이나 길이로 돌아가는 성질을 이용한다.

Mini 탐구 용수철에 물체를 매달았을 때 변화 관찰하기

과정

1. 용수철을 스탠드에 걸고, 위쪽에 테이프를 붙여 고정한다.
2. 용수철 끝을 아래로 약하게 당겼다가 가만히 놓아 보고, 용수철을 더 세게 당겼다가 가만히 놓아 보면서 용수철의 길이 변화를 관찰한다.
3. 용수철에 가벼운 추, 무거운 추를 순서대로 매달고 용수철이 늘어나는 길이를 관찰한다.

결과

약하게 당길 때
세게 당길 때

▲ 용수철을 더 세게 당길 때 용수철이 더 길게 늘어난다.

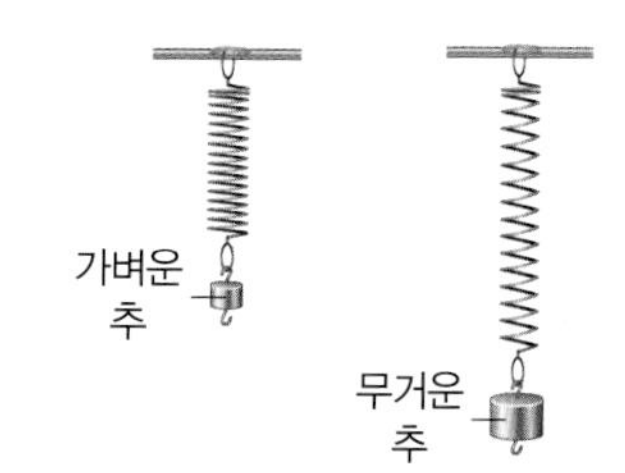

▲ 무거운 추를 매달았을 때 용수철이 더 길게 늘어난다. – 추가 용수철을 아래로 당기기 때문에 용수철이 늘어난다.

▶ 용수철을 더 세게 당기거나 용수철에 더 무거운 추를 매달면 용수철이 더 길게 늘어난다.

3. 용수철저울

(1) **용수철저울** 용수철의 성질을 이용한 용수철저울은 물체를 매달면 물체의 무게에 따라 늘어난 용수철의 길이를 확인하여 그 물체의 무게를 알 수 있다.

손잡이	용수철저울을 잡거나 스탠드에 거는 부분
영점 조절 나사	물체의 무게를 측정하기 전에 표시자를 눈금의 '0' 위치에 오도록 조절하는 나사
표시자	용수철저울에 건 물체의 무게를 가리키는 부분
눈금	용수철저울에 물체를 걸었을 때 표시자가 가리키는 부분
고리	무게를 측정할 추나 물체를 거는 부분

(2) **용수철저울로 물체의 무게 측정하기**

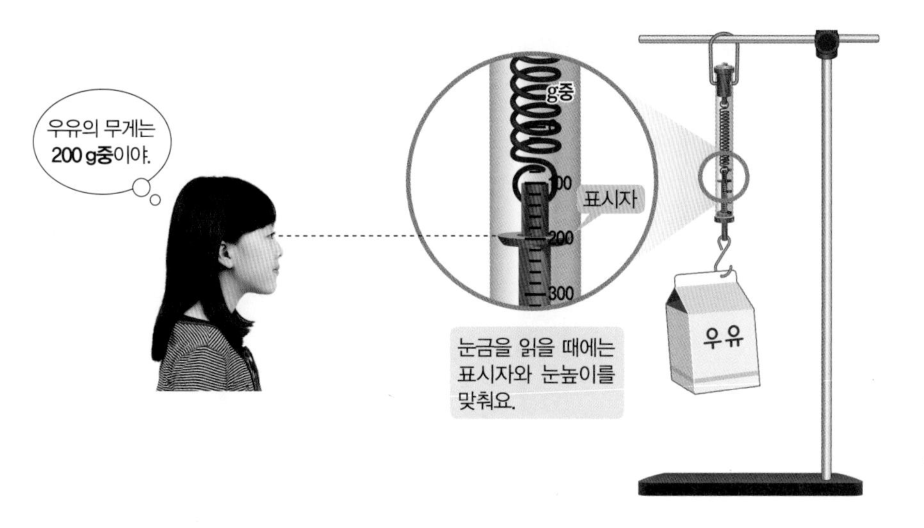

❶ 용수철저울을 수직으로 세워 잡거나 스탠드에 건다.
❷ 영점 조절 나사를 돌려 표시자를 눈금 '0'에 맞춘다.
❸ 고리에 물체를 걸고 용수철이 늘어나면서 표시자가 가리키는 눈금의 숫자를 단위와 같이 읽는다. – 표시자는 물체의 무게에 해당하는 눈금을 가리킨다.

보충 플러스⁺ 용수철저울로 측정할 수 있는 무게 범위

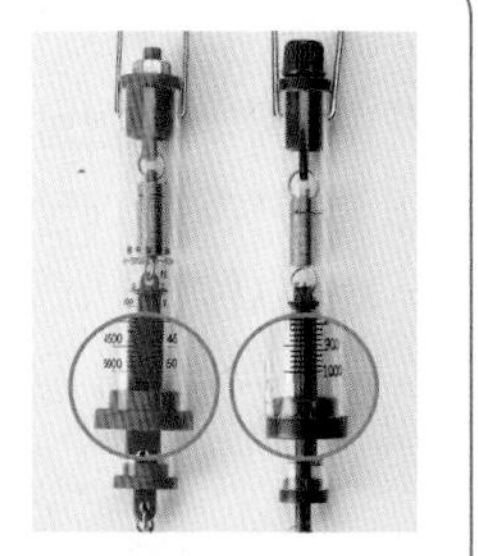

용수철저울은 속에 들어 있는 용수철에 따라 최대로 측정할 수 있는 무게가 정해져 있다. 용수철저울의 최대 측정 무게에 비하여 너무 가벼운 물체는 정확한 무게를 측정하기 어렵다. 예를 들어 2 kg중이 최대 측정할 수 있는 무게인 용수철저울에 10 g중 이하의 물체를 걸면 용수철이 거의 늘어나지 않아서 눈금의 변화 정도가 매우 작기 때문에 무게를 측정하기 어렵다. 따라서 무게를 측정하고자 하는 물체의 무게를 어림한 뒤 가장 적절한 용수철저울을 선택하여 무게를 재면 좀 더 효과적으로 무게를 잴 수 있다.

용수철저울의 고리에 걸 수 없는 물체의 무게 측정

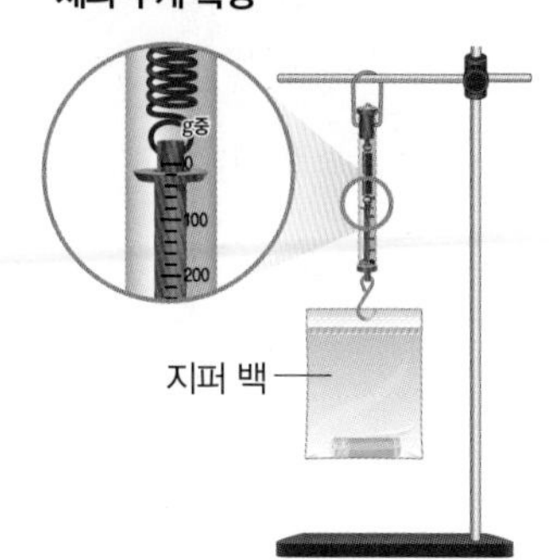

용수철저울의 고리에 걸 수 없는 물체는 펀치로 구멍을 뚫은 빈 용기(지퍼 백)를 고리에 걸고 영점을 맞춘 다음, 빈 용기에 물체를 넣고 무게를 측정한다.

용수철저울의 눈금 읽기

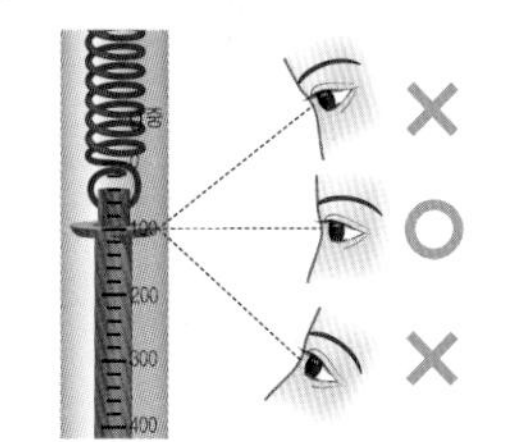

표시자의 움직임이 멈추면 표시자와 눈높이를 맞추고 눈금을 확인한다.

용수철을 사용한 가정용 저울

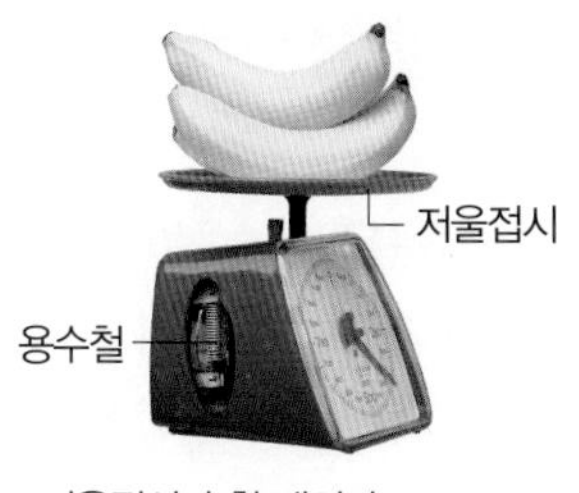

- 저울접시가 한 개이다.
- 무게를 비교할 물체가 필요 없다.
- 저울에 물체를 올렸을 때 바늘이 가리키는 눈금을 읽어 무게를 알 수 있다.

추의 무게와 용수철이 늘어난 길이

과정

1. 용수철을 스탠드에 걸고 위쪽에 테이프를 붙여 고정한다.
2. 두꺼운 종이를 테이프로 스탠드에 고정한다.
3. 용수철에 추 한 개를 걸고, 용수철 끝의 위치를 찾아 종이에 눈금 '0'을 표시한다.
4. 무게가 20 g중인 추 네 개를 용수철에 한 개씩 걸 때마다 용수철 끝의 위치와 전체 추의 무게를 종이에 표시한다.
5. 종이에 표시한 눈금 사이의 길이를 자로 측정한다.
6. 남은 추 한 개를 더 매달았을 때 용수철이 늘어난 길이를 예상해 보고, 추를 매단다.

용수철
추
0

결과

▶ **용수철에 매단 추의 개수가 한 개씩 늘어날 때마다 용수철이 늘어난 길이**

추의 무게(g중)	0	20	40	60	80
용수철에 매단 추의 모습	0	0, 26	0, 52	0, 78	0, 104
눈금 사이의 길이(mm)	26	26	26	26	
용수철이 늘어난 길이(mm)	0	26	52	78	104

알 수 있는 사실

▶ 용수철에 매단 추의 무게가 20 g중씩 일정하게 늘어날 때마다 용수철의 길이는 26 mm씩 일정하게 늘어난다.

▶ 용수철에 매단 물체의 무게가 일정하게 늘어나면 용수철의 길이도 일정하게 늘어난다.

정답과 해설 16쪽

1 다음은 용수철에 매단 추의 개수가 한 개씩 늘어날 때마다 용수철이 늘어난 길이입니다. 추 한 개를 매달 때마다 용수철이 몇 mm씩 늘어났는지 쓰시오.

추의 무게(g중)	0	30	60	90	120
용수철이 늘어난 길이(mm)	0	28	56	84	112

( ) mm

2 무게가 40 g중인 추를 한 개씩 더 매달 때마다 30 mm씩 늘어나는 용수철이 있습니다. 이 용수철에 40 g중인 추 5개를 매달면 용수철이 늘어난 길이는 몇 mm가 될지 쓰시오.

( ) mm

정답과 해설 17쪽

1 오른쪽과 같이 용수철을 스탠드에 걸고 끝을 아래로 당겨 보았습니다. 용수철을 더 길게 늘이는 방법을 옳게 말한 사람의 이름을 쓰시오.

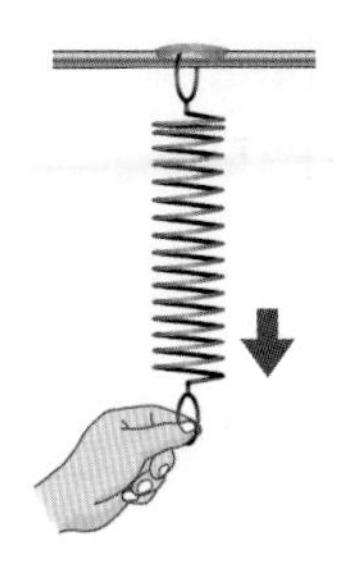

- 준석: 용수철 끝을 잡고 위로 올려야 해.
- 민주: 처음보다 용수철을 더 세게 당기면 돼.
- 은희: 용수철을 처음보다 더 약한 힘으로 당겨야 해.

( )

2 다음 밑줄 친 이것은 무엇을 의미하는지 쓰고, 이것의 단위를 두 가지 쓰시오.

이것은 지구가 물체를 끌어당기는 힘의 크기를 나타낸다. 지구는 이것이 가벼운 물체보다 이것이 무거운 물체를 더 세게 끌어당긴다.

(1) 이것이 의미하는 것: ( )

(2) 이것의 단위: ( )

3 다음은 용수철에 매단 추의 무게에 따라 용수철이 늘어난 길이를 나타낸 표입니다. 이 용수철에 가위를 걸었더니 용수철이 늘어난 길이가 112 mm였다면 가위의 무게는 몇 g중인지 쓰시오.

추의 무게(g중)	0	20	40	60	80
용수철이 늘어난 길이(mm)	0	16	32	48	64

( ) g중

[4~5] 다음은 용수철저울의 고리에 장난감 인형을 걸어 무게를 측정하는 모습입니다. 물음에 답하시오.

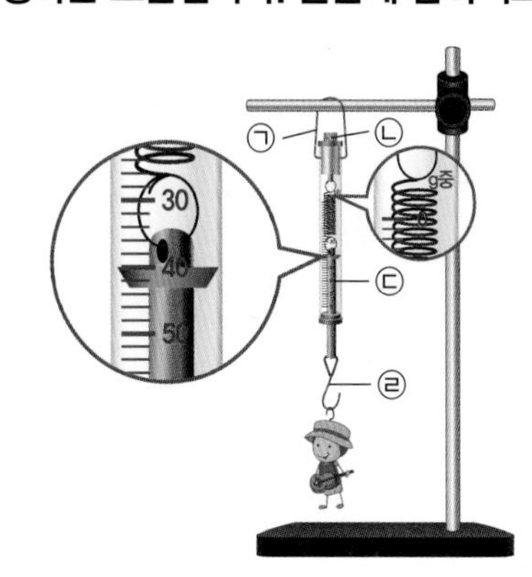

4 위 용수철저울의 고리에 장난감 인형을 걸기 전에 표시자를 눈금 '0' 위치에 맞춰야 합니다. 어느 부분으로 표시자를 '0' 위치에 오도록 맞출 수 있는지 기호와 그 부분의 이름을 쓰시오.

(1) '0' 위치를 맞출 때 사용하는 부분: ( )

(2) 이름: ( )

5 위 용수철저울의 눈금 한 칸이 2 g중을 나타낼 때 용수철저울에 건 장난감 인형의 무게는 얼마인지 단위와 함께 쓰시오.

( )

6 용수철저울의 눈금을 읽을 때의 알맞은 눈높이에 대해 옳게 말한 사람의 이름을 쓰시오.

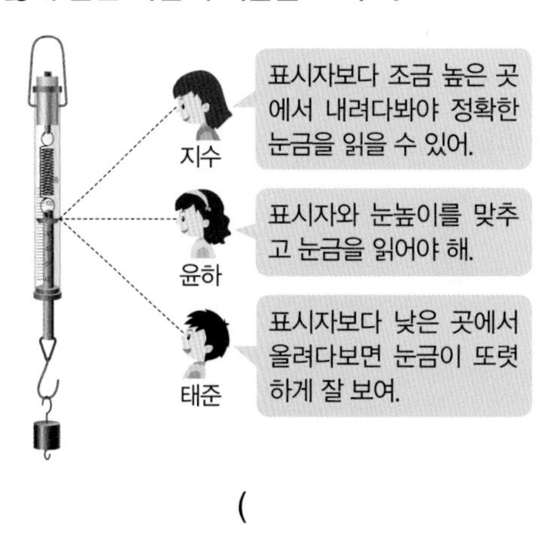

( )

1 다음 상황을 보고, 문제를 해결하기 위해 무엇이 필요한지 ( ) 안에 들어갈 알맞은 말을 쓰시오.

> "생선 두 마리는 2천 원입니다."
> 가게 주인이 말하자, 손님이 화를 내며 말했다.
> "아니, 조금 전 손님의 가격은 천 원이었잖아요?"
> 가게 주인이 의아해하며,
> "손님께서 고른 생선이 더 무거우니 그렇죠."
> 손님이 주변을 두리번거리며 말했다.
> "( ) 없나요? 정확하게 확인해 봅시다."

( )

2 사과와 감을 받침점으로부터 양쪽으로 같은 거리에 올렸을 때 사과 쪽으로 기울어진 나무판자의 수평을 잡기 위한 방법으로 옳은 것에 ○표 하시오.

(1) 감을 나무판자에서 아래로 내려놓는다. ( )

(2) 사과를 받침점에 더 가까운 쪽으로 이동한다. ( )

(3) 사과와 감을 각각 받침점에 가깝게 한 칸씩 이동한다. ( )

3 왼쪽에 무게가 가벼운 나무토막을, 오른쪽에 무게가 무거운 나무토막을 올려 나무판자의 수평을 잡는 방법입니다. ( ) 안에 들어갈 알맞은 말을 쓰시오.

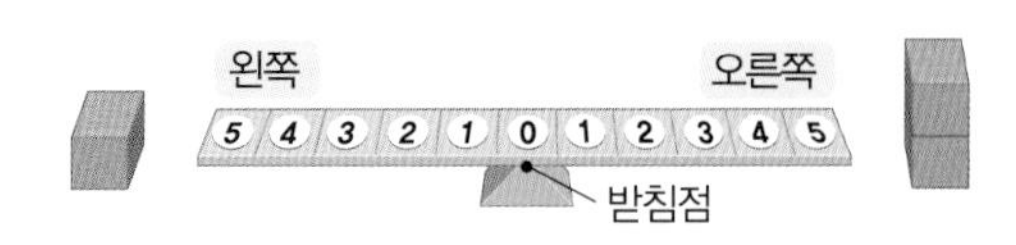

> 무게가 (㉠) 나무토막을 무게가 (㉡) 나무토막보다 받침점에 더 가깝게 올린다.

㉠ ( ), ㉡ ( )

[4~5] 다음은 네 명의 친구가 번갈아 두 명씩 시소를 타는 모습입니다. 물음에 답하시오.

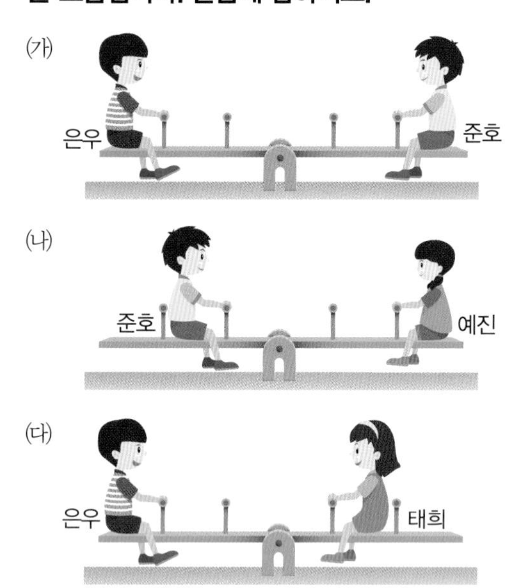

4 위 (가)와 (나) 중 몸무게가 같은 두 사람이 시소에 앉아 시소가 수평이 된 경우는 어느 것인지 기호와 그 까닭을 함께 쓰시오.

5 위 은우, 준호, 예진, 태희의 몸무게를 비교하여 가장 무거운 친구와 가장 가벼운 친구의 이름을 쓰시오.

(1) 가장 무거운 친구: ( )

(2) 가장 가벼운 친구: ( )

정답과 해설 17쪽

[6~7] 다음은 양팔저울의 모습입니다. 물음에 답하시오.

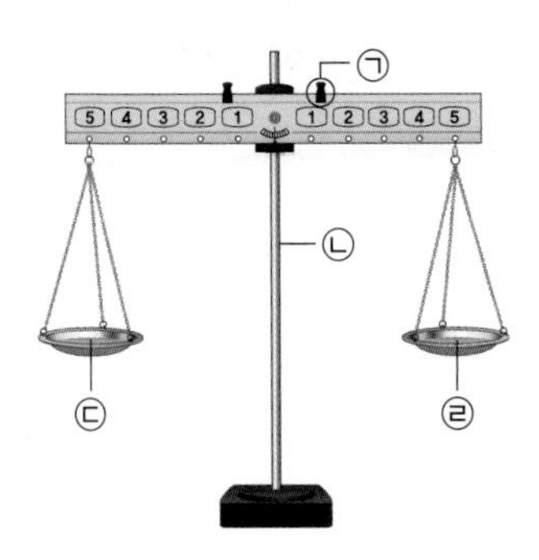

6 위 양팔저울의 각 부분에 대해 옳게 말한 사람의 이름을 쓰시오.

- 보영: 양팔저울은 ㉠을 중심으로 움직여.
- 윤아: ㉡은 저울접시를 거는 긴 막대야.
- 수민: 현재 ㉢과 ㉣은 받침점으로부터 양쪽으로 같은 거리에 있어.

(　　　　　　　　)

7 위 양팔저울을 사용해 다음 세 가지 종류의 공의 무게를 비교한 결과를 보고, 가장 무거운 공부터 순서대로 쓰시오.

▲ 탁구공

▲ 테니스공

▲ 야구공

- 야구공을 ㉢ 저울접시에 올리고, 테니스공을 ㉣ 저울접시에 올리면 저울대가 ㉢쪽으로 기울어진다.
- 탁구공을 ㉢ 저울접시에 올리고, 테니스공을 ㉣ 저울접시에 올리면 저울대가 ㉣쪽으로 기울어진다.

(　　　　) > (　　　　) > (　　　　)

8 다음은 양팔저울에 물체와 클립 여러 개를 올려 저울대의 수평을 잡았을 때 클립의 총 개수입니다. 무게가 무거운 물체부터 순서대로 쓰시오.

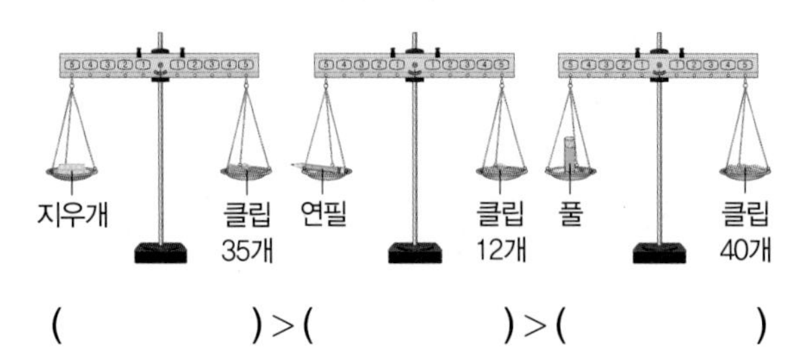

(　　　　) > (　　　　) > (　　　　)

9 위 8번의 클립 대신 사용할 수 있는 물체로 알맞은 것을 두 가지 고르시오. (　　　　)

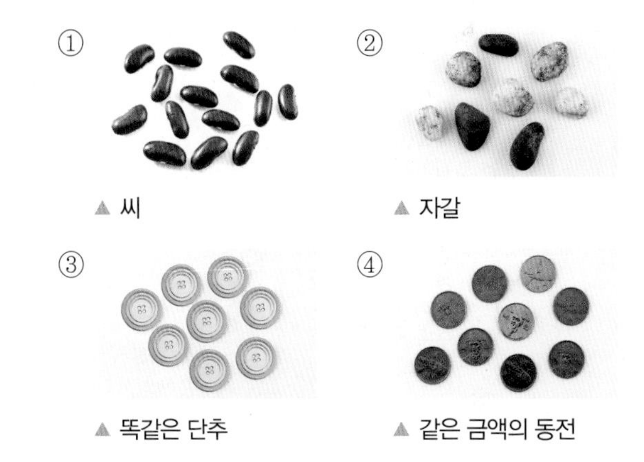

① ▲ 씨
② ▲ 자갈
③ ▲ 똑같은 단추
④ ▲ 같은 금액의 동전

10 다음 (　　) 안에 들어갈 알맞은 말을 쓰시오.

윗접시저울은 (　　　　)의 원리를 이용하는 저울이다. 받침점에서 같은 거리에 물체를 올릴 수 있는 접시가 있고, 가운데에 바늘이 있다.

바늘
접시
영점 조절 나사
받침점

(　　　　　　　　)

11 무게에 대한 설명으로 옳은 것을 보기에서 골라 기호를 쓰시오.

보기
- ㉠ 무게는 단위없이 숫자로만 나타낸다.
- ㉡ 물체의 무게는 지구가 물체를 밀어내는 힘의 크기이다.
- ㉢ 지구는 가벼운 물체보다 무거운 물체를 더 세게 끌어당긴다.

(   )

12 용수철의 성질에 대해 옳게 말한 사람의 기호를 쓰시오.

㉠ 
용수철에 물체를 매달면 용수철의 길이가 줄어들어.

㉡ 
모든 용수철은 견딜 수 있는 힘의 크기가 같아.

㉢ 
용수철에 매단 추의 무게가 무거울수록 용수철이 많이 늘어나.

㉣ 
모든 용수철은 늘일 수만 있고, 줄일 수는 없어.

(   )

13 용수철을 사용한 가정용 저울에 대한 설명으로 옳지 않은 것은 어느 것입니까? (   )

① 저울접시에 물체를 올리면 바늘이 움직인다.
② 반드시 무게를 비교할 기준 물체가 필요하다.
③ 무게를 측정할 물체를 올려놓을 저울접시가 한 개이다.
④ 바늘이 가리키는 눈금을 읽으면 물체의 무게를 알 수 있다.
⑤ 저울접시에 물체를 올리면 접시가 눌리면서 저울 속 용수철의 길이가 변한다.

14 길이가 10 cm인 용수철을 스탠드에 건 후, 용수철 끝을 잡고 아래로 당겼습니다. 늘어난 용수철의 길이가 다음과 같을 때 가장 세게 용수철을 당긴 경우는 어느 것입니까? (   )

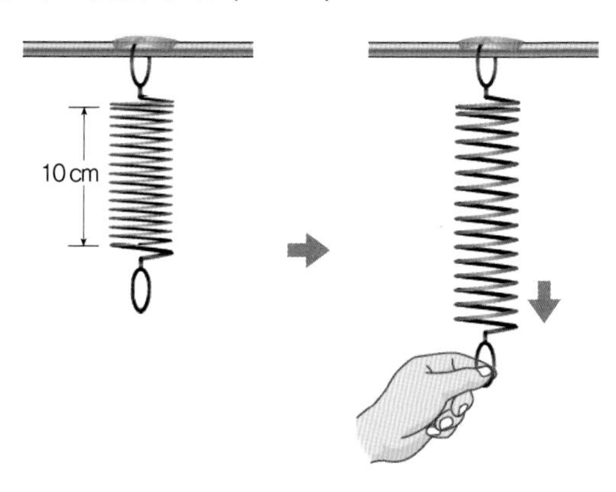

① 10 cm
② 11 cm
③ 13 cm
④ 22 cm
⑤ 25 cm

15 다음은 같은 용수철에 추와 우유를 각각 매달았을 때의 모습입니다. 용수철에 매단 우유의 무게는 몇 g중인지 쓰시오.

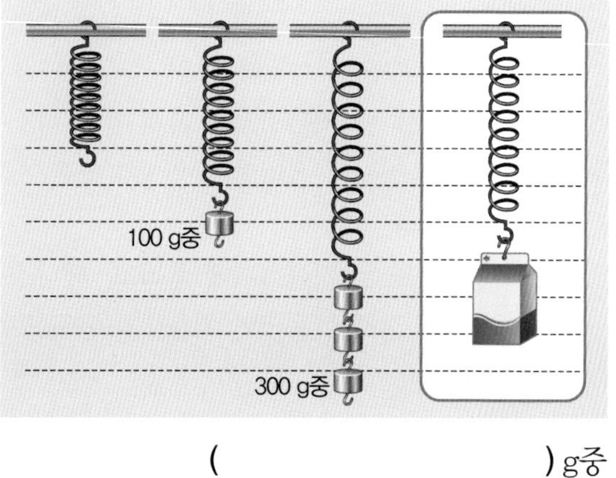

(   ) g중

16 용수철저울을 사용할 때 주의할 점으로 옳지 않은 것은 어느 것입니까? (   )

① 아래쪽의 고리에 물체를 매단다.
② 너무 무거운 물체의 무게는 용수철저울로 측정하지 않는다.
③ 눈금을 가리키는 표시자와 눈높이를 맞추고 눈금을 읽는다.
④ 물체를 매달고 표시자가 움직임을 멈추기 직전에 눈금을 읽는다.
⑤ 물체의 무게를 측정하기 전에 표시자가 눈금의 '0' 위치에 오도록 조절한다.

17 다음의 용수철저울로 측정할 수 있는 최대 무게를 단위와 함께 쓰고, 그 까닭을 쓰시오.

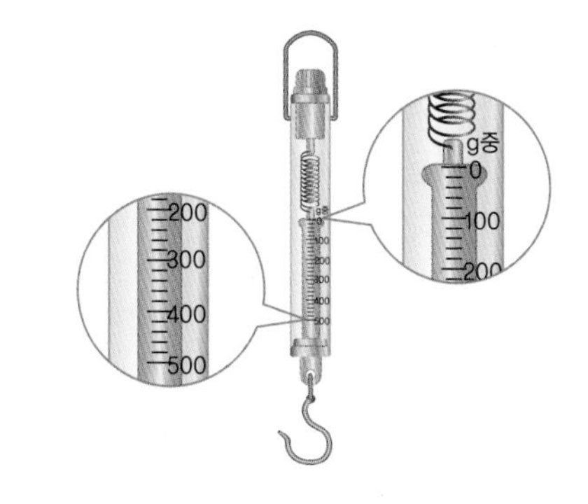

(1) 최대 측정 무게: (   )

(2) 까닭: ____________________

____

[18~20] 다음은 같은 용수철저울로 가위와 풀의 무게를 각각 측정하는 모습입니다. 물음에 답하시오.

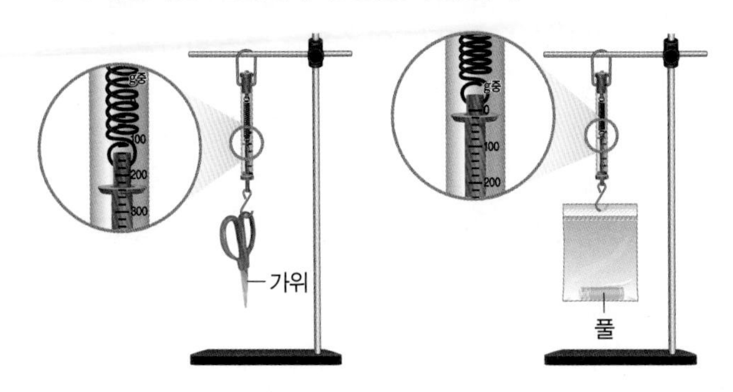

18 위 용수철저울로 측정한 가위와 풀의 무게는 각각 얼마인지 단위와 함께 쓰시오.

(1) 가위의 무게: (   )
(2) 풀의 무게: (   )

19 위 용수철저울에 가위와 풀을 각각 매달았을 때 용수철저울 안에 있는 용수철이 더 많이 늘어난 것은 어느 것을 매달았을 때인지 쓰시오.

(   )

20 위에서 용수철저울로 가위와 풀의 무게를 측정하는 방법이 조금 다릅니다. 어떤 점이 다른지 옳게 비교하여 말한 사람의 이름을 쓰시오.

- 도윤: 가위는 영점을 맞추기 전에 고리에 걸고, 풀은 영점을 맞춘 후에 고리에 걸어.
- 지후: 눈금을 읽을 때 가위는 표시자보다 위쪽에서 읽고, 풀은 표시자보다 아래쪽에서 읽어.
- 아영: 가위는 영점을 맞춘 뒤 고리에 걸어 무게를 측정해. 고리에 걸 수 없는 풀은 지퍼 백을 매달고 영점을 맞춘 뒤 지퍼 백에 풀을 넣어 무게를 측정해.

(   )

1 다음 ㉠과 ㉡ 중 수평이 아닌 것을 골라 기호를 쓰고, 수평이 아닌 나무판자의 수평을 잡는 방법을 한 가지 쓰시오.

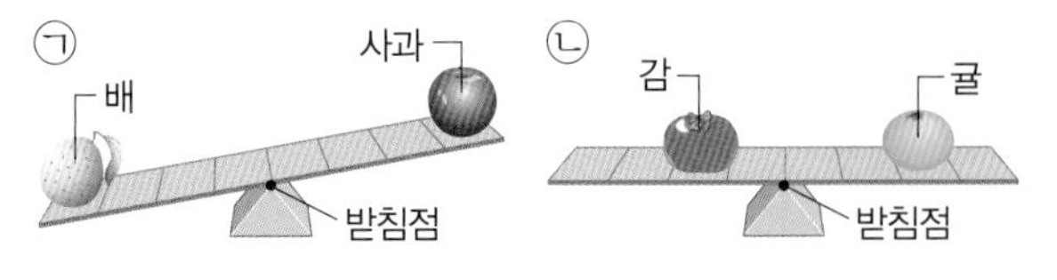

(1) 수평이 아닌 것: (　　　　　　　　　　)

(2) 수평이 아닌 나무판자의 수평을 잡는 방법

2 몸무게가 75 kg중인 아버지와 몸무게가 50 kg중인 수빈이가 시소에 앉아 시소의 수평을 잡으려고 합니다. 수빈이는 어디에 앉아야 하는지 번호와 그 까닭을 함께 쓰시오.

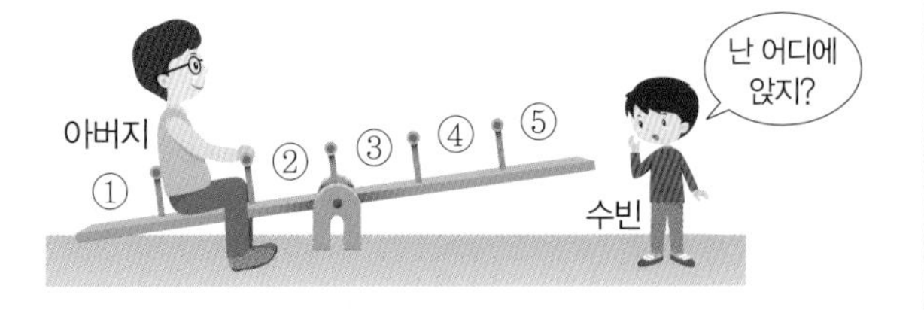

3 다음은 플라스틱 자, 집게, 상자, 실 등을 사용하여 나만의 저울을 만든 것입니다. 어떤 원리를 이용하여 무슨 저울을 만든 것인지 쓰시오.

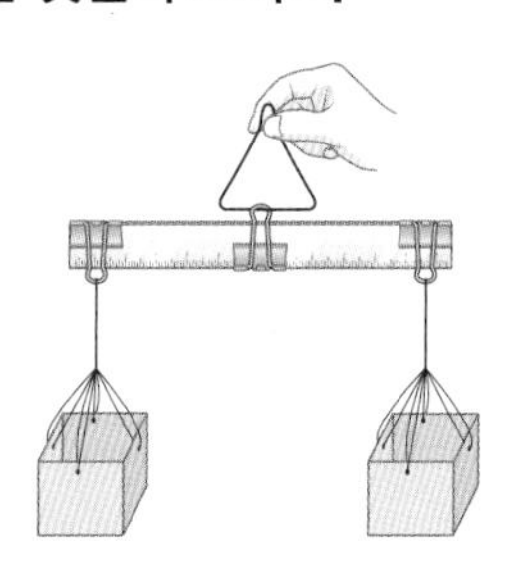

4 양팔저울로 다음 물체들의 무게를 비교하려고 합니다. 클립을 사용하여 각 물체의 무게를 비교하는 방법을 간단히 쓰시오.

5 다음은 같은 용수철에 추의 무게를 다르게 하여 매단 모습입니다. 이 실험 결과 모습을 보고, 용수철의 성질에 대해 알 수 있는 사실을 한 가지 쓰시오.

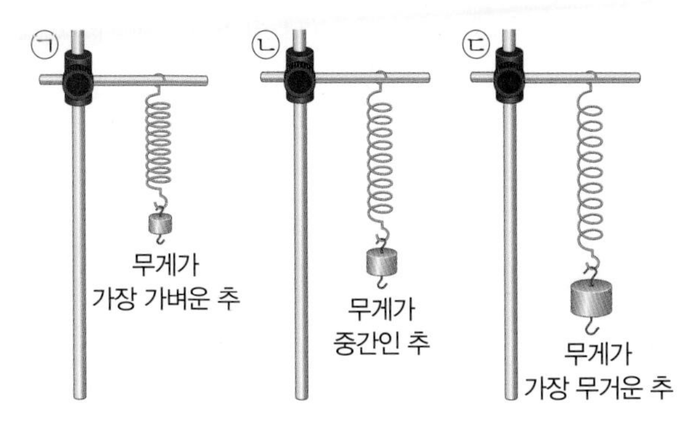

6 다음 표는 용수철에 무게가 40 g중인 추의 개수를 한 개씩 늘려가며 매달았을 때 용수철이 늘어난 길이를 나타낸 것입니다. ㉠에 들어갈 용수철이 늘어난 길이를 쓰고, 그 까닭을 쓰시오.

추의 무게(g중)	0	40	80	120	160
용수철이 늘어난 길이(mm)	0	23	㉠	69	92

(1) ㉠: (　　　　　　　　　) mm

(2) 까닭:

7 고리에 아무것도 매달지 않은 용수철저울을 수직으로 들었더니 표시자의 모습이 다음과 같았습니다. 이 용수철저울로 물체의 무게를 측정하기 전에 먼저 해야 할 일을 구체적으로 쓰시오.

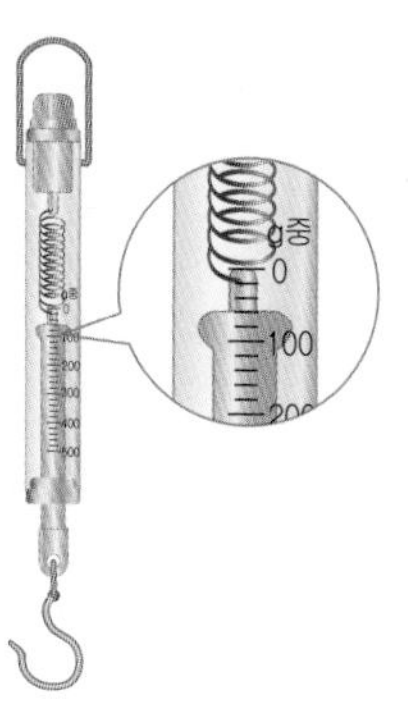

8 용수철저울의 고리에 필통을 걸면 표시자가 움직여 그 무게를 알 수 있습니다. 다음 보기 중 용수철저울과 같은 원리를 이용하는 경우를 골라 기호를 쓰고, 이용하는 원리는 무엇인지 함께 쓰시오.

보기
㉠ 전통 시장에서 대저울을 사용하여 대추의 무게를 재는 것을 보았다.
㉡ 가정용 저울의 접시에 양배추를 올렸더니 바늘이 움직여 2 kg중의 눈금을 가리켰다.

수평 잡기

수평	어느 한쪽으로 기울지 않고 평평한 상태이다.
수평 잡기	• 무게가 비슷한 두 물체로 수평 잡기: 나무판자의 받침점으로부터 양쪽으로 같은 거리에 두 물체를 올려 수평을 잡는다. • 무게가 다른 두 물체로 수평 잡기: 무거운 물체를 가벼운 물체보다 나무판자의 받침점에서 가까운 쪽에 올려 수평을 잡는다. 받침점 ▲ 무게가 비슷한 물체로 수평 잡기 받침점 ▲ 무게가 다른 물체로 수평 잡기

양팔저울

양팔저울	수평 잡기의 원리를 이용해 물체의 무게를 비교하는 저울이다. 자료 1
두 물체의 무게 비교	양팔저울 저울대의 받침점으로부터 양쪽으로 같은 거리에 있는 저울접시에 물체를 각각 올리면 저울대가 무거운 물체 쪽으로 기울어진다. ➡ 풀 쪽으로 저울대가 기울어졌으므로 풀이 가위보다 무겁다. 받침점 풀 가위
여러 가지 물체의 무게 비교	• 양팔저울 저울대의 받침점으로부터 양쪽으로 같은 거리에 있는 한쪽 저울접시에 무게를 비교할 물체를 올리고 저울대가 수평이 될 때까지 다른 쪽 저울접시에 무게가 일정한 클립(기준 물체)을 올린다. • 저울접시에 올린 클립의 개수를 세어 클립의 개수가 많을수록 무거운 물체이다.

용수철저울

무게	• 지구가 물체를 끌어당기는 힘의 크기이다. • 지구는 가벼운 물체보다 무거운 물체를 더 세게 끌어당긴다. • 단위: g중(그램중), kg중(킬로그램중), N(뉴턴) 등
용수철의 성질	용수철에 걸어 놓은 추의 무게가 일정하게 늘어나면 용수철의 길이도 일정하게 늘어난다. 자료 2
용수철저울로 무게 측정	손잡이: 용수철저울을 잡거나 스탠드에 거는 부분 영점 조절 나사: 물체의 무게를 측정하기 전에 표시자를 눈금의 '0' 위치에 오도록 조절하는 나사 표시자: 용수철저울에 건 물체의 무게를 가리키는 부분 눈금: 용수철저울에 물체를 걸었을 때 표시자가 가리키는 부분 고리: 무게를 측정할 추나 물체를 거는 부분 용수철저울을 수직으로 세워 잡거나 스탠드에 걸기 → 영점 조절 나사를 돌려 표시자를 눈금 '0'에 맞추기 → 고리에 물체를 걸고 용수철이 늘어나면서 표시자가 가리키는 눈금의 숫자를 단위와 같이 읽기

과학 자료

자료 1 양팔저울의 무게 비교

두 물체의 부게가 달라도 양팔저울이 수평이 되게 하고 싶다면 받침점에서 저울접시 사이의 거리를 조절해 주면 된다. 저울접시의 위치를 옮기다 보면 수평이 되는 곳을 발견할 수 있다. 양팔저울의 받침점으로부터 양쪽 각각의 저울접시까지의 거리가 다른데 양팔저울이 수평이 되었다면 두 물체 중 어느 쪽이 더 무거운 걸까?

시소를 탈 때 무거운 사람이 받침점에 더 가까이 앉는 것처럼 받침점에 가까이 한 저울접시에 올린 물체가 받침점으로부터 더 먼 저울접시에 올린 물체보다 무겁다. 따라서 그림의 배가 복숭아보다 무겁다.

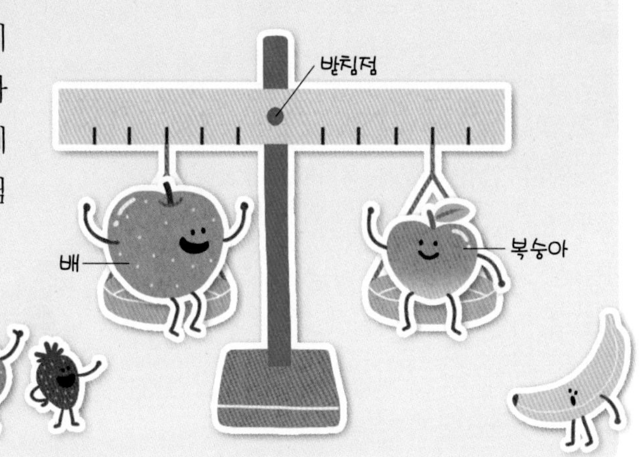

자료 2 용수철에서 느껴지는 되돌아가는 힘

용수철을 잡아당겼다가 놓으면 원래의 모양으로 되돌아간다. 용수철뿐만 아니라 고무줄이나 고무공도 늘이거나 눌렀다가 놓으면 원래의 모양대로 되돌아간다. 이처럼 늘어나거나 줄어든 용수철이 원래의 길이로 돌아가려는 힘을 탄성력이라고 하고, 그러한 성질을 갖는 물체를 탄성체라고 한다.

탄성력이 있는 용수철에 물체를 매달면 용수철은 왜 아래로만 늘어날까? 그것은 지구가 중심 방향으로 물체를 끌어당기기 때문이다. 이러한 힘을 지구의 중력이라고 한다. 용수철에 매단 물체가 무거울수록 지구가 끌어당기는 힘이 더 세서 용수철도 그만큼 많이 늘어난다.

비주얼 사이언스

68쪽 참고 무게와 질량

무게는 물체에 작용하는 중력의 크기로, 측정하는 장소에 따라 달라진다. 지구보다 중력이 약한 달에서 측정한 무게는 지구에서 측정한 무게의 약 $\frac{1}{6}$배가 된다.

질량은 장소에 따라 변하지 않는 물체의 고유한 양으로, 어느 곳에서나 같다.

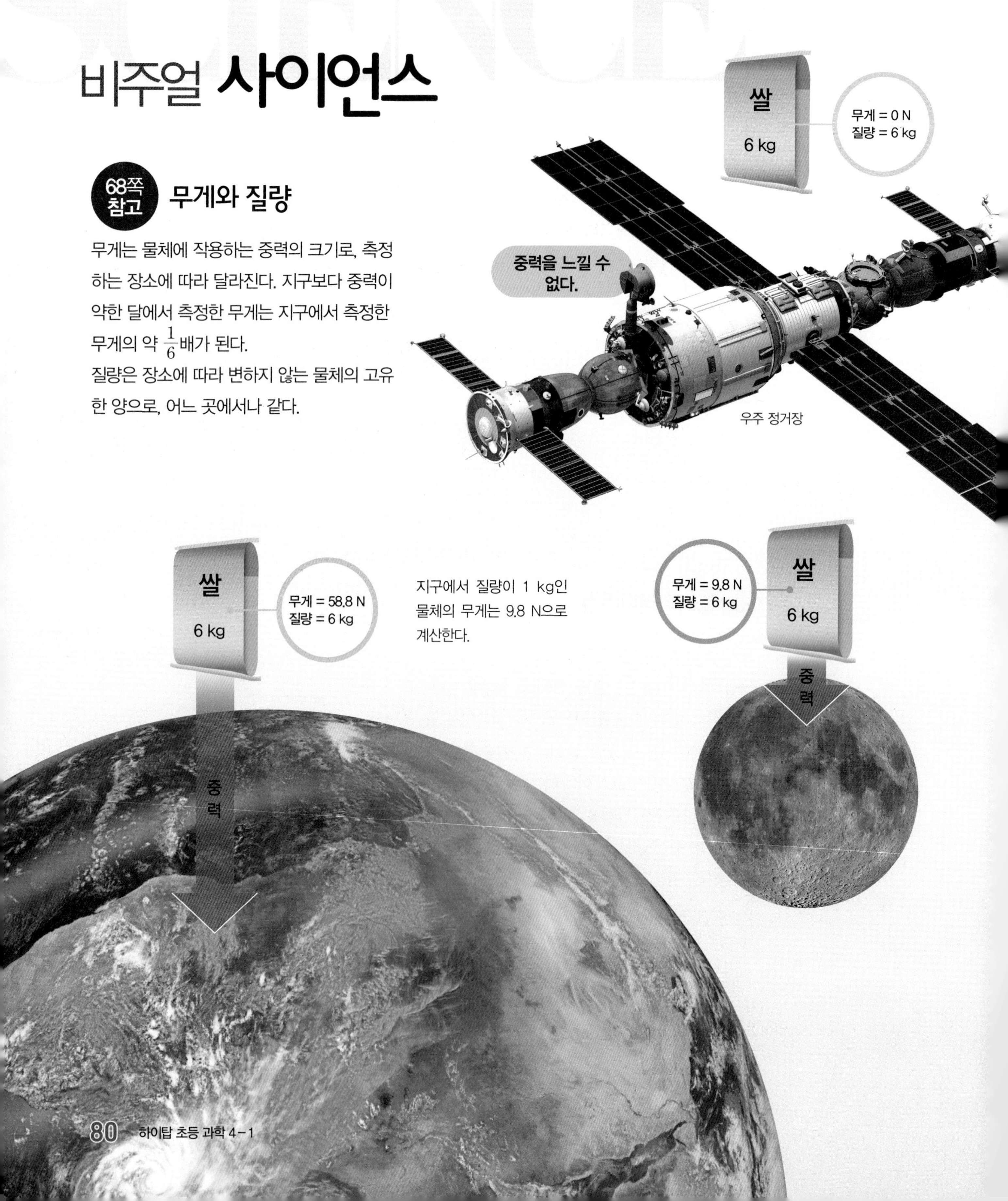

우주 정거장

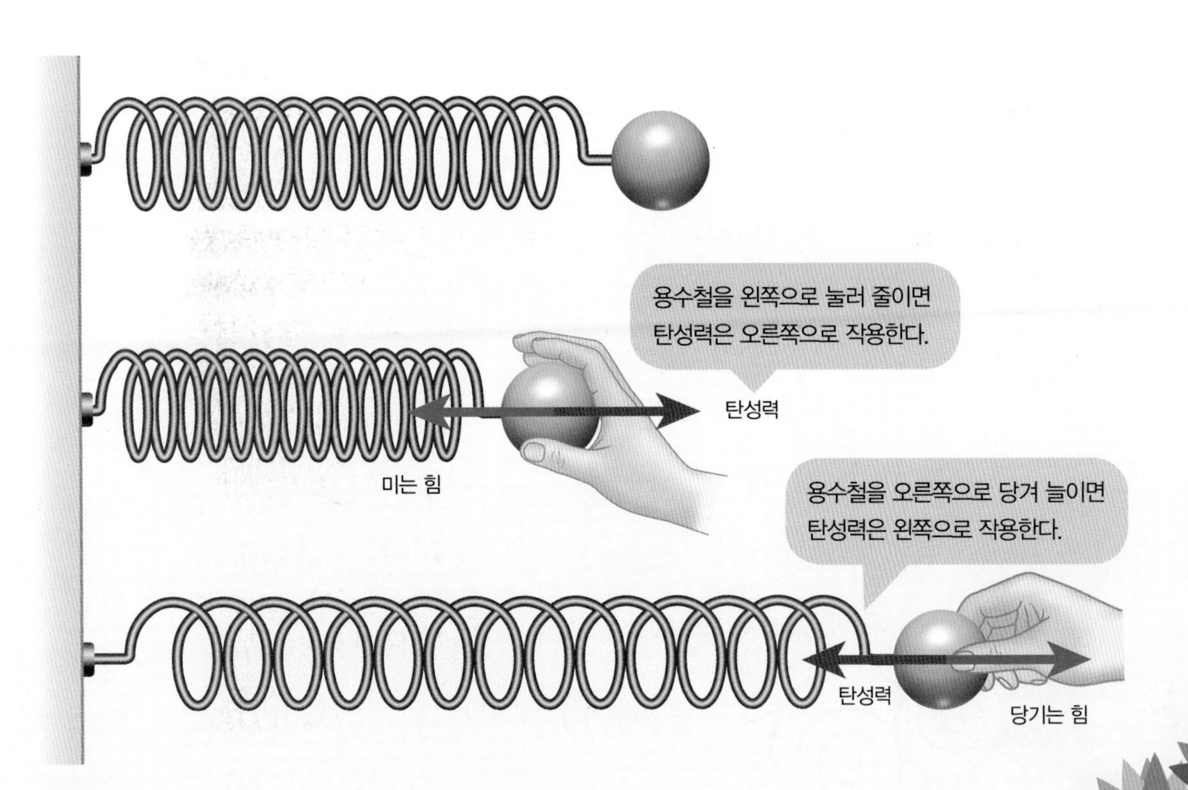

용수철의 힘

힘을 받아 변형된 물체가 원래 모양으로 되돌아가려는 성질을 탄성이라 하고, 변형된 물체가 원래 모양으로 되돌아가려는 힘을 탄성력이라고 한다.

지구에서의 중력

나무에서 떨어지고 있는 사과와 지구 사이에는 지구가 사과를 당기는 힘과 사과가 지구를 당기는 힘이 서로 작용한다. 이때 사과는 지구가 당기는 힘에 의해 아래로 떨어지지만 지구는 매우 크기 때문에 사과가 당기는 힘이 작용하여도 움직이지 않는다.

지구가 사과를 당기는 힘

사과가 지구를 당기는 힘

혼합물의 분리

1 알갱이 크기가 다른 혼합물 분리

2 혼합물을 분리하는 방법

• 3~4학년군 **물질의 성질**
자석의 이용

• 3~4학년군 **혼합물의 분리**

• 3~4학년군 **물의 상태 변화**
• 5~6학년군 **용해와 용액**
• 중학교 1~3학년군 **물질의 특성**

알갱이 크기가 다른 혼합물 분리

만화로 보는
'혼합물'

순물질과 혼합물
- 한 가지 물질로만 이루어진 물질은 순물질이다.
  예 설탕, 소금, 물, 산소 등
- 두 가지 이상의 순물질이 섞여 있는 물질은 혼합물이다.
  예 김밥, 피자, 설탕물 등

1. 혼합물

(1) **혼합물** 두 가지 이상의 물질이 성질이 변하지 않은 채 서로 섞여 있는 것을 혼합물이라고 한다.

(2) **생활 속에서 찾을 수 있는 혼합물** – 김밥, 비빔밥, 피자, 꿀물, 김치 등도 혼합물이다.

▲ 팥빙수는 팥, 얼음, 과일 등이 섞여 있는 혼합물이다.

▲ 역암은 자갈, 모래 등으로 이루어진 혼합물이다.

▲ 바닷물은 여러 가지 물질이 섞여 있는 혼합물이다.

Mini 탐구 여러 가지 재료로 간식 만들기

과정

1. 시리얼, 초콜릿, 말린 과일 등의 모양과 색깔을 관찰한다.
2. 준비한 재료 중 두세 가지를 선택한 뒤 섞어서 간식을 만든다.
3. 눈가리개로 눈을 가리고 친구가 만든 간식을 한 숟가락 먹어 본 뒤에 간식의 재료를 알아맞혀 본다.
4. 3에서 간식의 재료를 알아맞힐 수 있었던 까닭을 이야기해 본다.

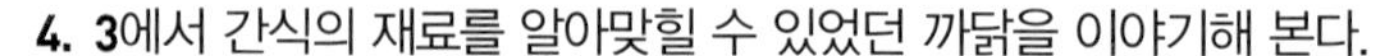

결과 간식 재료의 특징 예

간식 재료	모양	색깔	맛
시리얼	원 모양, 주름이 많다.	황토색	고소하다.
초콜릿	둥글다.	빨간색, 노란색, 파란색 등	달다.
건포도	둥글고, 주름이 많다.	검은색 또는 진한 보라색	달다.
말린 바나나	납작한 원 모양이다.	노란색	달다.

▶ 여러 가지 재료를 섞어 간식을 만들어도 간식 재료의 맛은 변하지 않기 때문에 눈을 가리고 간식을 먹어도 재료를 알아맞힐 수 있다.

2. 혼합물의 분리

(1) 혼합물을 분리하면 좋은 점 혼합물을 분리하면 원하는 물질을 얻을 수 있고, 이를 우리 생활의 필요한 곳에 이용할 수 있다. – 우리 주변의 물질은 대부분 혼합물이다.

(2) 혼합물을 분리하는 경우

① 금을 얻기 위해서는 광산에서 직접 캐기도 하지만 강에서 모래나 흙에 섞여 있는 금을 골라내기도 한다. 이렇게 얻은 금으로 장신구를 만든다.

② 사탕수수에서 분리한 설탕으로 사탕을 만든다. 분리한 물질을 다른 물질과 섞어 생활에 필요한 물질(혼합물)을 만들 수 있다.

▲ 사탕수수 ▲ 설탕 ▲ 사탕

보충 플러스+ 우리 몸의 혈액도 혼합물

몸의 구석구석을 돌면서 산소와 영양분을 공급하여 주는 혈액은 크게 고체인 혈구와 액체인 혈장으로 이루어져 있다. 혈액을 눈으로 보면 붉은색 액체처럼 보이지만, 고체인 혈구를 분리해 내면 혈장이 남아 노란색 액체로 보인다. 한 물질인 것처럼 보이는 혈액도 여러 가지 물질이 섞여 있는 혼합물이다.

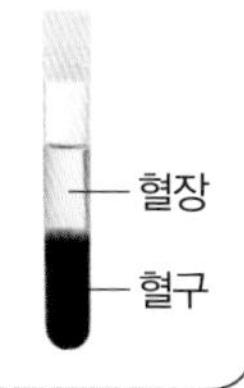

3. 크기가 다른 고체 알갱이가 섞인 혼합물 분리하기

– 혼합물에 섞여 있는 알갱이의 크기와 체의 눈 크기를 잘 살펴본다.

(1) 콩, 팥, 좁쌀의 혼합물 분리 눈의 크기가 알맞은 체를 사용하면 여러 개의 알갱이를 쉽게 분리할 수 있다. 교과서 속 탐구 86쪽

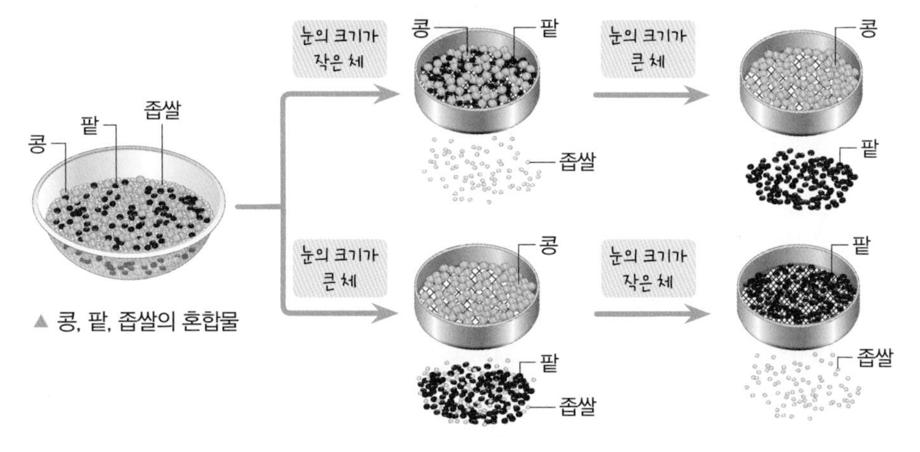

▲ 콩, 팥, 좁쌀의 혼합물

(2) 생활 속에서 알갱이의 크기 차이를 이용하여 혼합물을 분리하는 경우

① 공사장에서 모래와 자갈을 분리할 때 체를 사용한다.

② 정수기를 사용하여 물에 섞여 있을 수 있는 불순물을 제거한 후 마신다.

③ 해변 쓰레기 수거 장비는 체를 사용해서 체의 눈의 크기보다 작은 모래와 체의 눈의 크기보다 큰 플라스틱 조각, 동전 등을 분리하여 쓰레기를 수거한다.

용어

- **분리** 무엇에서 떨어져 나가는 것. 또는 따로 떼어 내는 것.
- **광산** 금, 은, 철 등과 같은 광물을 캐내는 곳.

재활용품 분리배출

- 종류에 따라 분리하여 배출하면 자원을 재활용할 수 있다.
- 자원을 재활용하면 자원과 에너지를 절약할 수 있다.

용어

- **체** 굵은 알갱이를 걸리게 하고 작은 알갱이나 가루, 액체를 빠져나가게 하는, 촘촘한 그물이나 철망이 바닥에 달린 도구.
- **불순물** 순수한 물질에 섞여 있는 순수하지 않은 물질.

콩, 팥, 좁쌀의 혼합물 분리하기

과정

1. 콩, 팥, 좁쌀의 혼합물을 손으로 골라내어 다른 그릇에 담아 분리해 본다.
2. 눈의 크기가 다른 체 두 개를 사용하여 혼합물을 분리해 본다.

눈의 크기가 작은 체
팥의 크기 > 눈의 크기 > 좁쌀의 크기

눈의 크기가 큰 체
콩의 크기 > 눈의 크기 > 팥의 크기

3. 손으로 분리하는 방법과 체로 분리하는 방법을 비교한다.

결과

1 눈의 크기가 작은 체 사용
체의 눈의 크기보다 알갱이의 크기가 큰 콩, 팥이 체 위에 남고, 좁쌀이 체 아래로 먼저 분리된다.

2 눈의 크기가 큰 체 사용
체 위에 콩이 남고, 팥이 체 아래에 분리된다.

1 눈의 크기가 큰 체 사용
체의 눈의 크기보다 알갱이의 크기가 큰 콩만 체 위에 남고, 팥과 좁쌀이 체 아래로 떨어진다.

2 눈의 크기가 작은 체 사용
체 위에 팥이 남고, 좁쌀이 체 아래에 분리된다.

- 손으로 분리하면 시간이 오래 걸리고, 크기가 작은 좁쌀은 손으로 집기도 어렵다.
- 체와 같은 도구를 사용하면 빠른 시간 내에 혼합물을 효과적으로 분리할 수 있다.

알 수 있는 사실

▶ 콩, 팥, 좁쌀의 혼합물은 알갱이의 크기가 각각 다른 점을 이용하여 분리할 수 있다.
▶ 알갱이의 크기가 다른 고체 혼합물을 분리할 때 체를 사용하면 쉽게 분리할 수 있다.

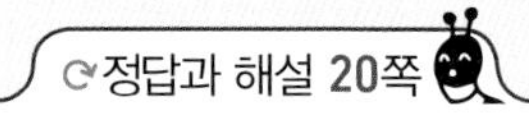
정답과 해설 20쪽

1 검은콩, 팥, 쌀의 알갱이의 크기가 다음과 같을 때 눈의 크기가 검은콩보다 작고 팥보다 큰 체를 사용하면 검은콩, 팥, 쌀의 혼합물에서 무엇을 먼저 분리할 수 있는지 쓰시오.

(　　　　　　　　)

2 콩, 팥, 좁쌀의 혼합물을 손으로 분리하거나 체로 분리하는 방법에 대해 옳게 말한 사람의 이름을 쓰시오.

- 한결: 크기가 작은 좁쌀은 손으로 분리하기 쉬워.
- 도겸: 체를 사용하여 분리하면 빠르게 혼합물을 분리할 수 있어.
- 서준: 손으로 분리하면 체로 분리할 때보다 더 빠르게 분리할 수 있어.

(　　　　　　　　)

확인 문제

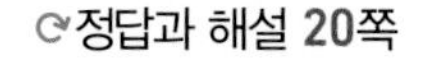
정답과 해설 20쪽

1 두 가지 이상의 물질이 성질이 변하지 않은 채 서로 섞여 있는 것에 해당하지 않는 것의 기호를 쓰시오.

㉠ 
▲ 소금

㉡ 
▲ 설탕물

㉢ 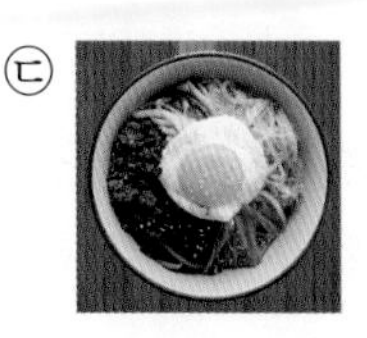
▲ 비빔밥

(　　　　　　　　)

2 여러 가지 과일로 샐러드를 만들기 전과 만든 후에 관찰한 내용을 옳게 말한 사람의 이름을 쓰시오.

- 현우: 과일의 색깔은 변했지만 맛은 변하지 않았어.
- 민아: 과일 샐러드를 만든 후에 각 과일의 냄새가 변했어.
- 지찬: 과일 샐러드를 만든 후의 맛이 만들기 전과 달라지지 않았어.

(　　　　　　　　)

3 생활에서 많이 사용되는 순수한 구리는 구리 광석에서 얻습니다. 이처럼 혼합물을 분리하면 좋은 점으로 옳은 것을 보기에서 두 가지 골라 기호를 쓰시오.

▲ 구리 광석　　▲ 순수한 구리

보기
㉠ 혼합물의 종류를 줄일 수 있다.
㉡ 생활에서 필요한 물질을 얻는다.
㉢ 다른 물질과 섞어서 필요한 곳에 이용한다.

(　　　　　　　　)

4 다음은 사탕의 비닐에 붙어 있는 표시 내용입니다. 내용 중 혼합물을 나타내는 단어를 찾아 쓰시오.

식품위생법에 의한 한글표시사항
제품명: 너무달콤해 사탕
원산지: 대한민국
제조사: Dong－a
유통기한: 제품별도표기
원료명: 물, 설탕, 소금

(　　　　　　　　)

5 검은콩, 쌀, 좁쌀이 섞인 혼합물의 특징을 보고 혼합물을 분리하기 위해 필요한 체를 모두 골라 ○표 하시오.

- 검은콩은 둥근 모양이고 검은색이며, 알갱이의 크기가 가장 크다.
- 쌀은 좁고 길쭉한 모양이고 흰색이며, 알갱이의 크기가 검은콩보다 작고 좁쌀보다 크다.
- 좁쌀은 둥근 모양이고 노란색이며, 알갱이의 크기가 가장 작다.

(1) 눈의 크기가 좁쌀보다 작은 체 (　　)
(2) 눈의 크기가 쌀보다 작고 좁쌀보다 큰 체 (　　)
(3) 눈의 크기가 검은콩보다 작고 쌀보다 큰 체 (　　)

6 위 5번 답으로 혼합물을 분리하는 것은 알갱이의 어떤 차이를 이용한 것인지 보기에서 골라 기호를 쓰시오.

보기
㉠ 알갱이의 맛　　㉡ 알갱이의 무게
㉢ 알갱이의 색깔　　㉣ 알갱이의 크기

(　　　　　　　　)

혼합물을 분리하는 방법

만화로 보는
'혼합물 분리'

1. 철로 된 물체가 섞인 혼합물 분리하기

(1) **철로 된 물체가 섞여 있는 혼합물 분리** 혼합물에 섞여 있는 철이 자석에 붙는 성질을 이용할 수 있다.

(2) **생활 속에서 자석을 사용하여 혼합물 분리하기** 섞여 있는 알루미늄 캔과 철 캔을 분리하기 위해 자동 분리기에 넣어 이동시키면 철 캔만 자석이 들어 있는 위쪽 이동판에 달라붙기 때문에 캔을 종류별로 분리할 수 있다.

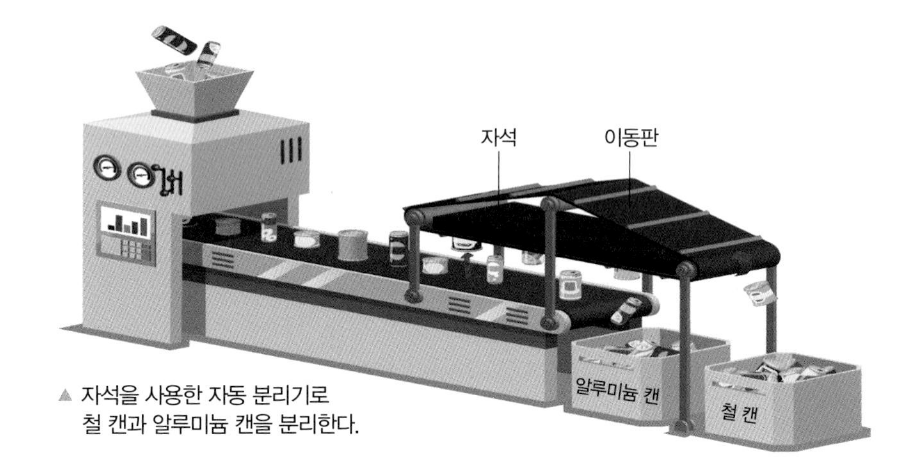

▲ 자석을 사용한 자동 분리기로 철 캔과 알루미늄 캔을 분리한다.

고춧가루 속 철 가루 분리하기

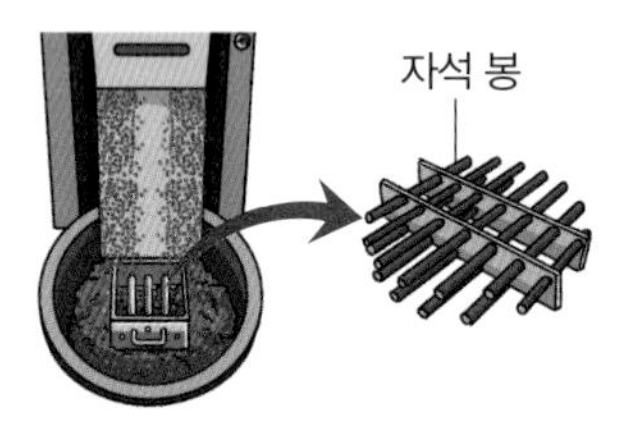

말린 고추를 기계를 사용하여 고춧가루로 만들 때 기계에서 철 가루가 나와 섞이는 경우가 있다. 이러한 경우에는 자석 봉을 사용하여 고춧가루에 포함된 철 가루를 분리한다.

Mini 탐구 플라스틱 구슬과 철 구슬의 혼합물 분리하기

과정 플라스틱 구슬과 철 구슬의 특징을 관찰한 뒤, 물질의 성질을 이용하여 플라스틱 구슬과 철 구슬의 혼합물을 분리해 본다.

결과

▶ 플라스틱 구슬과 철 구슬의 특징

종류	모양	색깔	크기	자석에 붙는 성질
플라스틱 구슬	둥글다.	노란색	철 구슬과 비슷하다.	없다.
철 구슬	둥글다.	회색	플라스틱 구슬과 비슷하다.	있다.

▶ 플라스틱 구슬과 철 구슬의 혼합물 분리하기: 철 구슬이 자석에 붙는 성질이 있으므로 자석을 사용하여 분리할 수 있다.

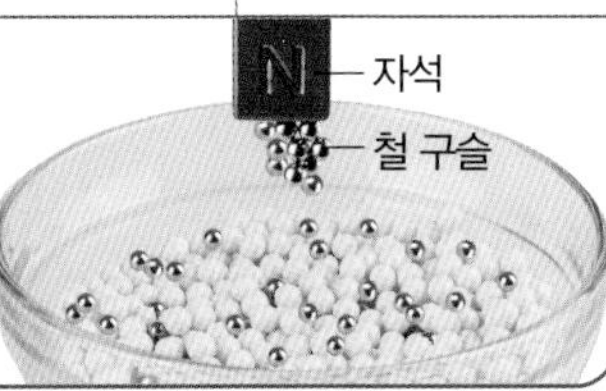

2. 소금과 모래의 혼합물 분리하기

(1) **거름과 증발** 거름은 거름종이 등을 사용하여 물에 녹는 물질과 물에 녹지 않는 물질을 분리하는 방법이다. 증발은 물이 수증기로 변하는 현상이다.

심화 거름의 원리

여과라고도 하는 거름은 액체와 고체의 혼합물을 입자(알갱이)의 크기 차이를 이용하여 분리하는 방법이다. 이때 거름종이와 같은 필터는 혼합물을 분리하는 역할을 한다. 혼합물에서 크기가 필터의 구멍보다 큰 입자는 필터를 통과할 수 없지만, 크기가 필터의 구멍보다 작은 입자와 물과 같은 액체는 필터를 통과한다.

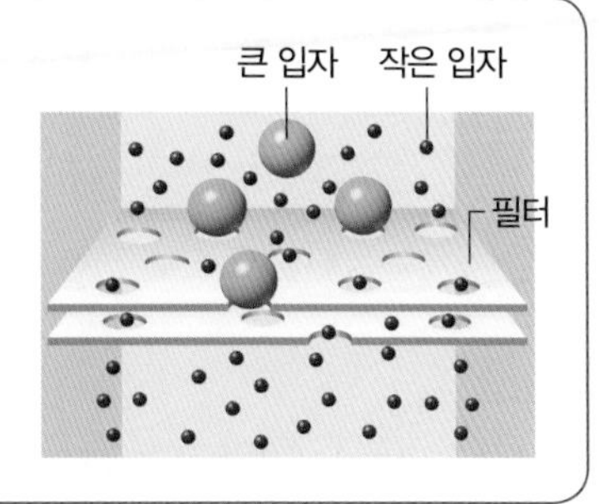

(2) **생활 속에서 거름이나 증발을 이용하여 혼합물 분리하기**

① 소금과 모래의 혼합물에서 물에 녹는 소금과 물에 녹지 않는 모래를 물에 녹여 거름 장치로 모래를 분리한다. 거름 장치로 거른 소금물을 증발 접시에 넣고 가열하면 물이 증발하고 소금을 얻을 수 있다. 교과서속 탐구 90~91쪽

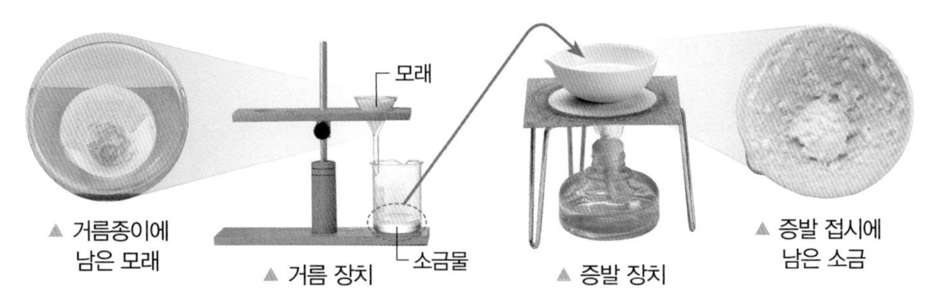

▲ 거름종이에 남은 모래 ▲ 거름 장치 ▲ 증발 장치 ▲ 증발 접시에 남은 소금

② 잎이나 꽃을 말린 차를 거름망에 넣어 따뜻한 물에 넣으면 물에 녹는 성분은 우러나고, 물에 녹지 않는 성분은 거름망 안에 남아 물에 녹는 성분을 차로 마실 수 있다. – 거름을 이용하여 혼합물을 분리한다.

③ 메주를 소금물에 넣어 두고 여러 날이 지나면 메주가 소금물에 섞여 혼합물이 만들어진다. 이 혼합물을 천으로 거르면 물에 녹은 물질은 천을 빠져나가고 물에 녹지 않은 물질은 천에 남는다. 천에 남아 있는 건더기로 된장을 만들고, 천을 빠져나간 액체는 끓여서 간장을 만든다. – 거름과 증발을 이용하여 혼합물을 분리한다.

④ 염전에 바닷물을 모아서 막아 놓으면 햇빛, 바람 등에 의해서 물이 증발하면서 소금(천일염)이 만들어진다. – 증발을 이용하여 혼합물을 분리한다.

▲ 따뜻한 물에 넣은 찻잎을 망으로 걸러 물에 녹는 성분만 차로 마신다.

▲ 메주를 소금물에 넣어 둔 다음 천으로 걸러 된장과 간장을 만든다.

▲ 염전에 모인 바닷물에서 햇빛, 바람 등에 의해 물이 증발하고 소금이 만들어진다.

먼지를 막아 주는 황사 마스크

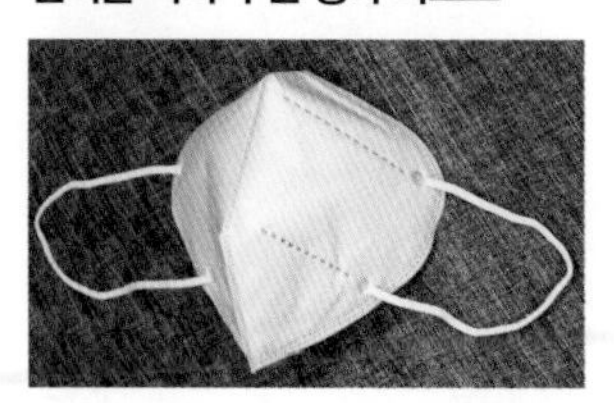

황사 마스크는 공기에 섞여 있는 황사가 우리 몸에 들어오지 못하도록 막아 주는 체와 같은 역할을 한다. 마스크의 구멍 크기보다 작은 공기만 황사 마스크를 통과한다.

- **필터** 불순물을 걸러 내기 위한 장치나 물질.

소금물로 비밀 편지 쓰기

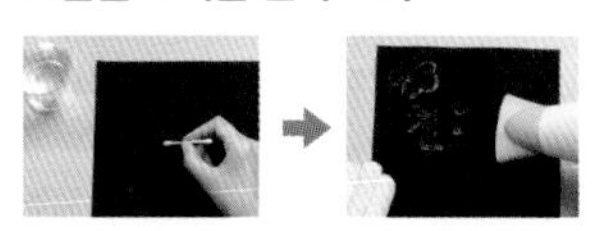

소금을 물에 녹여 만든 진한 소금물로 검은색 종이 위에 편지를 쓰고 헤어드라이어로 말리면 흰색 글씨로 된 비밀 편지가 나타난다.
➡ 물이 증발하면서 소금만 남은 것이다.

- **메주** 간장, 된장, 고추장 따위를 담그는 원료로 쓰이는 것으로, 콩을 삶아서 만든 것.
- **염전** 소금을 만들기 위하여 바닷물을 끌어 들여 논처럼 만든 곳.

소금과 모래의 혼합물 분리하기 ❶ - 거름

과정

1. 소금과 모래의 혼합물을 물에 녹인 뒤 거름 장치를 사용하여 걸러 본다.

   1 고깔 모양으로 접은 거름종이를 깔때기 안에 넣고 물을 묻힌다. – 거름종이는 물에 녹는 물질과 물에 녹지 않는 물질을 걸러 주는 역할을 한다.

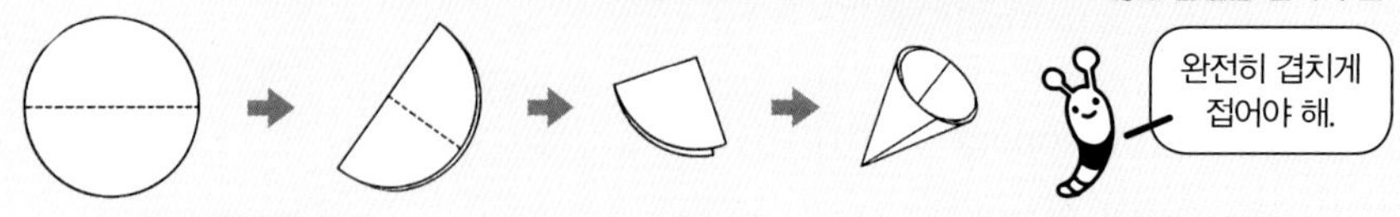

▲ 거름종이 접는 방법

   2 깔때기 끝의 긴 부분을 비커의 옆면에 닿게 설치한다.

   3 거르고자 하는 액체 혼합물이 유리 막대를 타고 천천히 흐르도록 붓는다.

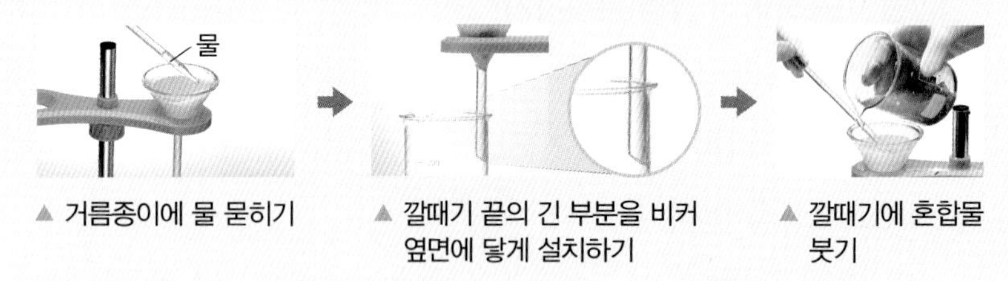

▲ 거름종이에 물 묻히기 ▲ 깔때기 끝의 긴 부분을 비커 옆면에 닿게 설치하기 ▲ 깔때기에 혼합물 붓기

2. 거름종이에 남아 있는 물질과 거름종이를 빠져나간 물질을 관찰해 본다.

결과

▶ **소금과 모래의 혼합물을 거름 장치로 거른 결과**

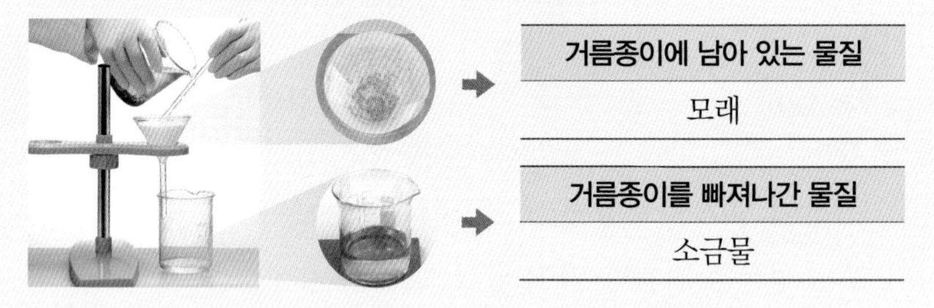

거름종이에 남아 있는 물질
모래

거름종이를 빠져나간 물질
소금물

알 수 있는 사실

▶ 소금과 모래의 혼합물에서 물에 녹는 성질이 있는 소금은 거름종이를 빠져나가고 물에 녹지 않는 모래는 거름종이를 빠져나오지 못하기 때문에 모래를 분리할 수 있다.

▶ 물에 녹는 소금과 물에 녹지 않는 모래를 거름종이로 분리하는 방법: 거름

정답과 해설 21쪽

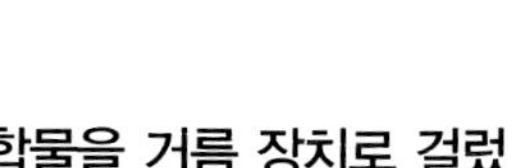

1 거름 장치에서 물에 녹는 물질과 물에 녹지 않는 물질을 분리하는 역할을 하는 것은 어느 것인지 쓰시오.

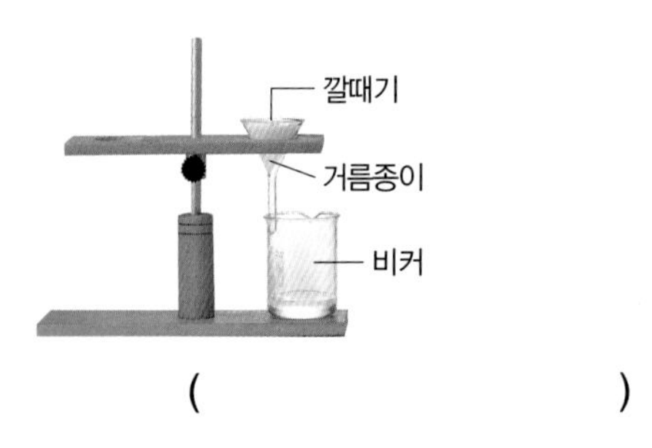

(   )

2 물에 녹인 소금과 모래의 혼합물을 거름 장치로 걸렀습니다. 거름종이에 남아 있는 물질과 거름종이를 빠져나가 깔때기 아래쪽 비커에 모인 물질은 각각 무엇인지 쓰시오.

(1) 거름종이에 남아 있는 물질

(   )

(2) 깔때기 아래쪽 비커에 모인 물질

(   )

소금과 모래의 혼합물 분리하기 ② - 증발

과정

1. 걸러진 물질(소금물)을 증발 접시에 붓고 알코올램프로 가열한다.

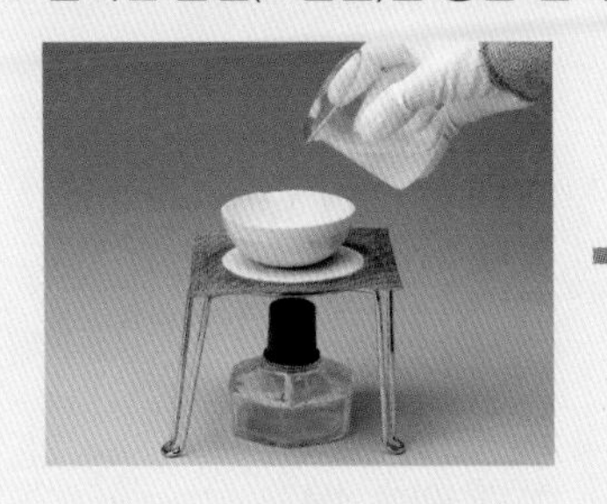
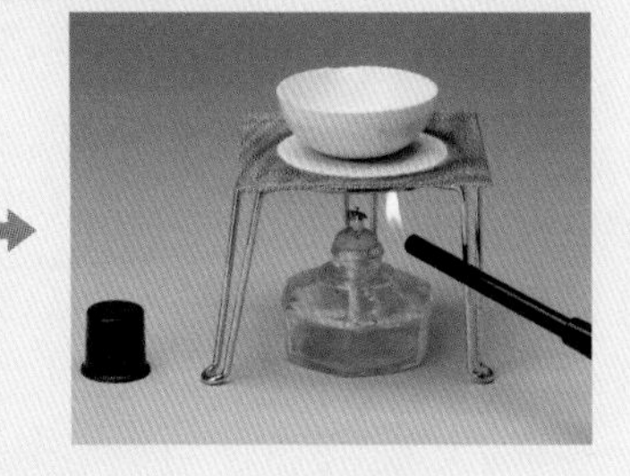

2. 증발 접시에 나타나는 현상을 관찰한다.

결과

▶ **증발 접시에 나타나는 현상**

- 물이 점차 줄어든다. 물이 끓는다.
- 물이 줄면서 흰색 알갱이가 생기고, 흰색 알갱이가 튄다.
- 계속 가열하면 물이 모두 증발하고 흰색 알갱이만 남는다.

➡ 소금과 모래의 혼합물에서 모래를 분리하고 남은 것이므로, 증발 접시에 남은 흰색 알갱이는 소금이다.

처음 물에 녹인 소금과 모양은 조금 다르지만 흰색 알갱이는 처음과 같은 소금이야.

알 수 있는 사실

▶ 물이 증발하는 성질을 이용하여 혼합물을 분리한다.

▶ 소금물을 가열할 때 물이 수증기로 변하는 현상: 증발

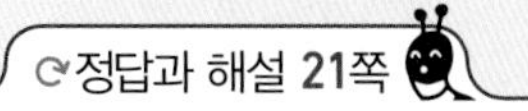

1 소금물을 증발 접시에 붓고 가열할 때 증발 접시에 나타나는 변화 과정을 순서대로 기호를 쓰시오.

> ㉠ 물이 모두 증발하고 남은 흰색 알갱이가 사방으로 튄다.
> ㉡ 흰색 알갱이가 생기기 시작한다.
> ㉢ 물이 줄어들고 끓는다.

(　　　　) → (　　　　) → (　　　　)

2 소금물을 가열하였더니 물이 수증기로 변하고 다음과 같이 흰색 알갱이만 남았습니다. 물이 수증기로 변하는 현상을 무엇이라고 하는지 쓰시오.

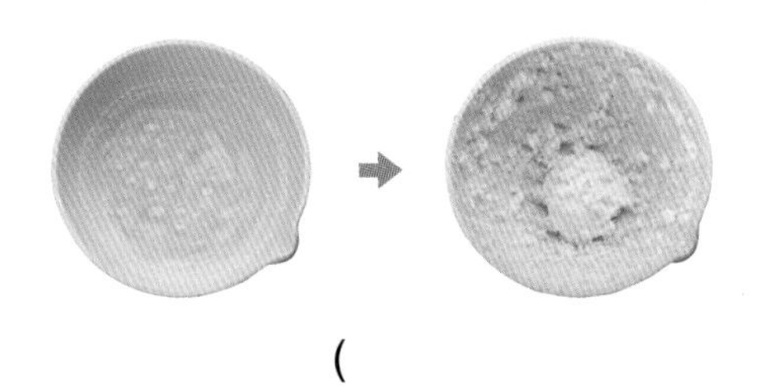

(　　　　　　　　)

1 여러 가지 혼합물 중 자석을 사용하여 분리할 수 있는 물체의 특징은 무엇입니까? (　　　)

① 다른 물질과 잘 섞인다.
② 모두 금속으로 되어 있다.
③ 모두 고체로 되어 있고 부드럽다.
④ 알루미늄처럼 녹이 잘 슬지 않는다.
⑤ 철이 포함되어 있어 자석에 잘 붙는다.

2 다음은 자동 분리기로 철 캔과 알루미늄 캔을 분리하는 모습입니다. ㉠과 ㉡ 중 철 캔이 모이는 곳은 어디인지 기호를 쓰시오.

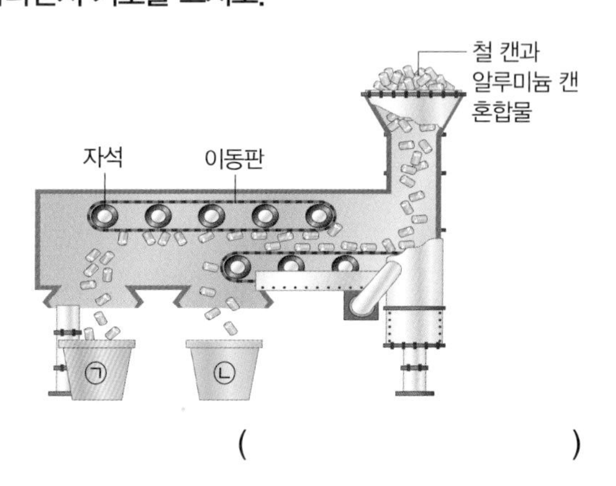

(　　　　　　　　　　)

3 위 2번과 같은 자동 분리기로 철 캔과 알루미늄 캔을 분리할 수 있는 원리를 가장 잘 설명한 것은 어느 것입니까? (　　　)

① 캔의 크기가 다르기 때문이다.
② 자동 분리기의 자석이 철 캔을 밀어내기 때문이다.
③ 자동 분리기의 자석에 철 캔이 달라붙기 때문이다.
④ 캔이 찌그러진 정도에 따라 다른 위치로 운반되기 때문이다.
⑤ 캔 표면의 온도 차이에 따라 철 캔과 알루미늄 캔이 분리되기 때문이다.

[4~6] 다음 두 가지 혼합물을 보고, 물음에 답하시오. (단, 알갱이의 크기는 '플라스틱 구슬 = 철 구슬 > 검은콩 > 쌀'입니다.)

(가)

▲ 플라스틱 구슬과 철 구슬의 혼합물

(나)

▲ 검은콩과 쌀의 혼합물

4 위 (가)와 (나)의 혼합물을 분리할 때 각각 사용하기에 적당한 도구를 쓰시오.

(가) (　　　　　　　　), (나) (　　　　　　　　)

5 위 (가)와 (나)의 혼합물을 분리할 때 각각 사용한 두 도구를 바꿔서 사용할 수 없는 까닭에 대해 가장 알맞게 말한 사람의 이름을 쓰시오.

- 도현: (가) 혼합물의 두 구슬은 크기가 같기 때문이야.
- 강우: (나) 혼합물의 두 알갱이는 색깔이 다르기 때문이야.
- 윤지: (가)와 (나) 혼합물에는 물에 녹는 물질이 없기 때문이야.

(　　　　　　　　　　)

6 위 (가)와 (나) 혼합물을 한꺼번에 섞은 후 각 알갱이로 분리하려고 합니다. 4번 문제에서 사용한 도구 외에 더 필요한 도구는 어느 것입니까? (　　　)

① 스포이트
② 용수철저울
③ 크기가 큰 막대자석
④ 눈의 크기가 철 구슬보다 큰 체
⑤ 눈의 크기가 플라스틱 구슬보다 작고 검은콩보다 큰 체

[7~8] 다음은 소금과 모래의 혼합물을 분리하기 위한 두 가지의 실험 장치입니다. 물음에 답하시오.

7 소금과 모래의 혼합물을 물에 녹인 뒤 ㉠ 증발 접시와 ㉡ 깔때기 중 어느 곳에 먼저 부어야 하는지 기호를 쓰시오.

( )

8 위 실험 과정 중 거름 장치로 거른 액체를 증발 접시에 붓고 충분히 가열하였더니 증발 접시에 오른쪽과 같은 흰색 알갱이만 남았습니다. 이 물질에 대한 설명으로 옳은 것에 ○표 하시오.

(1) 단맛이 난다. ( )

(2) 물에 녹지 않는다. ( )

(3) 물이 증발한 후에 분리한 소금이다. ( )

9 오른쪽과 같이 따뜻한 물에 찻잎이 들어 있는 종이 주머니를 넣었습니다. 종이 주머니의 역할에 대해 옳게 말한 사람의 이름을 쓰시오.

- 승원: 물의 온도를 따뜻하게 유지하는 역할을 해.
- 준희: 물에 녹는 성분과 물에 녹지 않는 성분을 분리하는 역할을 해.
- 호재: 물에 뜨는 물질과 물에 뜨지 않는 물질을 분리하는 역할을 해.

( )

10 다음은 황사에 대한 뉴스 내용입니다. ㉠~㉢ 중 거름의 기능을 하는 것의 기호를 쓰시오.

내일은 전국이 대체로 맑겠으나 ㉠ 황사의 영향으로 대부분 지역의 ㉡ 미세먼지 농도가 '나쁨'을 나타내겠습니다. 외출 시에는 반드시 황사 전용 ㉢ 마스크를 착용하시기 바랍니다.

( )

11 다음은 소금을 만드는 두 가지 방법입니다. ( ) 안에 공통으로 들어갈 알맞은 말을 쓰시오.

▲ 염전에 바닷물을 모아서 막아 놓으면 햇빛과 바람에 의하여 물이 ( ) 되면서 소금이 남는다.

▲ 바닷물을 큰 가마솥에 넣고 소나무 불을 지펴 끓이면 물은 ( )되고 소금이 남는다.

( )

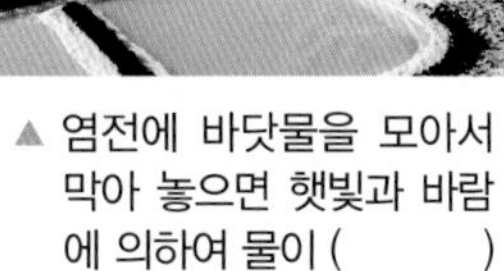

12 위 11번 답과 같은 원리를 이용하는 경우가 아닌 것은 어느 것입니까? ( )

① 빨래를 햇빛에 말린다.
② 뜨거운 물에 설탕을 녹인다.
③ 고추를 펼쳐 놓고 햇빛에 말린다.
④ 바닷가에서 오징어를 바람에 말린다.
⑤ 배추를 햇빛에 말려 우거지를 만든다.

1 다음은 어떤 단어를 국어사전에서 찾은 결과입니다. 어떤 단어를 찾은 것인지 [ ] 안에 들어갈 알맞은 단어를 쓰시오.

> [ ](混合物)
> 「명사」
> 「1」 여러 가지가 뒤섞여서 이루어진 물건.
> 「2」『화학』 두 가지 이상의 물질이 각각의 성질을 지니면서 서로 화학적 결합을 하지 아니하고 뒤섞인 물질. ≒ 혼물.

( )

2 엄마가 만들어 주신 김밥이 혼합물인 까닭에 대해 옳게 말한 사람의 이름을 쓰시오.

> • 영준: 모든 재료가 하나로 섞여 원래의 모양과 다르기 때문이야.
> • 지유: 각 재료의 색깔이 김밥으로 만들기 전보다 더 예쁘기 때문이야.
> • 가희: 여러 가지 재료를 섞어 만들어도 각 재료의 맛은 변하지 않기 때문이야.

( )

3 물과 설탕 등의 물질을 포함하고 있는 사탕수수 즙에서 물을 제거하면 설탕을 얻을 수 있는 것처럼 혼합물을 분리하면 좋은 점을 한 가지 쓰시오.

____

____

4 재활용품을 분리배출하면 좋은 점이 아닌 것은 어느 것입니까? ( )

① 자원을 절약할 수 있다.
② 물품을 재활용할 수 있다.
③ 환경 오염을 줄일 수 있다.
④ 쓰레기의 양을 줄일 수 있다.
⑤ 공기의 먼지를 걸러 낼 수 있다.

5 물고기를 잡을 때는 눈의 크기가 너무 작지 않은 그물을 사용해야 합니다. 그 까닭을 물고기의 크기와 관련지어 옳게 설명한 것을 보기에서 골라 기호를 쓰시오.

> **보기**
> ㉠ 물고기의 크기와 상관없이 모든 물고기를 잡기 위해서이다.
> ㉡ 그물눈의 크기가 클수록 큰 물고기를 많이 잡을 수 있기 때문이다.
> ㉢ 그물눈의 크기보다 작은 물고기는 그물을 빠져나갈 수 있기 때문이다.

( )

정답과 해설 22쪽

[6~8] 다음은 콩, 팥, 좁쌀이 섞인 혼합물을 체로 분리하는 모습입니다. 물음에 답하시오.

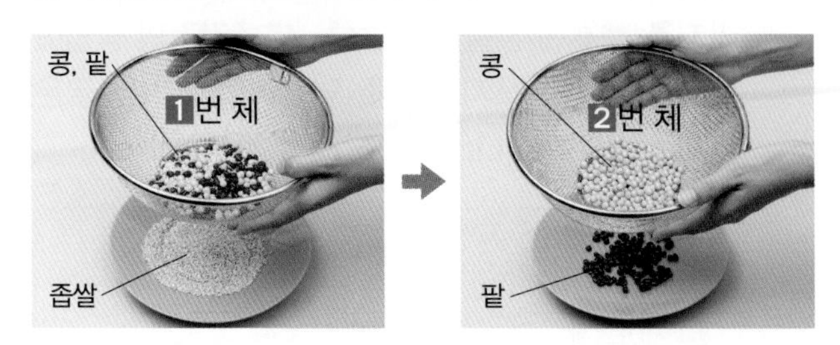

6 위와 같이 체를 사용하여 혼합물을 분리하는 것은 콩, 팥, 좁쌀의 어떤 차이를 이용하는 것인지 쓰시오.

( )

7 알갱이의 크기가 콩이 가장 크고 좁쌀이 가장 작을 때, 위 1번과 2번 체의 눈의 크기에 알맞게 콩, 팥, 좁쌀을 각각 써넣으시오.

㉠	>	1번 체의 눈의 크기	>	㉡
㉢	>	2번 체의 눈의 크기	>	㉣

8 위 1번과 2번 체의 사용 순서를 바꿔 혼합물을 2번 체에 먼저 넣는다면 콩, 팥, 좁쌀 중 무엇을 가장 먼저 분리할 수 있는지 쓰고, 그 까닭도 쓰시오.

(1) 가장 먼저 분리할 수 있는 것: ( )

(2) 까닭: ______________________

____

____

9 다음은 공사장에서 자갈이 섞인 흙을 자갈과 흙으로 분리하는 모습입니다. 자갈과 흙을 분리하는 방법과 같은 성질을 이용하여 혼합물을 분리하는 경우를 보기에서 골라 기호를 쓰시오.

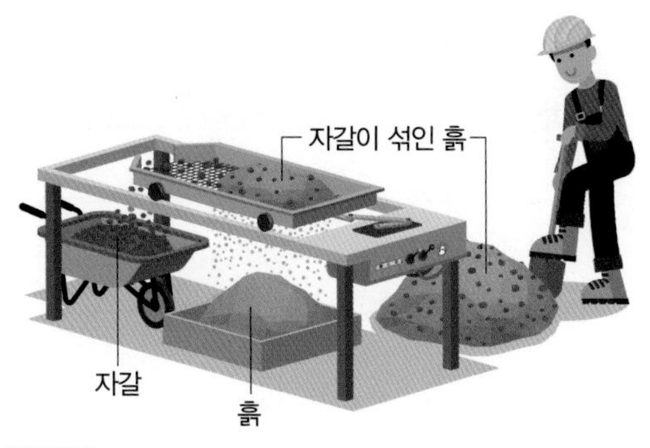

보기

㉠ 정수기로 물의 불순물을 제거한다.
㉡ 다양한 모양의 구슬을 손으로 분리한다.
㉢ 미역국에 뜬 기름을 숟가락으로 제거한다.
㉣ 폐건전지를 가루로 만든 뒤 철을 분리한다.

( )

10 해변 쓰레기 수거 장비는 체를 사용해서 작은 모래와 철 조각, 동전, 조개껍데기 등을 분리하여 쓰레기를 수거합니다. 체의 눈의 크기는 무엇보다 커야 하는지 쓰시오.

( )

[11~13] 다음은 쌀, 철 클립, 플라스틱 구슬의 혼합물을 분리하는 과정을 나타낸 것입니다. 물음에 답하시오.

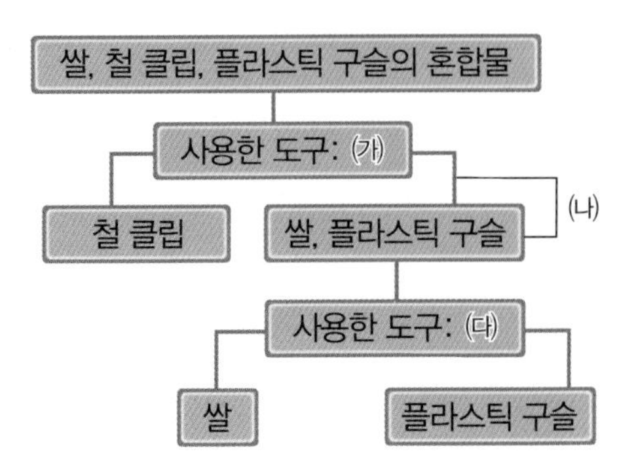

11 위 혼합물 분리 과정 중 ㈎에 알맞은 도구를 쓰시오.

( )

12 위 ㈏ 단계에서 혼합물을 분리할 때 이용한 성질로 옳은 것은 어느 것입니까? ( )

① 물에 뜨는 성질
② 자석에 붙는 성질
③ 알갱이의 색깔이 다른 성질
④ 알갱이의 크기가 다른 성질
⑤ 알갱이의 무게가 다른 성질

13 위 ㈐에서 사용한 도구에 대한 설명으로 ( ) 안에 들어갈 알맞은 말을 쓰시오.

> 플라스틱 구슬이 쌀보다 크기가 클 때 눈의 크기는 (㉠)보다 크고 (㉡)보다 작은 체가 필요하다.

㉠ ( ), ㉡ ( )

14 굵은 모래가 담긴 통에 실수로 철 가루를 쏟았습니다. 굵은 모래와 철 가루를 분리할 수 있는 방법 두 가지를 **보기** 에서 골라 기호를 쓰고, 각각의 방법에 이용한 성질을 쓰시오. (단, 알갱이의 크기는 굵은 모래 > 철 가루입니다.)

보기

㉠ 물에 녹인다.
㉡ 체로 거른다.
㉢ 자석을 사용한다.
㉣ 부채로 바람을 일으킨다.
㉤ 핀셋으로 하나씩 집어낸다.

(1) 방법 1: ( )

이용한 성질: ______________________

____

(2) 방법 2: ( )

이용한 성질: ______________________

____

15 음식 양념 재료를 준비하는 모습을 보고, 각각 혼합물을 분리할 때 이용한 성질이나 방법을 쓰시오.

(1)

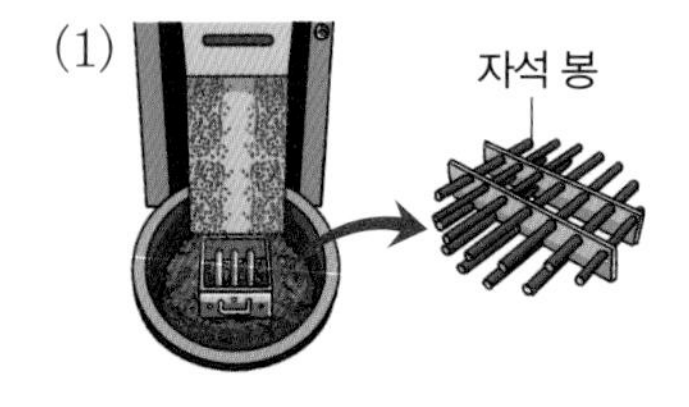

말린 고추를 고춧가루로 만들 때 기계에서 철 가루가 나와 섞이는 경우가 있어 자석 봉을 설치한다.

( )

(2) 된장 재료 / 천 / 간장 재료

소금물과 메주가 섞여 만들어진 혼합물을 천으로 걸러 물에 녹아 천을 빠져나간 물질을 끓여 간장을 만들고 물에 녹지 않아 천에 남은 것으로 된장을 만든다.

( )

[16~18] 소금과 모래의 혼합물을 분리하는 과정을 순서에 관계없이 나타낸 것입니다. 물음에 답하시오.

▲ 소금과 모래의 혼합물

(가) 소금과 모래의 혼합물을 물에 녹인다.
(나) 증발 접시에서 나타나는 현상을 관찰한다.
(다) 혼합물을 거름 장치를 사용하여 걸러 분리한다.
(라) 액체를 증발 접시에 붓고 알코올램프로 가열한다.

16 위 (가) ~ (라) 과정을 순서대로 기호를 쓰시오.

( ) → ( ) → ( ) → ( )

17 위 (나) 과정을 관찰한 결과에 대해 다음 ( ) 안에 들어갈 알맞은 말을 쓰시오.

물이 끓어 점차 양이 줄어들면서 흰색 알갱이가 생긴다. 계속 가열하면 물이 모두 (㉠) 하고 흰색 알갱이인 (㉡)만 남는다.

㉠ ( ), ㉡ ( )

18 위 (다) 과정과 같이 혼합물을 분리하는 방법을 무엇이라고 하는지 쓰시오.

( )

19 다음 ㉠ ~ ㉢ 중 혼합물인 것의 기호를 쓰고, 밑줄 친 ㉣과 같은 현상을 무엇이라고 하는지 쓰시오.

㉠ 소금을 ㉡ 물에 녹여 만든 진한 ㉢ 소금물을 붓에 묻혀 검은색 종이에 그림을 그린 후, 헤어드라이어로 그림을 말렸더니 ㉣ 물이 수증기로 변하면서 소금 그림이 나타났다.

(1) 혼합물인 것: ( )
(2) ㉣과 같은 현상을 나타내는 말: ( )

20 소금물에서 소금을 분리하는 방법으로 알맞지 않은 것을 보기에서 골라 기호를 쓰고, 그 까닭을 쓰시오.

보기
㉠ 소금물을 가열하여 물을 증발시킨다.
㉡ 햇빛과 바람을 이용하여 소금물에서 물을 증발시킨다.
㉢ 거름 장치를 사용하여 소금물을 물과 소금으로 분리한다.

(1) 알맞지 않은 방법: ( )
(2) 알맞지 않은 까닭: ______

서술형 문제

1 설탕은 혼합물이 아니지만, 설탕물은 혼합물입니다. 그 까닭을 혼합물의 의미와 관련지어 쓰시오.

▲ 설탕

▲ 설탕물

2 다음 내용을 보고, 혼합물을 분리하면 좋은 점을 보기의 단어를 활용하여 쓰시오.

쓰레기에서 분리해 내는 금

버려진 휴대 전화 한 대에는 금과 은, 구리 같은 여러 종류의 금속이 들어 있다. 버려지는 휴대 전화를 따로 잘 모으면 각 금속을 뽑아낼 수 있다.

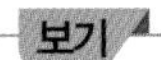

보기

재활용, 자원, 환경 오염

3 금은 광산에서 직접 캐거나 강에서 모래나 흙에 섞여 있는 금을 골라내기도 합니다. 이렇게 금을 분리하는 까닭은 무엇인지 쓰시오.

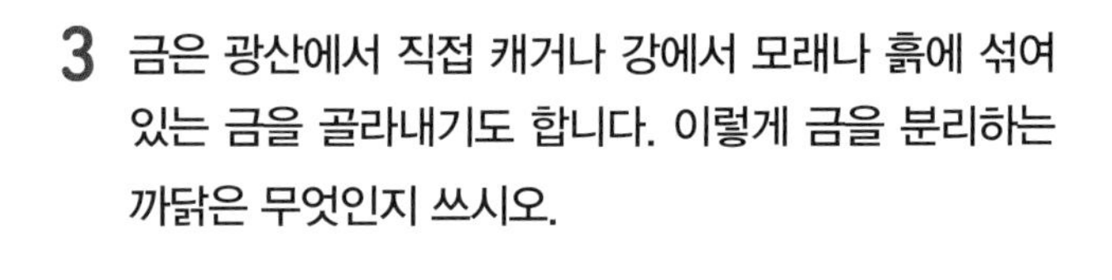

4 검은콩, 쌀, 좁쌀이 섞여 있는 혼합물을 손으로 분리하는 것과 체를 사용하여 분리하는 것 중 어느 방법이 더 빠른 시간에 정확하게 분리할 수 있는지 두 가지 방법을 비교하여 쓰시오.

▲ 손으로 분리하기

▲ 체로 분리하기

5 섞여 있는 철 캔과 알루미늄 캔을 자동 분리기에 넣으면 캔이 이동하면서 철 캔은 알루미늄 캔보다 더 멀리 있는 상자로 분리됩니다. 어떤 방법으로 철 캔과 알루미늄 캔이 분리되는 것인지 쓰시오.

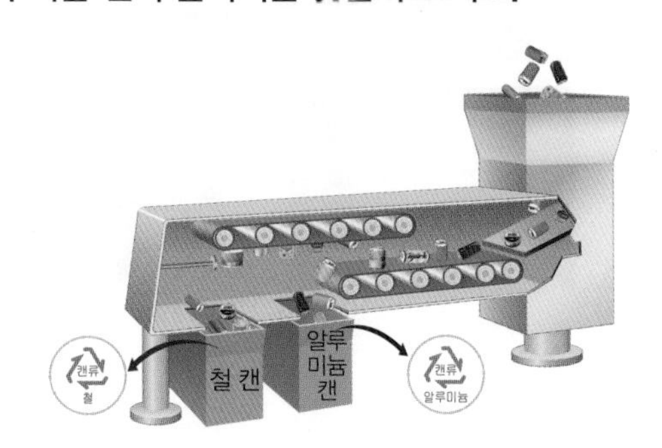

6 플라스틱 구슬과 철 구슬의 혼합물에 섞여 있는 각 구슬의 특징이 다음과 같습니다. 체와 자석 중 어떤 것을 사용하여 이 혼합물을 분리할 수 있는지 까닭과 함께 쓰고, 나머지 도구는 사용할 수 없는 까닭도 쓰시오.

종류	모양	크기	자석에 붙는 성질
플라스틱 구슬	둥글다.	철 구슬과 비슷하다.	없다.
철 구슬	둥글다.	플라스틱 구슬과 비슷하다.	있다.

7 물에 녹인 소금과 모래의 혼합물을 다음과 같은 실험 장치로 걸렀습니다. 실험 결과에 알맞게 거름종이에 남는 것, 아래쪽 비커에 걸러진 액체는 무엇인지 각각 쓰고, 이용한 성질에 대해 쓰시오.

(1) 거름종이에 남는 물질: (　　　　　　　　)

(2) 아래쪽 비커에 걸러진 액체: (　　　　　　　　)

(3) 이용한 성질:

8 황사나 미세먼지가 심한 날에 외출할 때 우리는 건강을 지키기 위해 황사 마스크를 써야 합니다. 황사 마스크가 먼지나 바이러스를 막아 주는 원리를 쓰시오.

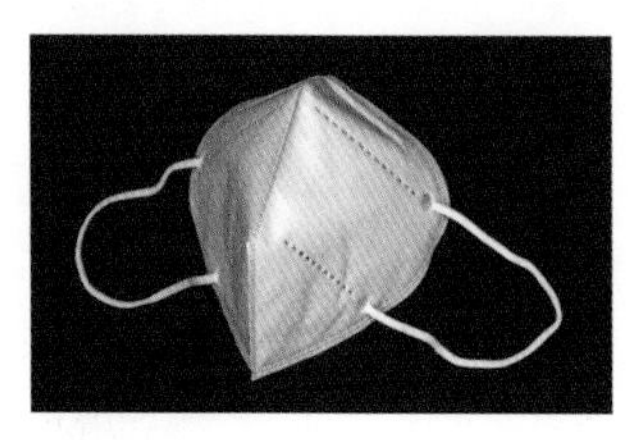

핵심 정리

혼합물

혼합물	두 가지 이상의 물질이 성질이 변하지 않은 채 서로 섞여 있는 것이다.
혼합물의 분리	혼합물을 분리하면 원하는 물질을 얻을 수 있고, 이를 우리 생활의 필요한 곳에 이용할 수 있다. 자료 1 ▲ 사탕수수 → ▲ 설탕 → ▲ 사탕

알갱이의 크기가 다른 혼합물의 분리

이용하는 성질	• 혼합물에 섞여 있는 알갱이의 크기 차이를 이용한다. • 눈의 크기가 알맞은 체를 사용하면 혼합물을 쉽게 분리할 수 있다. 체
크기가 다른 물질이 섞인 혼합물 분리 예	• 공사장에서 모래와 자갈을 분리할 때 체를 사용한다. • 정수기를 사용하여 물에 섞여 있을 수 있는 불순물을 제거한 후 마신다. • 해변 쓰레기 수거 장비는 체를 사용해서 체의 눈의 크기보다 작은 모래와 체의 눈 크기보다 큰 플라스틱 조각, 조개껍데기 등을 분리하여 쓰레기를 수거한다.

철로 된 물체가 섞인 혼합물의 분리

이용하는 성질	혼합물에 섞여 있는 철이 자석에 붙는 성질을 이용하여 분리한다.
철로 된 물체가 섞인 혼합물 분리 예	• 철 캔과 알루미늄 캔이 섞여 있는 캔을 자동 분리기에 넣으면 철 캔만 자석이 들어 있는 이동판에 달라붙기 때문에 철 캔을 분리할 수 있다. • 말린 고추를 기계를 사용하여 고춧가루로 만들 때 기계에서 나오는 철 가루를 자석 봉을 사용하여 분리한다.

거름과 증발

거름과 증발	• 거름은 거름종이 등을 사용하여 물에 녹는 물질과 물에 녹지 않는 물질을 분리하는 방법이다. • 증발은 물이 수증기로 변하는 현상이다. 자료 2 ▲ 거름 장치 ▲ 증발 장치
거름을 이용한 혼합물 분리 예	잎을 말린 차를 거름망에 넣어 따뜻한 물에 넣으면 물에 녹는 성분은 우러나고, 물에 녹지 않는 성분은 거름망 안에 남아 물에 녹는 성분을 차로 마신다.
증발을 이용한 혼합물 분리 예	염전에 바닷물을 모아서 막아 놓으면 햇빛, 바람 등에 의해서 물이 증발하면서 소금이 만들어진다.

과학 자료

자료 1 코끼리 똥으로 만드는 종이

코끼리 한 마리는 하루에 약 50 kg중의 똥을 눈다. 코끼리들의 어마어마한 똥의 양이 문제가 된 스리랑카에서는 연구 끝에 혼합물인 코끼리 똥에서 섬유질을 분리해 냈고, 이 섬유질을 활용하여 종이를 만들기 시작했다. 코끼리 똥을 모아 깨끗이 씻은 후 끓이면서 세균을 없앤다. 그런 뒤 체를 사용하여 코끼리 똥에서 종이의 원료가 되는 물질을 분리하고, 색소를 섞은 다음 물기를 빼고 말리면 종이가 완성된다. 코끼리 똥 50 kg중에는 종이의 원료가 되는 물질이 약 10 kg중 정도 들어 있는데, 이 정도의 물질로 A4(에이포) 종이 약 660장을 만들 수 있다.

자료 2 소금 호수에서 찾은 자원

지구 내부의 큰 힘에 의해 높게 솟아올랐던 바다가 주변 지형에 갇혀 거대한 호수가 만들어졌다. 이 바닷물은 빠져나가지 못하고 햇빛에 의해 물이 증발되면서 거대한 소금 호수가 되었다. 칠레, 아르헨티나, 볼리비아 등에 있는 소금 호수에는 리튬이라는 물질이 많이 있다. 리튬으로 만드는 리튬 전지는 지구 온난화를 일으키는 물질을 적게 배출하는 친환경 전기 자동차에 사용된다.

우리 생활에 유용하게 사용되는 리튬은 광석에도 존재하지만 대부분은 바닷물에 포함되어 있어 햇빛과 바람을 이용한 증발의 방법으로 얻는다.

비주얼 사이언스

혼합물

순물질은 한 종류의 물질로만 이루어진 물질이고, 두 종류 이상의 순물질이 섞여 있는 물질을 혼합물이라고 한다.

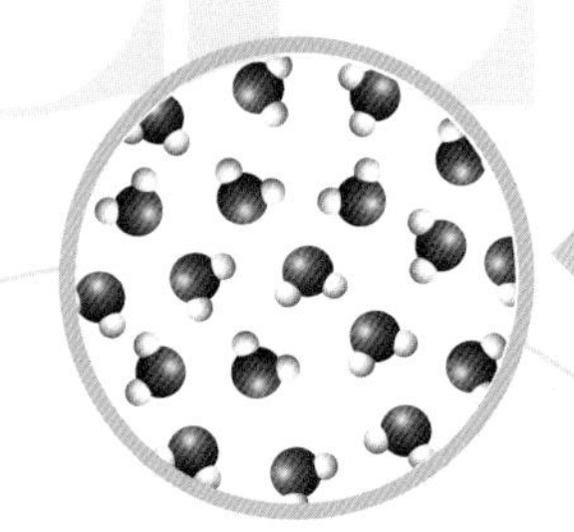

두 종류 이상의 원소로 이루어진 순물질

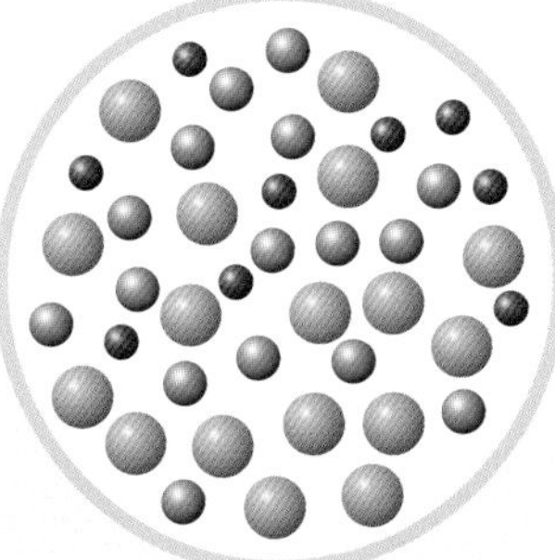

성분 물질이 고르지 않게 섞여 있는 불균일 혼합물

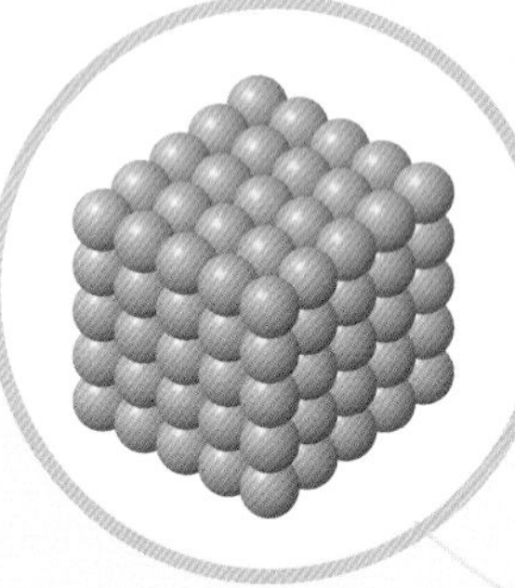

한 종류의 원소로만 이루어진 순물질

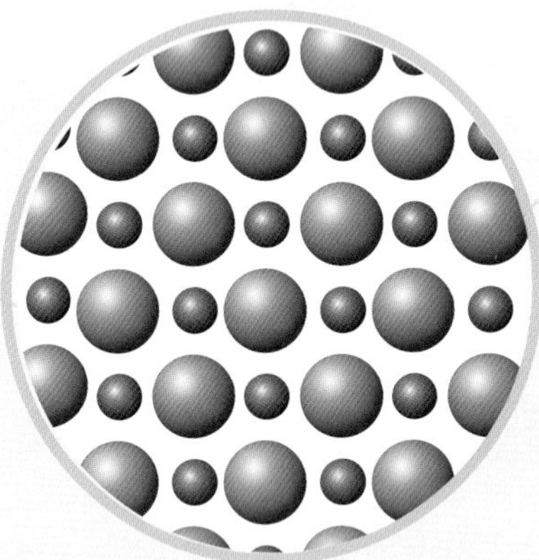

성분 물질이 고르게 섞여 있는 균일 혼합물

바닷물로 만드는 식수

원뿔 모양의 그릇을 바닷물 위에 놓으면 햇빛을 받은 혼합물인 바닷물에서 물만 증발되어 수증기가 되고, 수증기가 지붕에 닿아 다시 물로 변하면서 그릇의 구멍으로 흘러내려 모인 것을 식수로 사용한다.

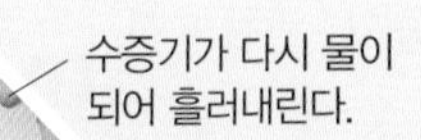

물이 증발한다.

수증기가 다시 물이 되어 흘러내린다.

물이 모인다.

바닷물이 태양에 의해 가열된다.

88쪽 참고 사인펜의 색소 분리

검은색 수성 사인펜 잉크는 성질이 비슷한 여러 가지 색소가 섞인 혼합물이다. 각 색소가 물을 따라 이동하는 속도 차이를 이용하여 혼합물을 분리할 수 있다.

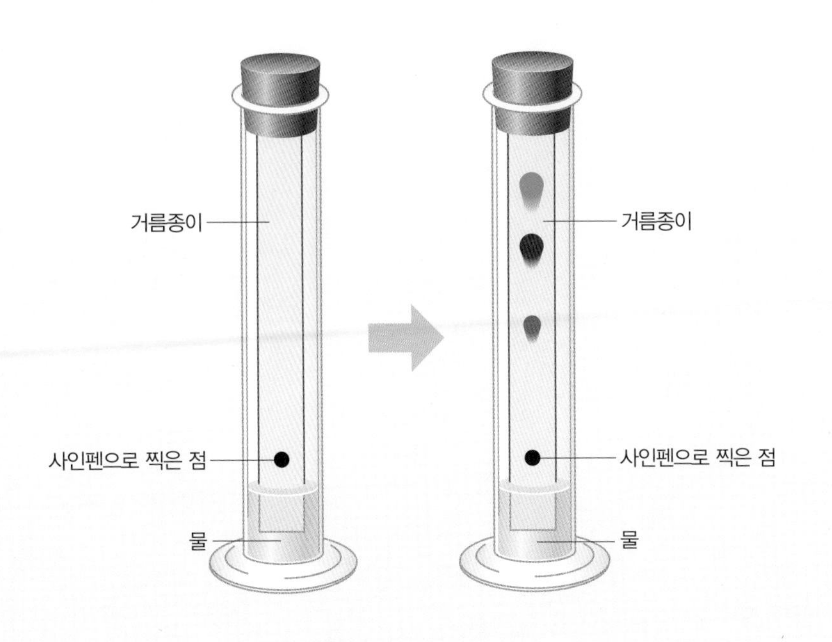

88쪽 참고 철광석에서 철 분리하기

철광석에서 철을 분리하면 강판이나 공구, 자동차를 만들 때 등 다양한 곳에 이용할 수 있다.

Where there is a will,
there is a way.

동아출판

초등학교 학년 반 번

이름

Telephone 1644-0600
Homepage www.bookdonga.com
Address 서울시 영등포구 은행로 30 (우 07242)

• 정답 및 풀이는 동아출판 홈페이지 내 학습자료실에서 내려받을 수 있습니다.
• 교재에서 발견된 오류는 동아출판 홈페이지 내 정오표에서 확인 가능하며, 잘못 만들어진 책은 구입처에서 교환해 드립니다.
• 학습 상담, 제안 사항, 오류 신고 등 어떠한 이야기라도 들려주세요.

- 1권 초등 과학 개념 강의
- 2권 심화 문제 풀이 강의
- 특별 부록 3학년 개념 강의

믿고 보는 초등 과학 개념서

HIGHTOP 하이탑

초등 과학 4학년 2학기

동아출판

1권 개념 | 초등 개념부터 과학 전문 자료까지 연계 | 비주얼 사이언스 과학 화보

HIGHTOP

4학년 1학기 · 2학기

개념

HIGHTOP

하이탑 초등 과학

2학기 HIGHTOP
초등 과학의 구성과 특징

Start 1단계

① 만화로 보는 주제

단원 시작 전에 한 컷 만화로 핵심 주제에 대해 알고 하이탑 시작!

② 개념 학습

과학 이야기를 읽듯이 차근차근 읽다 보면 과학 개념을 체계적으로 이해할 수 있습니다.

③ Mini 탐구

과학 교과서의 기본 탐구를 개념 학습과 함께 익힐 수 있습니다.

3 그림자와 거울

2 그림자의 모양과 크기 변화

① 만화로 보는 '그림자의 크기'

광원

태양이나 전등과 같이 스스로 빛을 내는 물체를 광원이라고 한다. 광원에서 나와 직진하던 빛이 물체를 만나면 반사되고, 물체에 막혀 빛이 도달하지 못하는 부분에는 물체의 그림자가 생긴다.

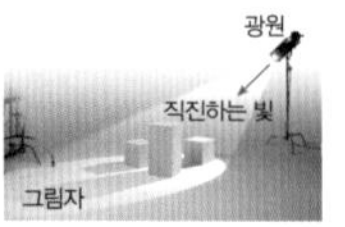

개념 강의

②

1. 그림자의 모양

(1) **물체 모양과 그림자 모양** 그림자 연극은 빛과 스크린 사이에 인형을 넣어 움직일 때 스크린에 생긴 그림자를 이용해 꾸민 연극이다. 그림자 연극이나 동물 그림자 만들기를 할 때 물체 모양과 그림자 모양이 비슷하다.

(2) **빛의 직진** 빛은 태양이나 전등에서 나와 사방으로 곧게 나아간다. 이렇게 빛이 곧게 나아가는 성질을 빛의 직진이라고 한다. 직진하는 빛이 물체를 통과하지 못하면 물체 모양과 비슷한 그림자가 물체의 뒤쪽에 있는 스크린에 생긴다. 물체를 놓은 방향이 달라지면 그림자 모양이 달라지기도 한다.

③ **Mini 탐구** 물체 모양과 그림자 모양 비교하기

과정

1. 손전등, 원 모양 종이, 스크린을 차례대로 놓고 손전등을 켜서 스크린에 생긴 그림자 모양을 관찰한 후 삼각형 모양 종이를 사용해 같은 방법으로 그림자를 만들어 관찰한다.
2. 손전등, ㄱ자 모양 블록, 스크린을 차례대로 놓고 손전등을 켜서 스크린에 생긴 그림자 모양을 ㄱ자 모양 블록과 비교한다.
3. ㄱ자 모양 블록을 돌려 방향을 바꾸면서 스크린에 생긴 그림자 모양을 관찰한다.

결과

원 모양 종이의 그림자	삼각형 모양 종이의 그림자

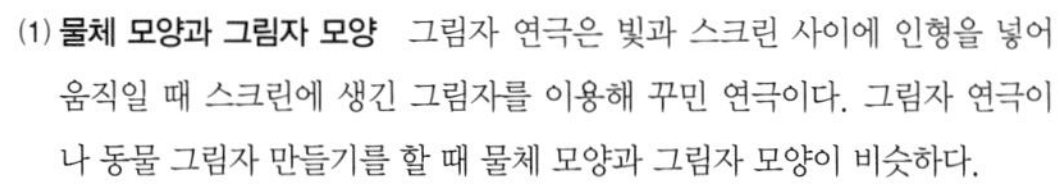

종이 모양과 그림자 모양이 같다.

ㄱ자 모양 블록의 그림자

• ㄱ자 모양 블록과 스크린에 생긴 그림자 모양이 같다.
• ㄱ자 모양 블록을 돌려 방향을 바꾸면 그림자의 모양이 달라지기도 한다.

▶ 물체 모양과 물체 뒤쪽에 생긴 그림자 모양이 비슷하다.

60 하이탑 초등 과학 4-2

> **과학 고수가 되는 길!**
> 초등부터 HIGHTOP(하이탑)과 함께라면
> 과학 공부 어렵지 않아요.

2단계

4 보충 플러스

과학 원리에 대한 보충 설명으로 개념을 더 쉽게 이해할 수 있습니다.

5 심화

초등 과학 개념보다 확장된 내용으로 이해의 폭을 넓힐 수 있습니다.

심화 입사각과 반사각

빛이 반사할 때 입사각과 반사각의 크기가 같다. 이것을 반사 법칙이라고 한다. 입사각은 입사 광선(들어가는 빛)과 법선(거울 면에 수직인 선)이 이루는 각이고, 반사각은 반사 광선(반사되어 나가는 빛)과 법선이 이루는 각이다.

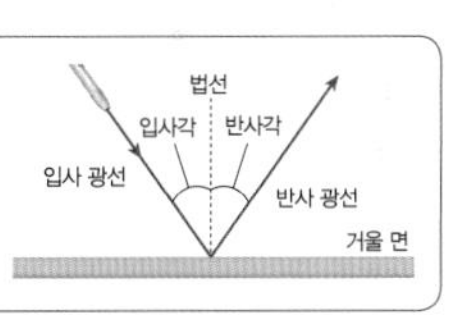

---

4 **보충 플러스** 컵이 놓인 모습과 광원의 방향에 따른 그림자 모양

그림자는 입체적인 물체를 평면 위에 나타낸 것이라 물체의 모양과 비슷하지만 그대로 보여지는 것은 아니다. 그림자의 모양은 물체가 놓인 모습과 광원의 방향에 따라 달라진다.

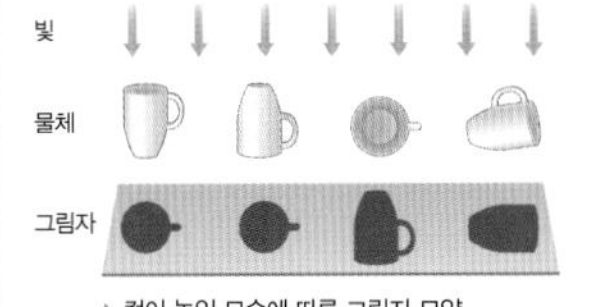

▲ 컵이 놓인 모습에 따른 그림자 모양

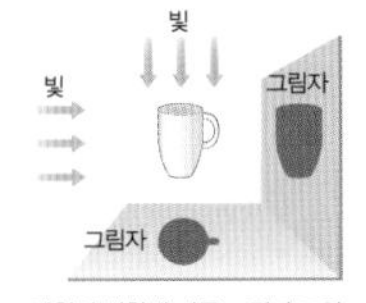

▲ 광원의 방향에 따른 그림자 모양

2. 그림자의 크기 변화

물체의 그림자 크기를 변화시키려면 손전등의 위치나 물체의 위치, 스크린의 위치를 조절해야 한다. 탐구 62쪽

(1) **물체와 스크린을 그대로 두었을 때** 손전등을 물체에 가깝게 하면 그림자의 크기가 커진다. 손전등을 물체에서 멀게 하면 그림자의 크기가 작아진다. 그러므로 그림자의 크기를 크게 하려면 손전등을 물체에 가깝게 하고, 그림자의 크기를 작게 하려면 손전등을 물체에서 멀게 하면 된다.

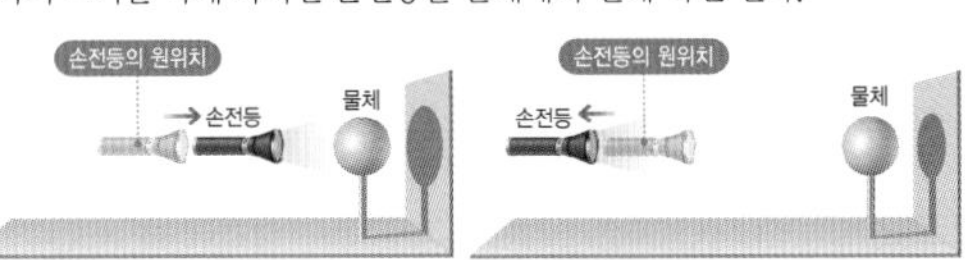

▲ 손전등을 물체에 가깝게 하면 그림자의 크기가 커지고, 물체에서 멀게 하면 그림자의 크기가 작아진다.

(2) **스크린과 손전등을 그대로 두었을 때** 물체를 손전등에 가깝게 하면 그림자의 크기가 커진다. 물체를 손전등에서 멀게 하면 그림자의 크기가 작아진다. 그러므로 그림자의 크기를 크게 하려면 물체를 손전등에 가깝게 하고, 그림자의 크기를 작게 하려면 물체를 손전등에서 멀게 하면 된다.

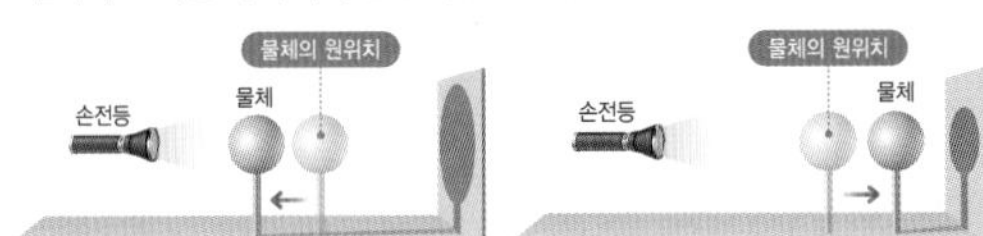

▲ 물체를 손전등에 가깝게 하면 그림자의 크기가 커지고, 손전등에서 멀게 하면 그림자의 크기가 작아진다.

(3) **손전등과 물체를 그대로 두었을 때** 스크린을 물체에서 멀게 하면 그림자의 크기가 커지고, 스크린을 물체에 가깝게 하면 그림자의 크기가 작아진다.

빛의 방향에 따른 도넛의 그림자 모양

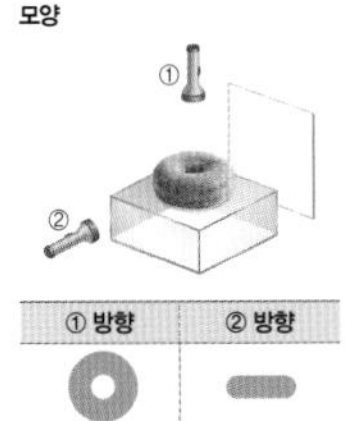

① 방향	② 방향

태양 빛과 그림자의 크기

광원, 물체, 스크린이 일렬로 놓여 있는 상태에서 광원과 스크린을 그대로 두었을 때는 물체가 광원에 가까워지면 그림자의 크기가 커지고, 광원에서 멀어지면 그림자의 크기가 작아진다. 그러나 태양 빛은 물체의 위치에 따라 그림자의 크기가 거의 변하지 않는다. 이것은 태양과 물체 사이의 거리가 매우 멀기 때문에 물체와 스크린 사이의 거리 변화가 그림자의 크기에 거의 영향을 끼치지 않기 때문이다.

3. 그림자와 거울 61

무료 스마트러닝
• 1권 초등 과학 개념 강의

개념 동영상 강의를 보고 들으면서 좀 더 쉽게 학습할 수 있습니다.

2 단계

① 교과서 속 탐구

과학 교과서의 핵심 탐구를 과정, 결과, 알 수 있는 사실까지 꼼꼼하게 정리할 수 있습니다.

② 탐구문제

탐구 관련 문제를 풀면서 탐구로 알 수 있는 사실을 다시 한 번 정리할 수 있습니다.

③ 확인 문제

문제를 풀면서 오늘 공부한 개념을 정리하고 다질 수 있습니다.

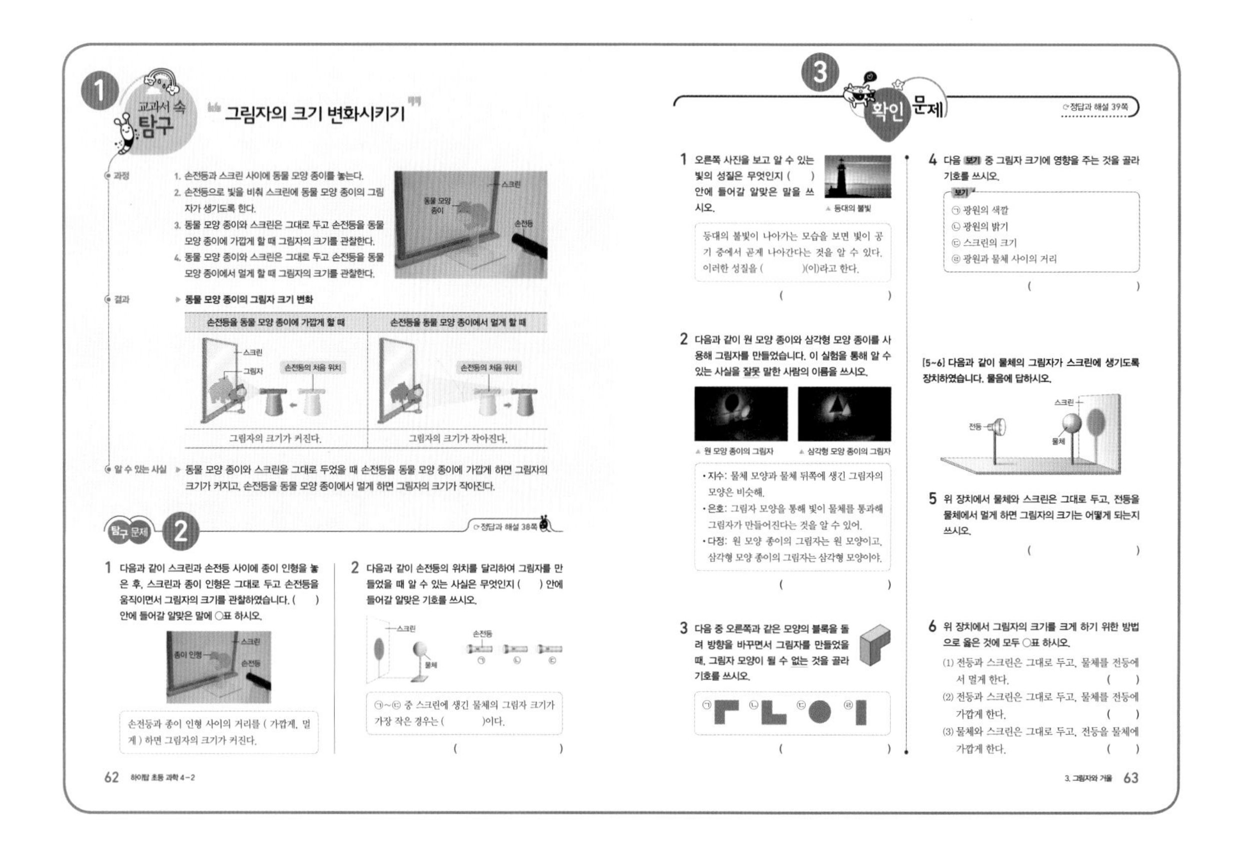

1 교과서 속 탐구

그림자의 크기 변화시키기

과정
1. 손전등과 스크린 사이에 동물 모양 종이를 놓는다.
2. 손전등으로 빛을 비춰 스크린에 동물 모양 종이의 그림자가 생기도록 한다.
3. 동물 모양 종이와 스크린은 그대로 두고 손전등을 동물 모양 종이에 가깝게 할 때 그림자의 크기를 관찰한다.
4. 동물 모양 종이와 스크린은 그대로 두고 손전등을 동물 모양 종이에서 멀게 할 때 그림자의 크기를 관찰한다.

결과
▶ 동물 모양 종이의 그림자 크기 변화

손전등을 동물 모양 종이에 가깝게 할 때	손전등을 동물 모양 종이에서 멀게 할 때
그림자의 크기가 커진다.	그림자의 크기가 작아진다.

알 수 있는 사실 ▶ 동물 모양 종이와 스크린을 그대로 두었을 때 손전등을 동물 모양 종이에 가깝게 하면 그림자의 크기가 커지고, 손전등을 동물 모양 종이에서 멀게 하면 그림자의 크기가 작아진다.

탐구 문제 2 ⟳ 정답과 해설 38쪽

1 다음과 같이 스크린과 손전등 사이에 종이 인형을 놓은 후, 스크린과 종이 인형은 그대로 두고 손전등을 움직이면서 그림자의 크기를 관찰하였습니다. ( ) 안에 들어갈 알맞은 말에 ○표 하시오.

손전등과 종이 인형 사이의 거리를 (가깝게, 멀게) 하면 그림자의 크기가 커진다.

2 다음과 같이 손전등의 위치를 달리하여 그림자를 만들었을 때 알 수 있는 사실은 무엇인지 ( ) 안에 들어갈 알맞은 기호를 쓰시오.

㉠~㉢ 중 스크린에 생긴 물체의 그림자 크기가 가장 작은 경우는 ( )이다.

( )

62 하이탑 초등 과학 4-2

3 확인 문제 ⟳ 정답과 해설 39쪽

1 오른쪽 사진을 보고 알 수 있는 빛의 성질은 무엇인지 ( ) 안에 들어갈 알맞은 말을 쓰시오.

▲ 등대의 불빛

등대의 불빛이 나아가는 모습을 보면 빛이 공기 중에서 곧게 나아간다는 것을 알 수 있다. 이러한 성질을 ( )(이)라고 한다.

( )

2 다음과 같이 원 모양 종이와 삼각형 모양 종이를 사용해 그림자를 만들었습니다. 이 실험을 통해 알 수 있는 사실을 잘못 말한 사람의 이름을 쓰시오.

▲ 원 모양 종이의 그림자 ▲ 삼각형 모양 종이의 그림자

- 지수: 물체 모양과 물체 뒤쪽에 생긴 그림자의 모양은 비슷해.
- 은호: 그림자 모양을 통해 빛이 물체를 통과해 그림자가 만들어진다는 것을 알 수 있어.
- 다정: 원 모양 종이의 그림자는 원 모양이고, 삼각형 모양 종이의 그림자는 삼각형 모양이야.

( )

3 다음 중 오른쪽과 같은 모양의 블록을 돌려 방향을 바꾸면서 그림자를 만들었을 때, 그림자 모양이 될 수 없는 것을 골라 기호를 쓰시오.

㉠ ㉡ ㉢ ㉣

( )

4 다음 보기 중 그림자 크기에 영향을 주는 것을 골라 기호를 쓰시오.

보기
㉠ 광원의 색깔
㉡ 광원의 밝기
㉢ 스크린의 크기
㉣ 광원과 물체 사이의 거리

( )

[5~6] 다음과 같이 물체의 그림자가 스크린에 생기도록 장치하였습니다. 물음에 답하시오.

5 위 장치에서 물체와 스크린은 그대로 두고, 전등을 물체에서 멀게 하면 그림자의 크기는 어떻게 되는지 쓰시오.

( )

6 위 장치에서 그림자의 크기를 크게 하기 위한 방법으로 옳은 것에 모두 ○표 하시오.

(1) 전등과 스크린은 그대로 두고, 물체를 전등에서 멀게 한다. ( )
(2) 전등과 스크린은 그대로 두고, 물체를 전등에 가깝게 한다. ( )
(3) 물체와 스크린은 그대로 두고, 전등을 물체에 가깝게 한다. ( )

3. 그림자와 거울 63

3 단계

심화 →

① 단원평가

학교에서 실시하는 단원평가에 자주 출제되는 문제 유형으로 구성하였습니다. 문제를 푼 후 틀린 문제는 자세한 풀이를 보면서 확실하게 이해할 수 있습니다.

② 서술형 문제

서술형 문제를 풀면서 답을 쓸 때 꼭 들어가야 하는 핵심 내용을 정리하는 습관을 들일 수 있습니다.

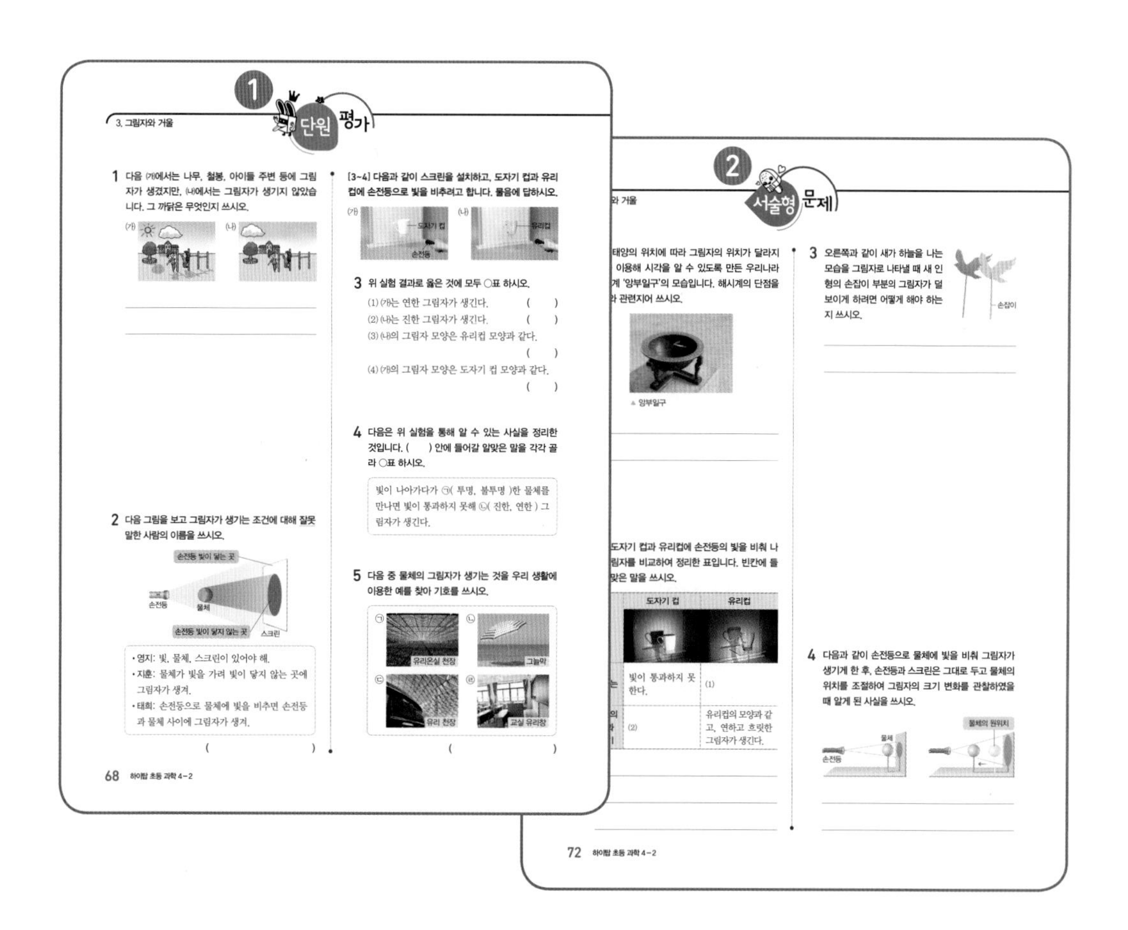

1 단원 평가

3. 그림자와 거울

1 다음 (가)에서는 나무, 철봉, 아이들 주변 등에 그림자가 생겼지만, (나)에서는 그림자가 생기지 않았습니다. 그 까닭은 무엇인지 쓰시오.

(가) (나)

2 다음 그림을 보고 그림자가 생기는 조건에 대해 잘못 말한 사람의 이름을 쓰시오.

손전등 빛이 닿는 곳
손전등
물체
손전등 빛이 닿지 않는 곳
스크린

- 영지: 빛, 물체, 스크린이 있어야 해.
- 지훈: 물체가 빛을 가려 빛이 닿지 않는 곳에 그림자가 생겨.
- 태희: 손전등으로 물체에 빛을 비추면 손전등과 물체 사이에 그림자가 생겨.

( )

[3~4] 다음과 같이 스크린을 설치하고, 도자기 컵과 유리컵에 손전등으로 빛을 비추려고 합니다. 물음에 답하시오.

(가) 도자기 컵, 손전등 (나) 유리컵

3 위 실험 결과로 옳은 것에 모두 ○표 하시오.

(1) (가)는 연한 그림자가 생긴다. ( )
(2) (나)는 진한 그림자가 생긴다. ( )
(3) (나)의 그림자 모양은 유리컵 모양과 같다. ( )
(4) (가)의 그림자 모양은 도자기 컵 모양과 같다. ( )

4 다음은 위 실험을 통해 알 수 있는 사실을 정리한 것입니다. ( ) 안에 들어갈 알맞은 말을 각각 골라 ○표 하시오.

빛이 나아가다가 ㉠(투명, 불투명)한 물체를 만나면 빛이 통과하지 못해 ㉡(진한, 연한) 그림자가 생긴다.

5 다음 중 물체의 그림자가 생기는 것을 우리 생활에 이용한 예를 찾아 기호를 쓰시오.

㉠ 유리온실 천장 ㉡ 그늘막 ㉢ 유리 천장 ㉣ 교실 유리창

( )

68 하이탑 초등 과학 4-2

2 서술형 문제

와 거울

태양의 위치에 따라 그림자의 위치가 달라지
이용해 시각을 알 수 있도록 만든 우리나라
계 '앙부일구'의 모습입니다. 해시계의 단점을
관련지어 쓰시오.

▲ 앙부일구

도자기 컵과 유리컵에 손전등의 빛을 비춰 나
림자를 비교하여 정리한 표입니다. 빈칸에 들
맞은 말을 쓰시오.

	도자기 컵	유리컵
는	빛이 통과하지 못한다.	(1)
의	(2)	유리컵의 모양과 같고, 연하고 흐릿한 그림자가 생긴다.

3 오른쪽과 같이 새가 하늘을 나는 모습을 그림자로 나타낼 때 새 인형의 손잡이 부분의 그림자가 덜 보이게 하려면 어떻게 해야 하는지 쓰시오.

손잡이

4 다음과 같이 손전등으로 물체에 빛을 비춰 그림자가 생기게 한 후, 손전등과 스크린은 그대로 두고 물체의 위치를 조절하여 그림자의 크기 변화를 관찰하였을 때 알게 된 사실을 쓰시오.

물체, 손전등, 물체의 원위치

72 하이탑 초등 과학 4-2

2학기 HIGHTOP

초등 과학의 차례 개념

1 식물의 생활

2 물의 상태 변화

3 그림자와 거울

4 화산과 지진

5 물의 여행

1 식물의 생활

1 들이나 산, 강이나 연못의 식물

2 사막에 사는 식물, 식물의 활용

사는 곳에 따라 식물의
특징은 어떻게 다를까?
선수
학습
•3~4학년군
식물의 한살이
이 단원의
학습
•3~4학년군
식물의 생활
후속
학습
•5~6학년군
생물의 환경, 식물의 구조와 기능
•중학교 1~3학년군 생물의 다양성

1 들이나 산, 강이나 연못의 식물

개념 강의

만화로 보는 **'부레옥잠'**

1. 들이나 산에 사는 식물

들이나 산에는 민들레, 강아지풀, 토끼풀, 명아주 등과 같은 풀과 소나무, 밤나무, 떡갈나무, 단풍나무 등과 같은 나무가 살고 있다. 대부분 땅에 뿌리를 내리며, 줄기와 잎이 잘 구분된다.

① 풀과 나무는 뿌리, 줄기, 잎이 있고, 잎의 색깔이 대부분 초록색이며, 필요한 양분을 스스로 만든다. – 풀과 나무의 공통점

② 풀은 대부분 한해살이 식물이지만 나무는 모두 여러해살이 식물이다. 나무는 풀에 비해 줄기가 굵고 키가 크다. – 풀과 나무의 차이점

보충 플러스⁺ 식물의 광합성

식물은 빛과 이산화 탄소, 뿌리에서 흡수한 물을 이용하여 살아가는 데 필요한 양분을 스스로 만든다. 이것을 광합성이라고 한다.

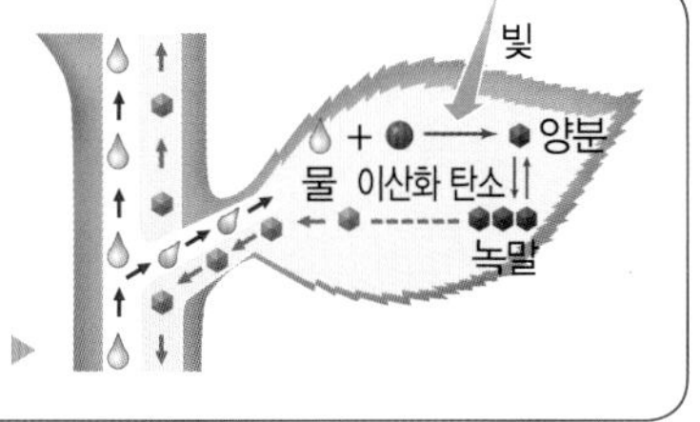

광합성과 양분의 이동 ▶

용어

- **한해살이 식물** 한살이가 일 년 이내로 이루어지는 식물.
- **여러해살이 식물** 여러 해 동안 살면서 한살이를 반복하는 식물.

잎의 구조

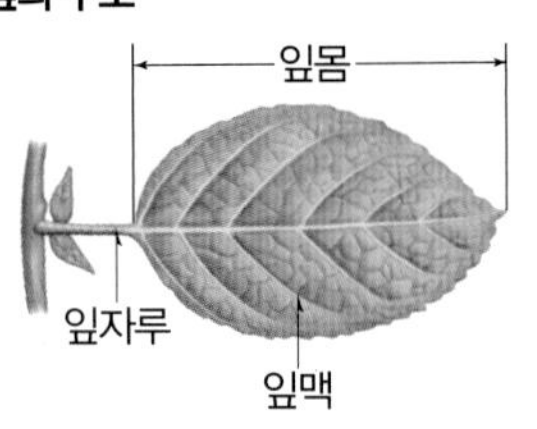

Mini 탐구 잎의 생김새에 따라 식물 분류하기

과정 식물의 잎을 채집하여 잎의 생김새를 관찰하고, 적합한 분류 기준으로 분류한다.

결과 잎의 생김새에 따른 식물의 분류

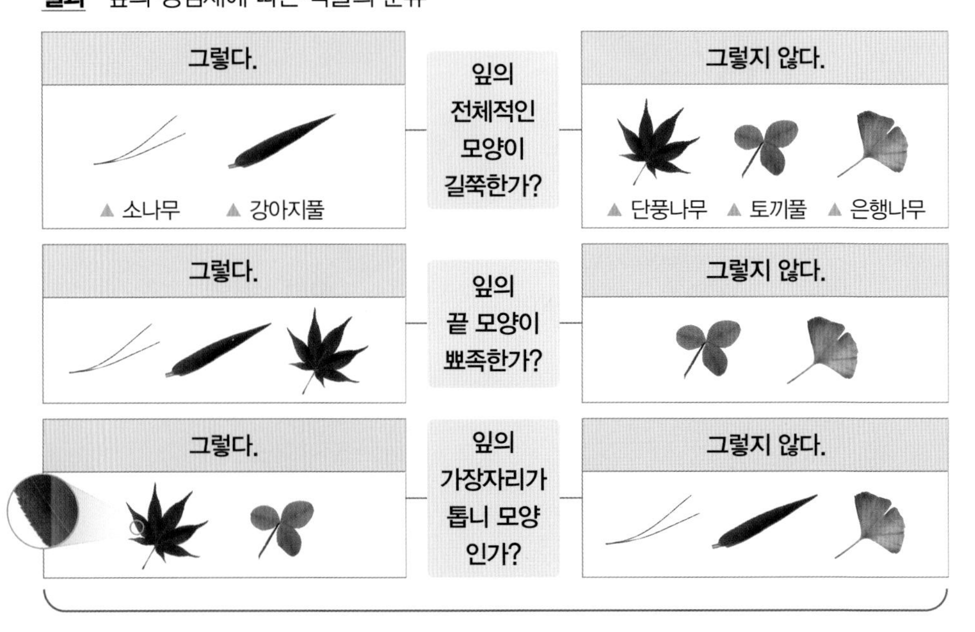

그렇다.	분류 기준	그렇지 않다.
▲ 소나무 ▲ 강아지풀	잎의 전체적인 모양이 길쭉한가?	▲ 단풍나무 ▲ 토끼풀 ▲ 은행나무
소나무, 강아지풀, 단풍나무	잎의 끝 모양이 뾰족한가?	토끼풀, 은행나무
단풍나무, 토끼풀	잎의 가장자리가 톱니 모양인가?	소나무, 강아지풀, 은행나무

2. 강이나 연못에 사는 식물

① 물속에 잠겨서 사는 식물(침수식물)은 줄기와 잎이 좁고 긴 모양이며, 줄기가 물의 흐름에 따라 잘 휜다.

② 물에 떠서 사는 식물(부유식물)은 수염처럼 생긴 뿌리가 물속으로 뻗어 있고, 공기주머니가 있거나 스펀지와 비슷한 구조로 되어 있어 쉽게 물에 뜬다.

③ 잎이 물에 떠 있는 식물(부엽식물)은 잎과 꽃이 물 위에 떠 있고, 뿌리는 물속의 땅에 있다.

④ 잎이 물 위로 높이 자라는 식물(정수식물)은 뿌리는 물속이나 물가의 땅에 있으며, 대부분 키가 크고 줄기가 단단하다.

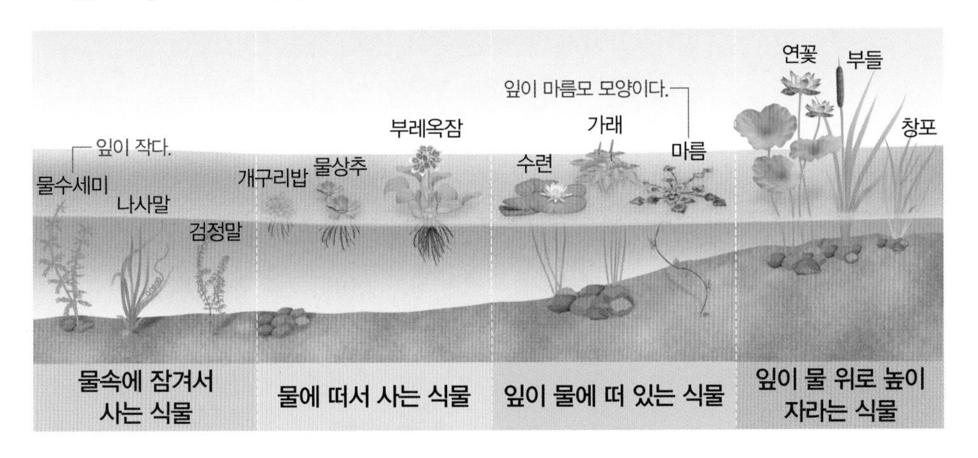

3. 강이나 연못에 사는 식물의 적응

식물의 생김새와 생활 방식은 그 식물이 사는 곳의 환경에 따라 다르다. 생물이 오랜 기간에 걸쳐 주변 환경에 적합하게 변화되어 가는 것을 적응이라고 한다.

(1) 부레옥잠의 특징 전체적으로 초록색이고, 잎이 매끈하며 광택이 난다. 잎이 둥글고 잎자루가 볼록하게 부풀어 있는 모양이며, 뿌리는 수염처럼 생겼다. 잎자루에 있는 공기주머니의 공기 때문에 물에 떠서 살 수 있다. 교과서 속 탐구 12쪽

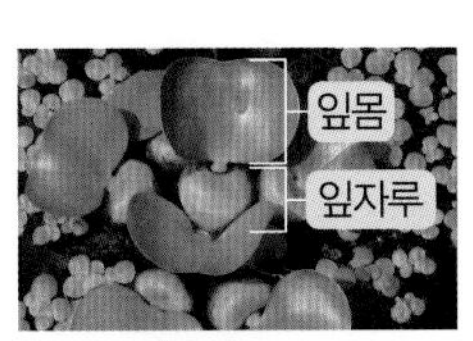

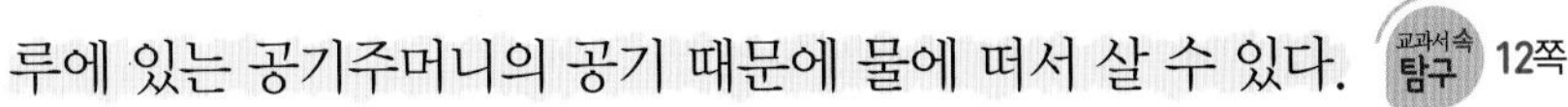

(2) 식물이 강이나 연못의 환경에 적응한 예

① 나사말은 잎이 좁고 긴 모양이어서 물의 흐름에 영향을 덜 받는다.

② 개구리밥은 잎이 넓어서 물에 떠서 살기에 적합하다.

③ 수련의 잎은 넓고 갈라져 있어서 물 위에 떠 있기 좋다.

▲ 나사말

▲ 개구리밥

▲ 수련

물속에 잠겨서 사는 식물

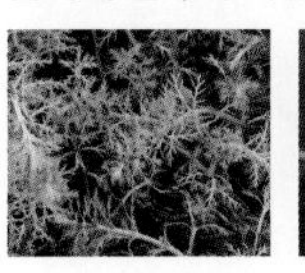
▲ 물수세미

▲ 검정말

물에 떠서 사는 식물

▲ 개구리밥

▲ 물상추

잎이 물에 떠 있는 식물

▲ 가래

▲ 마름

잎이 물 위로 높이 자라는 식물

▲ 연꽃

▲ 부들

용어

• **광택** 빛이 반사되어 매끄러운 물체의 표면이 반짝이는 현상.

부레옥잠의 특징 알아보기

과정

1. 부레옥잠의 생김새를 관찰한다.
2. 부레옥잠의 잎자루를 나무판에 올려놓고 칼로 잘라 관찰한다.
3. 자른 부레옥잠의 잎자루를 물이 담긴 수조에 넣고 손가락으로 누를 때 나타나는 현상을 관찰한다.
4. 부레옥잠이 물에 떠서 살 수 있는 까닭을 설명한다.

결과

▶ **부레옥잠의 잎자루를 자른 모습**

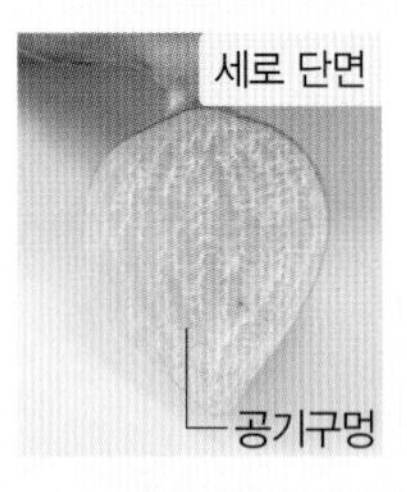

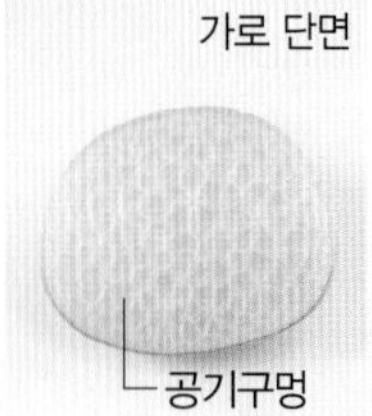

- 잎자루의 자른 면에 많은 공기주머니가 있다.
- 잎자루의 세로 단면에는 공기구멍이 줄줄이 연결되어 있다.
- 잎자루의 가로 단면에는 둥근 공기구멍이 가득 차 있다.

▶ **자른 부레옥잠의 잎자루를 물이 담긴 수조에 넣고 손가락으로 누를 때 나타나는 현상**

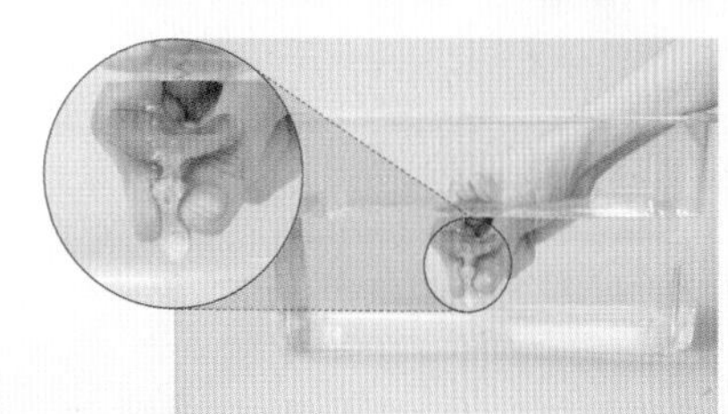

- 물속에서 잎자루를 누르면 공기 방울이 위로 올라간다.
- 누른 손을 떼면 잎자루가 다시 부풀어 오른다.

자르지 않은 부레옥잠의 잎자루를 물에 넣고 눌러 보아도 공기 방울이 위로 올라가는 모습을 볼 수 있어.

알 수 있는 사실 ▶ 부레옥잠은 잎자루에 있는 공기주머니의 공기 때문에 물에 떠서 살 수 있다.

정답과 해설 26쪽

1 다음과 같이 부레옥잠의 잎자루를 각각 세로와 가로로 잘라 관찰한 결과를 정리하였습니다. (   ) 안에 들어갈 알맞은 말을 쓰시오.

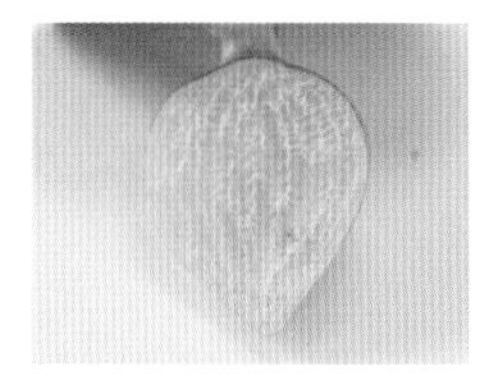
▲ 잎자루를 세로로 자른 모습

▲ 잎자루를 가로로 자른 모습

부레옥잠이 물에 떠서 살 수 있는 까닭은 잎자루의 구멍 안에 많은 (   )을/를 저장하고 있기 때문이다.

(   )

2 다음과 같이 자른 부레옥잠의 잎자루를 물이 담긴 수조에 넣고 손가락으로 눌렀을 때 나타나는 현상으로 옳은 것에 ○표 하시오.

(1) 수조에 있는 물의 양이 줄어든다. (   )

(2) 잎자루에서 공기 방울이 나와 위로 올라간다. (   )

(3) 잎자루가 매우 단단하기 때문에 손가락으로 눌러도 눌리지 않는다. (   )

정답과 해설 26쪽

1 여러 가지 식물의 잎을 다음과 같이 분류하였을 때, 분류한 기준으로 알맞은 것을 골라 기호를 쓰시오.

㉠ 잎의 끝 모양이 뾰족한가?
㉡ 잎의 가장자리가 톱니 모양인가?
㉢ 잎의 전체적인 모양이 길쭉한가?

( )

[2~3] 다음의 들이나 산에 사는 식물의 모습을 보고, 물음에 답하시오.

(가) 

▲ 민들레

(나)  

▲ 떡갈나무

2 다음은 위 (가)와 (나) 식물의 공통점을 설명한 것입니다. ( ) 안에 알맞은 말을 쓰시오.

두 식물 모두 땅에 ( )을/를 내리며, 필요한 양분을 스스로 만든다.

3 위 (나) 식물에 대해 바르게 말한 사람의 이름을 쓰시오.

- 채성: 한해살이 식물이야.
- 연지: (가) 식물보다 키가 작아.
- 서빈: (가) 식물보다 줄기가 굵어.

( )

[4~5] 다음은 강이나 연못에 사는 식물의 모습입니다. 물음에 답하시오.

(가) 

▲ 검정말

(나) 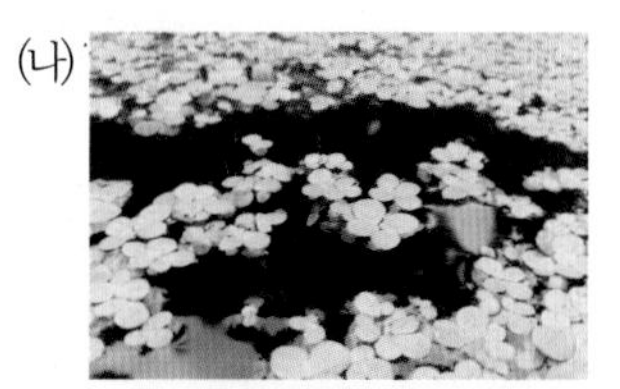

▲ 개구리밥

(다) 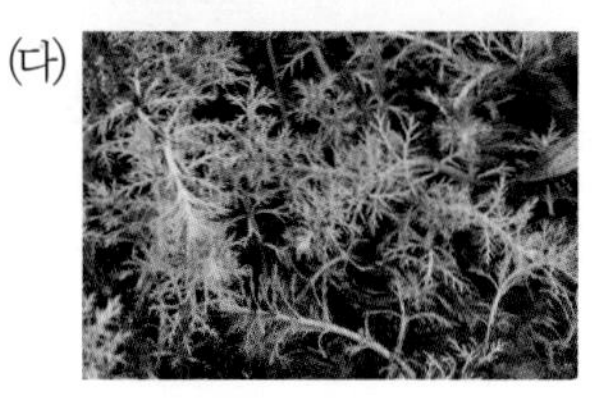

▲ 물수세미

(라) 

▲ 부들

4 다음과 같은 특징을 가진 식물을 위에서 모두 골라 기호를 쓰시오.

- 물속에 잠겨서 산다.
- 줄기가 물의 흐름에 따라 잘 휜다.

( )

5 오른쪽 식물과 같이 잎이 물 위로 높이 자라고, 뿌리는 물속이나 물가의 땅에 있는 식물은 어느 것인지 위에서 찾아 기호를 쓰시오.

▲ 연꽃

( )

6 생물이 오랜 기간에 걸쳐 주변 환경에 적합하게 변화되어 가는 것을 무엇이라고 하는지 쓰시오.

( )

2 사막에 사는 식물, 식물의 활용

개념 강의

만화로 보는 '연잎의 활용'

1. 사막에 사는 식물

(1) **사막의 환경** 사막은 낮에는 햇빛이 강해서 뜨겁고, 낮과 밤의 온도 차가 크다. 비가 적게 오고 건조하여 물이 적은 환경이다. 모래로 이루어져 있고, 모래 폭풍이 많이 분다. 하지만 이런 환경에서도 살아가는 식물이 있다.

(2) **사막에 사는 식물의 특징** 사막에는 선인장, 바오바브나무, 용설란, 메스키트나무, 회전초와 같이 여러 가지 식물이 산다. 이러한 식물의 생김새와 생활 방식은 사막의 환경에 적응한 결과이다.

① 선인장은 줄기가 굵어 물을 저장하여 건조한 날씨에도 잘 견딜 수 있다. 또한 잎이 가시 모양이라 동물이 함부로 먹지 못하고, 물의 증발을 막을 수 있다. 교과서 속 탐구 16쪽

② 바오바브나무는 키가 크고 줄기가 굵어서 물을 많이 저장할 수 있다.

③ 용설란은 잎이 용의 혀 모양을 닮아서 붙여진 이름으로, 잎이 크고 두꺼워서 물을 저장하기에 좋다.

④ 메스키트나무는 뿌리를 땅속 매우 깊이 뻗어 내려 지하수를 빨아들여 저장하고, 저장해 놓은 물로 가뭄에도 버틸 수 있다.

⑤ 회전초는 식물의 땅 위 부분 일부가 말라서 뿌리와 분리되거나 뿌리까지 뽑힌 뒤 바람에 날려 굴러다니는 덩어리로, 다양한 종류의 식물에서 만들어진다. 굴러다니면서 씨를 뿌리고 비가 내리면 많이 퍼져서 살아간다.

▲ 기둥선인장

▲ 금호선인장

▲ 바오바브나무

▲ 용설란

▲ 메스키트나무

▲ 회전초

사막의 모습

용어
- **건조** 말라서 습기가 없음.
- **증발** 어떤 물질이 액체 상태에서 기체 상태로 변함. 액체 표면에서 일어남.
- **가뭄** 오랫동안 계속하여 비가 내리지 않아 메마른 날씨.

2. 생활에서 식물의 특징을 활용한 예

① 도꼬마리 열매의 생김새를 활용한 찍찍이 테이프는 끈을 대신해 신발이 벗겨지지 않게 하는 데 사용된다.

② 가시가 있는 둥근 모양의 덩굴을 만들며 자라서 사람이나 동물이 접근하기 어려운 덩굴장미의 생김새를 활용하여 가시철조망을 만들었다.

③ 민들레 열매가 바람에 날려 퍼지는 모습을 보고 열매의 생김새를 활용하여 낙하산을 만들었다.

④ 비에 젖지 않는 연잎의 특징을 활용하여 물이 스며들지 않는 옷, 자동차나 유리 코팅제 등을 만들었다.

▲ 덩굴장미의 생김새를 활용한 가시철조망

▲ 민들레 열매의 생김새를 활용한 낙하산

▲ 연잎의 특징을 활용한 물이 스며들지 않는 옷

생활 속 식물의 이용

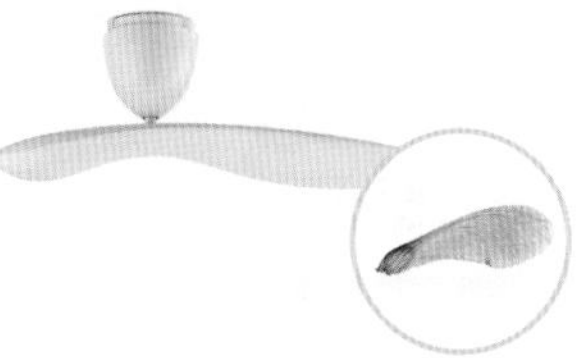

떨어지면서 회전하는 단풍나무 열매의 생김새를 활용하여 날개가 하나인 선풍기를 만들었다.

느릅나무 잎의 생김새를 활용하여 빗물 저장 장치를 만들었다.

용어

• **확대경** 맨눈으로는 자세히 볼 수 없는 물체의 미세한 부분을 확대하여 관찰하기 위한 볼록 렌즈.

Mini 탐구 도꼬마리 열매와 찍찍이 테이프의 특징 알아보기

과정

1. 확대경을 사용하여 도꼬마리 열매와 찍찍이 테이프를 관찰한다.
2. 도꼬마리 열매와 찍찍이 테이프의 공통점을 찾아본다.
3. 찍찍이 테이프는 도꼬마리 열매의 어떤 특징을 활용해 만들었는지 설명한다.

찍찍이 테이프는 모자, 운동화, 가방 등에서 다양하게 사용되고 있어.

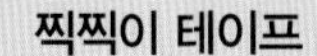

결과 도꼬마리 열매와 찍찍이 테이프의 특징

도꼬마리 열매	찍찍이 테이프
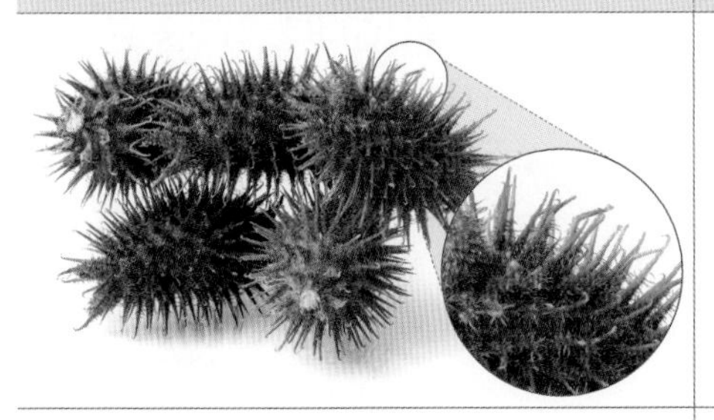	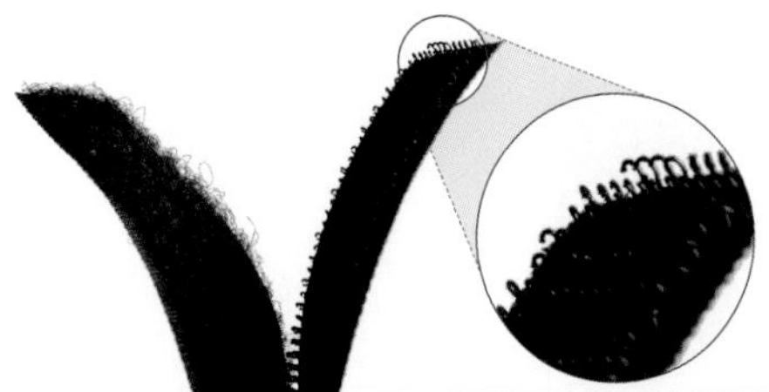
• 털로 짠 옷에 잘 붙는다. • 열매의 가시를 확대해서 보면 갈고리처럼 끝이 굽어져 있다.	• 한번 붙으면 잘 떨어지지 않는다. • 거친 부분을 확대해서 보면 갈고리 모양의 플라스틱을 볼 수 있고 대부분 크기와 모양이 비슷하다.

▶ 찍찍이 테이프는 도꼬마리 열매 가시 끝의 갈고리 모양이 동물의 털이나 사람의 옷에 잘 붙는 성질을 활용하여 만들었다.

교과서 속 탐구 "선인장의 특징 알아보기"

선인장 외에도 사막에서 사는 알로에나 다육 식물의 줄기를 잘라서 관찰할 수도 있어.

과정

1. 선인장의 생김새를 관찰한다.
2. 선인장의 줄기를 가로로 잘라서 관찰한다.
3. 선인장이 사막에서 살 수 있는 까닭을 설명한다.

결과

선인장의 생김새	선인장의 줄기를 가로로 자른 모습
• 줄기가 굵고 통통하며, 줄기의 색깔이 초록색이다. • 다른 식물에서 볼 수 있는 모양의 잎이 없고, 바늘과 같이 뾰족한 가시가 있다.	• 줄기를 자른 면이 미끄럽고 축축하다. • 줄기를 자른 면에 화장지를 붙여 보면 물이 묻어 나온다.

알 수 있는 사실

▶ 선인장은 굵은 줄기에 물을 저장하여 건조한 날씨에도 잘 견딜 수 있다.

▶ 가시 모양의 잎은 동물로부터 선인장을 보호하고, 물의 증발을 막을 수 있어 선인장이 사막에서 살 수 있다.

탐구 문제

정답과 해설 27쪽

1 다음 선인장의 생김새를 관찰한 결과로 옳지 않은 것을 보기 에서 골라 기호를 쓰시오.

보기

㉠ 줄기가 굵고 통통하다.
㉡ 잎이 넓어서 햇빛을 잘 받는다.
㉢ 줄기에 바늘처럼 뾰족한 가시가 나 있다.

( )

2 다음과 같이 선인장 줄기를 잘라 자른 면에 화장지를 붙여 보았더니 화장지가 젖었습니다. 이것을 통해 알 수 있는 사실에 ○표 하시오.

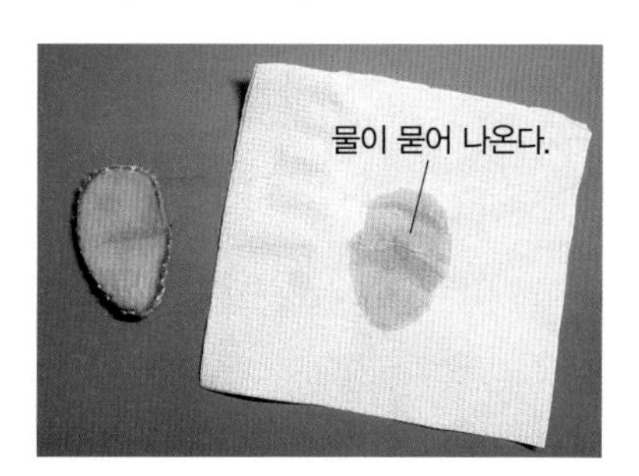

(1) 줄기에 물이 있다. ( )
(2) 줄기가 가늘고 얇다. ( )
(3) 줄기에서 물이 빠르게 증발된다. ( )
(4) 선인장은 물속에서 살기에 알맞다. ( )

정답과 해설 27쪽

1 다음은 기둥선인장과 낙타의 공통점을 사는 곳과 관련지어 설명한 것입니다. (　　) 안에 공통으로 들어갈 알맞은 말을 쓰시오.

> 기둥선인장과 낙타는 (　　　　)에서 사는 생물이다. (　　　　)은/는 비가 적게 와서 건조하고, 대부분 모래로 이루어져 있다.

(　　　　　　　　　　)

2 오른쪽 식물과 비슷한 환경에서 사는 식물을 **보기**에서 두 가지 골라 기호를 쓰시오.

보기

㉠ 회전초	㉡ 민들레
㉢ 부레옥잠	㉣ 바오바브나무

(　　　　　　　　　　)

3 선인장이 건조한 사막에서 살기에 유리한 조건을 잘못 말한 사람의 이름을 쓰시오.

> • 서율: 잎이 가시 모양이어서 물의 증발을 막을 수 있기 때문이야.
> • 단우: 두꺼운 줄기에 물을 저장하고 있기 때문에 사막에서도 살 수 있어.
> • 예린: 잎자루에 공기주머니가 있기 때문에 건조한 날씨에도 견딜 수 있어.

(　　　　　　　　　　)

4 다음은 어떤 식물의 특징을 활용한 것인지 알맞은 것에 ○표 하시오.

> 이 식물의 열매가 바람에 날려 퍼지는 모습을 보고 낙하산을 만들었다.

(1) (　　　)　　(2) (　　　)

5 다음 (　　) 안에 들어갈 알맞은 말을 골라 쓰시오.

> 연잎에 물을 떨어뜨리면 물이 (스며드는, 스며들지 않는) 특징을 활용해 방수복, 자동차나 유리 코팅제 등을 만들었다.

(　　　　　　　　　　)

6 다음과 같이 모자와 운동화에 있는 찍찍이 테이프는 어떤 식물의 특징을 활용해 만든 것인지 **보기**에서 골라 기호를 쓰시오.

▲ 모자의 찍찍이 테이프

▲ 운동화의 찍찍이 테이프

보기

㉠ 허브의 독특한 향기가 나는 특징
㉡ 민들레 열매가 바람에 날려 퍼지는 특징
㉢ 도꼬마리 열매 끝의 갈고리 모양이 동물의 털이나 사람의 옷에 잘 붙는 특징

(　　　　　　　　　　)

[1~2] 다음 여러 가지 식물의 잎을 보고, 물음에 답하시오.

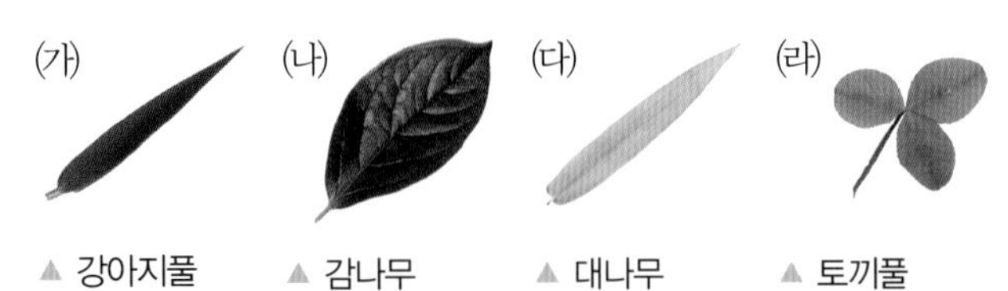
(가) ▲ 강아지풀 (나) ▲ 감나무 (다) ▲ 대나무 (라) ▲ 토끼풀

1 위 (가)~(라) 잎의 생김새에 대한 설명으로 옳은 것을 보기에서 두 가지 골라 기호를 쓰시오.

㉠ (가) 잎은 전체적인 모양이 둥글다.
㉡ (나) 잎은 전체적인 모양이 좁고 길쭉하다.
㉢ (다) 잎은 잎의 끝 모양이 뾰족하다.
㉣ (라) 잎은 잎이 여러 개이다.

( )

2 위 (가)~(라) 잎을 잎의 개수가 한 개인 것과 여러 개인 것으로 분류할 때, 오른쪽 잎과 같은 무리로 분류할 수 있는 잎의 기호를 쓰시오.

▲ 소나무

( )

3 다음 식물들이 주로 사는 곳을 찾아 바르게 연결하시오.

(1) 
▲ 부들

(2) 
▲ 바오바브나무

(3) 
▲ 명아주

• ㉠ 들이나 산
• ㉡ 강이나 연못
• ㉢ 사막

[4~5] 다음은 들이나 산에 사는 식물입니다. 물음에 답하시오.

(가) ▲ 강아지풀 (나) ▲ 밤나무 (다) ▲ 소나무 (라) ▲ 토끼풀

4 다음은 위 식물들에 대한 설명입니다. ㉠과 ㉡에 들어갈 알맞은 말을 각각 쓰시오.

들이나 산에 사는 식물은 크게 풀과 나무로 구분한다. (㉠)은/는 (㉡)보다 키가 작고, 줄기가 가늘다. (㉠)은/는 대부분 한해살이 식물이지만 (㉡)은/는 모두 여러해살이 식물이다.

㉠ ( ), ㉡ ( )

5 위 (가)와 (다) 식물의 공통점을 두 가지 쓰시오.

정답과 해설 28쪽

6 다음은 서연이가 연못에 사는 식물을 관찰하고 쓴 관찰 일기입니다. 어느 식물을 관찰하고 쓴 것인지 보기에서 식물을 찾아 기호를 쓰시오.

> 학교 연못에서 식물을 보았다. 그 식물은 물에 둥둥 떠 있었고, 수염처럼 생긴 뿌리가 물속으로 뻗어 있었다. 어떻게 물에 떠 있을 수 있는지 궁금했다.

▲ 나사말 ▲ 창포 ▲ 마름 ▲ 물상추

( )

7 다음 두 식물의 공통적인 특징으로 옳은 것은 어느 것입니까? ( )

▲ 검정말

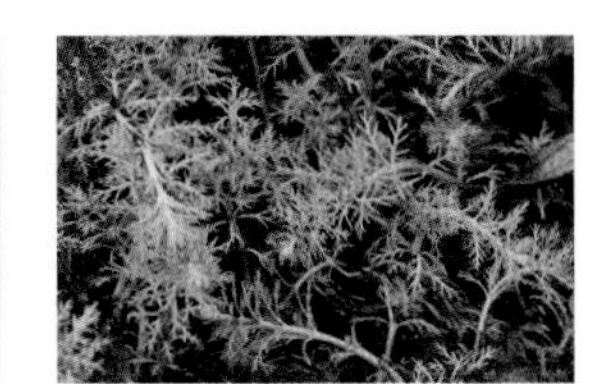
▲ 물수세미

① 물속에 잠겨서 산다.
② 줄기가 단단하고 튼튼하다.
③ 건조한 환경에서 살기 유리하다.
④ 줄기가 땅 위를 기어가듯이 자란다.
⑤ 물에 떠서 살고 수염과 같은 뿌리가 있다.

8 다음과 같은 특징을 가진 식물이 아닌 것에 ×표 하시오.

> • 잎이 물 위로 높이 자란다.
> • 뿌리는 물속이나 물가의 땅에 있다.

( ) ( ) ( )

[9~10] 다음과 같이 부레옥잠의 잎자루를 칼로 잘라 물속에 넣고 손가락으로 눌러 보았습니다. 물음에 답하시오.

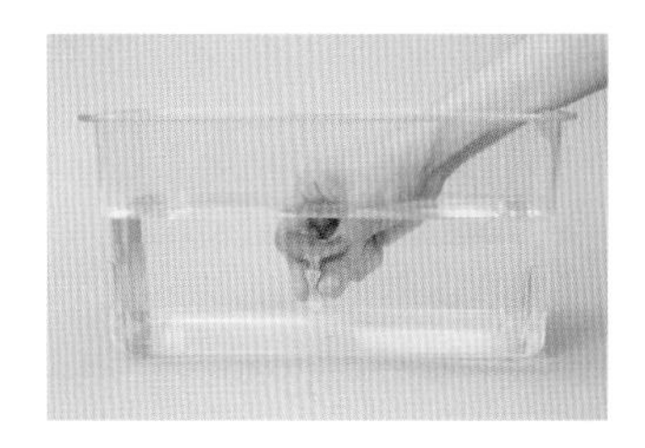

9 위 실험 결과를 옳게 말한 사람의 이름을 쓰시오.

> • 채성: 큰 변화가 없어.
> • 현정: 잎자루에서 공기 방울이 나와.
> • 시우: 물속에서는 잎자루가 손가락으로 눌리지 않아.
> • 재인: 잎자루에서 양분이 빠져나와 물의 색깔이 변해.

( )

10 위 9번 답의 결과와 관련지어 부레옥잠이 환경에 어떻게 적응하여 살아가는지 쓰시오.

____

____

[11~12] 다음 여러 가지 식물을 보고, 물음에 답하시오.

(가)

▲ 용설란

(나) 

▲ 바오바브나무

(다) 

▲ 떡갈나무

(라) 

▲ 메스키트나무

11 위 (가)~(라) 중 식물이 주로 사는 환경이 나머지와 다른 하나는 어느 것인지 찾아 기호를 쓰시오.

( )

12 위의 (나) 식물이 주로 사는 환경을 **보기**에서 골라 쓰고, 그 환경의 특징을 한 가지 쓰시오.

보기

강, 들, 연못, 바다, 사막

______

______

______

13 오른쪽 식물은 식물의 땅 위 부분 일부가 말라서 뿌리와 분리되거나 뿌리까지 뽑힌 뒤 바람에 날려 굴러다니는 덩어리로, 다양한 종류의 식물에서 만들어집니다. 이 식물의 이름은 무엇인지 쓰시오.

( )

[14~15] 다음 선인장의 모습을 보고, 물음에 답하시오.

14 위 선인장의 줄기를 오른쪽과 같이 가로로 잘라 관찰하였습니다. 관찰 결과로 옳은 것에 ○표 하시오.

(1) 줄기가 가늘다. ( )

(2) 줄기를 자른 면이 거칠고 말라 있다. ( )

(3) 줄기를 자른 면에 화장지를 붙여 보면 화장지가 젖는다. ( )

15 다음은 위 실험 결과를 통해 알게 된 선인장의 특징을 설명한 것입니다. ( ) 안에 공통으로 들어갈 알맞은 말을 쓰시오.

- 선인장의 줄기를 가로로 잘라 관찰해 보면 줄기에 ( )이/가 들어 있다는 것을 알 수 있다.
- 선인장은 굵은 줄기에 ( )을/를 저장하여 건조한 사막에서도 잘 견딜 수 있다.

( )

16 다음과 같은 기둥선인장과 금호선인장에 가시 모양의 잎이 있어 사막에서 살기에 이로운 점을 두 가지 골라 기호를 쓰시오.

▲ 기둥선인장

▲ 금호선인장

㉠ 강한 바람을 막아 준다.
㉡ 물의 증발을 줄일 수 있다.
㉢ 동물이 함부로 먹지 못한다.
㉣ 물에 잘 뜰 수 있도록 도와준다.

( )

17 오른쪽 찍찍이 테이프는 한번 붙으면 잘 떨어지지 않기 때문에 모자나 운동화가 벗겨지지 않게 하는 데 사용되기도 합니다. 이것은 어떠한 식물의 특징을 활용하여 만든 것인지 보기 의 사진을 참고하여 빈칸에 들어갈 알맞은 식물의 이름을 쓰시오.

보기

▲ 도꼬마리 열매

▲ 소나무 열매

찍찍이 테이프는 ( ) 열매 가시 끝의 갈고리 모양이 동물의 털이나 사람의 옷에 잘 붙는 성질을 활용하여 만들었다.

( )

18 다음과 같이 날개가 하나인 선풍기는 단풍나무 열매의 어떤 특징을 활용하여 만든 것인지 쓰시오.

▲ 단풍나무 열매

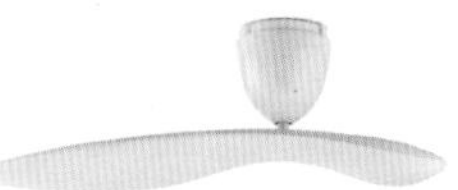
▲ 날개가 하나인 선풍기

19 오른쪽은 동물이나 사람의 침입을 막기 위한 가시철조망의 모습입니다. 다음 중 어떤 식물의 특징을 활용하였는지 골라 이름을 쓰시오.

▲ 덩굴장미

▲ 개나리

▲ 무궁화

( )

20 다음과 같이 연잎의 표면을 현미경으로 확대하면 작고 둥근 돌기가 많이 나 있습니다. 이러한 연잎의 특징을 활용한 생활용품을 찾아 기호를 쓰시오.

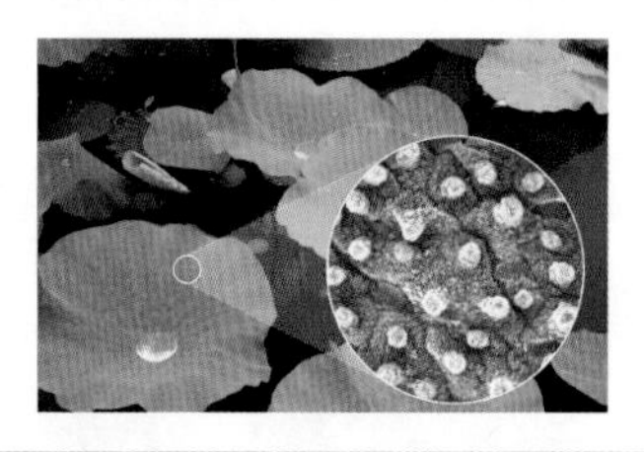

㉠ 단단한 줄기로 만든 가구
㉡ 물이 스며들지 않는 방수복
㉢ 식물의 염료로 물을 들인 옷

( )

1 식물은 잎의 전체적인 모양, 끝 모양, 가장자리 모양 등 잎의 생김새에 따라 분류할 수 있습니다. 다음 여러 가지 식물의 잎을 알맞은 분류 기준을 정하여 분류하시오.

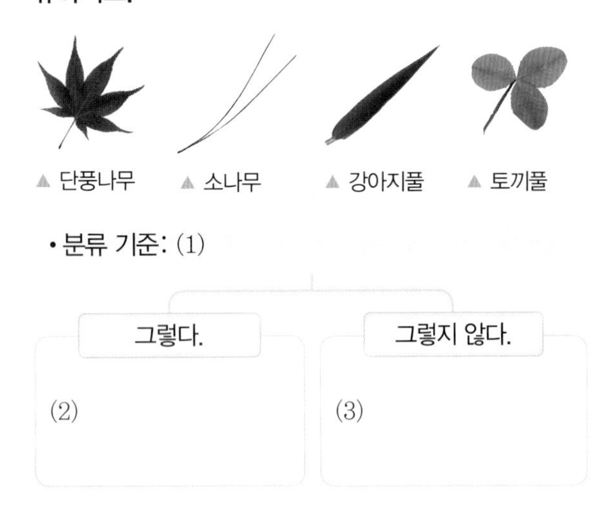

2 다음 명아주와 떡갈나무의 차이점을 식물의 한살이와 관련지어 쓰시오.

▲ 명아주

▲ 떡갈나무

3 강이나 연못에 사는 식물을 분류 기준에 따라 분류하려고 합니다. 물음에 답하시오.

보기

수련, 부들, 가래, 나사말, 물상추, 물수세미

(1) 위 **보기**의 식물들을 다음 분류 기준에 알맞게 분류하시오.

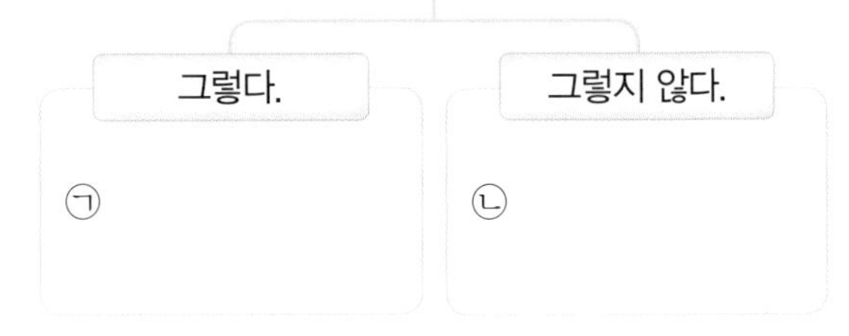

(2) 위 (1)에서 ㉠으로 분류한 식물들이 물속에 잠겨서 살 수 있도록 적응한 특징은 무엇인지 쓰시오.

4 다음은 부레옥잠에 대한 설명입니다. 틀린 부분을 찾아 기호를 쓰고, 옳게 고쳐 쓰시오.

부레옥잠은 ㉠ 전체적으로 초록색을 띤다. ㉡ 잎이 매끈하여 광택이 나고, 둥근 모양이다. 부레옥잠의 ㉢ 잎자루에는 공기주머니가 있기 때문에 ㉣ 물속에 잠겨서 산다.

5 다음 식물은 주로 사막에 사는 바오바브나무입니다. 이 식물이 사막에서 살 수 있도록 적응한 특징은 무엇인지 쓰시오.

▲ 바오바브나무

6 다음은 선인장의 줄기를 자른 모습입니다. 선인장이 건조한 사막에서 살기에 이로운 점을 선인장의 잎과 줄기의 특징과 관련지어 쓰시오.

7 다음은 도꼬마리 열매와 찍찍이 테이프를 확대한 모습입니다. 찍찍이 테이프는 도꼬마리 열매의 어떤 특징을 활용해 만들어졌는지 쓰시오.

▲ 도꼬마리 열매　　▲ 찍찍이 테이프

8 오른쪽은 낙하산의 모습입니다. 물음에 답하시오.

(1) 위 낙하산은 **보기** 중 어느 식물의 특징을 활용하여 만든 것인지 골라 기호를 쓰시오.

보기

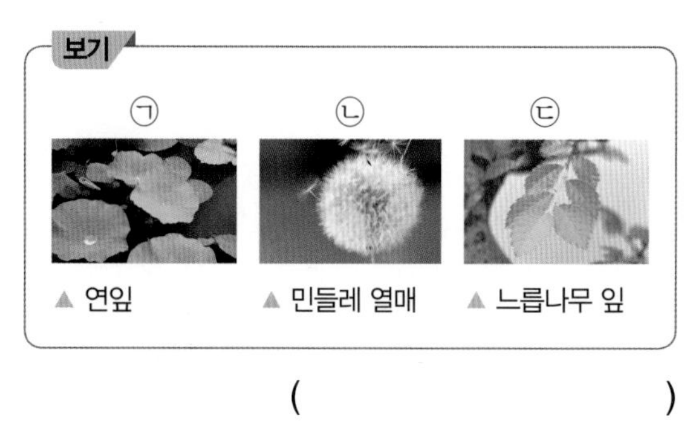

㉠ ▲ 연잎　㉡ ▲ 민들레 열매　㉢ ▲ 느릅나무 잎

(　　　　　　)

(2) 위 (1)의 답인 식물의 어떤 특징을 활용했는지 쓰시오.

들이나 산에 사는 식물

구분	풀	나무
공통점	• 뿌리, 줄기, 잎이 있다. • 잎이 초록색이고, 필요한 양분을 스스로 만든다. 자료 1	
차이점	• 나무보다 키가 작다. • 나무보다 줄기가 가늘다. • 대부분 한해살이 식물이다.	• 풀보다 키가 크다. • 풀보다 줄기가 굵다. • 모두 여러해살이 식물이다.

▶ 들이나 산에는 민들레, 토끼풀, 강아지풀과 같은 풀과 소나무, 밤나무, 떡갈나무와 같은 나무가 살고 있다.

강이나 연못에 사는 식물

물속에 잠겨서 사는 식물	물에 떠서 사는 식물	잎이 물에 떠 있는 식물	잎이 물 위로 높이 자라는 식물
물수세미, 나사말, 검정말	개구리밥, 물상추, 부레옥잠	수련, 가래, 마름	연꽃, 부들, 창포
줄기와 잎이 좁고 긴 모양이며, 줄기가 물의 흐름에 따라 잘 휜다.	수염처럼 생긴 뿌리가 물속으로 뻗어 있고, 물에 뜰 수 있는 구조로 되어 있다.	잎과 꽃이 물 위에 떠 있고, 뿌리는 물 속의 땅에 있다.	뿌리는 물속이나 물가의 땅에 있으며, 대부분 키가 크고 줄기가 단단하다.

사막에 사는 식물

구분	내용
사막의 환경	• 낮에는 햇빛이 강해서 뜨겁고, 낮과 밤의 온도 차가 크다. • 비가 적게 오고 건조하여 물이 적다. • 모래로 이루어져 있고, 모래 폭풍이 많이 분다.
사막에 사는 선인장	• 선인장의 굵은 줄기는 물을 저장할 수 있다. • 가시 모양의 잎은 물의 증발을 막고, 다른 동물로부터 선인장을 보호한다.

▶ 사막에는 선인장, 바오바브나무, 용설란 등이 살고 있다. 자료 2

생활에서 식물의 특징을 활용한 예

과학 자료

자료 1 벌레잡이 식물

대부분의 식물은 뿌리로 물을 흡수하고 햇빛을 받아 양분을 만들어 살아간다. 하지만 몇몇 특이한 식물은 곤충이나 작은 동물을 잡아먹으며 부족한 양분을 보충한다. 이러한 식물을 '벌레잡이 식물' 또는 '식충 식물'이라고 한다.
파리지옥은 주로 늪지대에 사는 식물로, 잎은 조개와 비슷한 모양이고 벌레가 잎 안쪽의 털을 건드리면 잎이 순식간에 오므라들어 벌레를 잡는다. 이렇게 잡은 벌레를 약 2주에 걸쳐 소화한다. 벌레잡이 통풀은 잎의 끝 부분이 긴 물병 모양의 주머니로 되어 있어 이곳에 벌레가 빠지면 소화하여 양분을 보충한다.

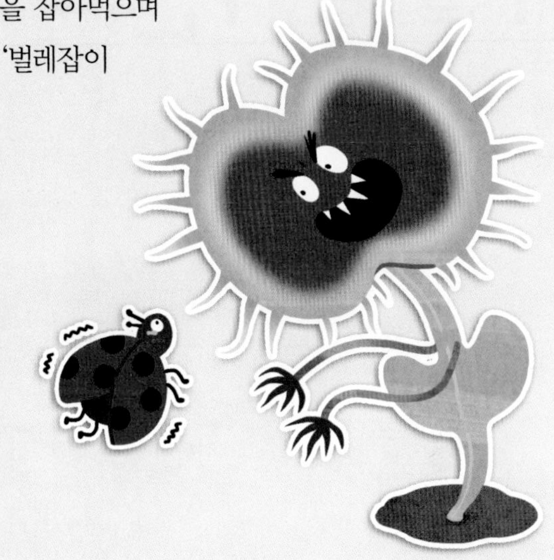

자료 2 특이한 환경에 사는 식물

뜨거운 사막에서도 다양한 식물들이 사는 것처럼 특이한 환경에 사는 식물들이 있다. 강한 바람이 불고 추운 높은 산 위에는 두메양귀비, 산솜다리 등이 살고 있다. 소금기가 많은 바닷가나 갯벌에서도 식물이 살고 있다. 바닷가에는 통보리사초, 갯메꽃 등이 살고, 갯벌에는 칠면초, 해홍나물 등이 산다.
그렇다면 새하얀 눈과 얼음으로 뒤덮여 있는 남극에서도 식물이 살 수 있을까? 남극은 겨울에는 영하 70℃까지 내려가고, 여름에도 영하 15℃ 정도로 매우 춥다. 하지만 이런 환경에서도 꽃을 피우는 콜로반투스라는 식물이 있다.

VISUAL SCIENCE

비주얼 사이언스

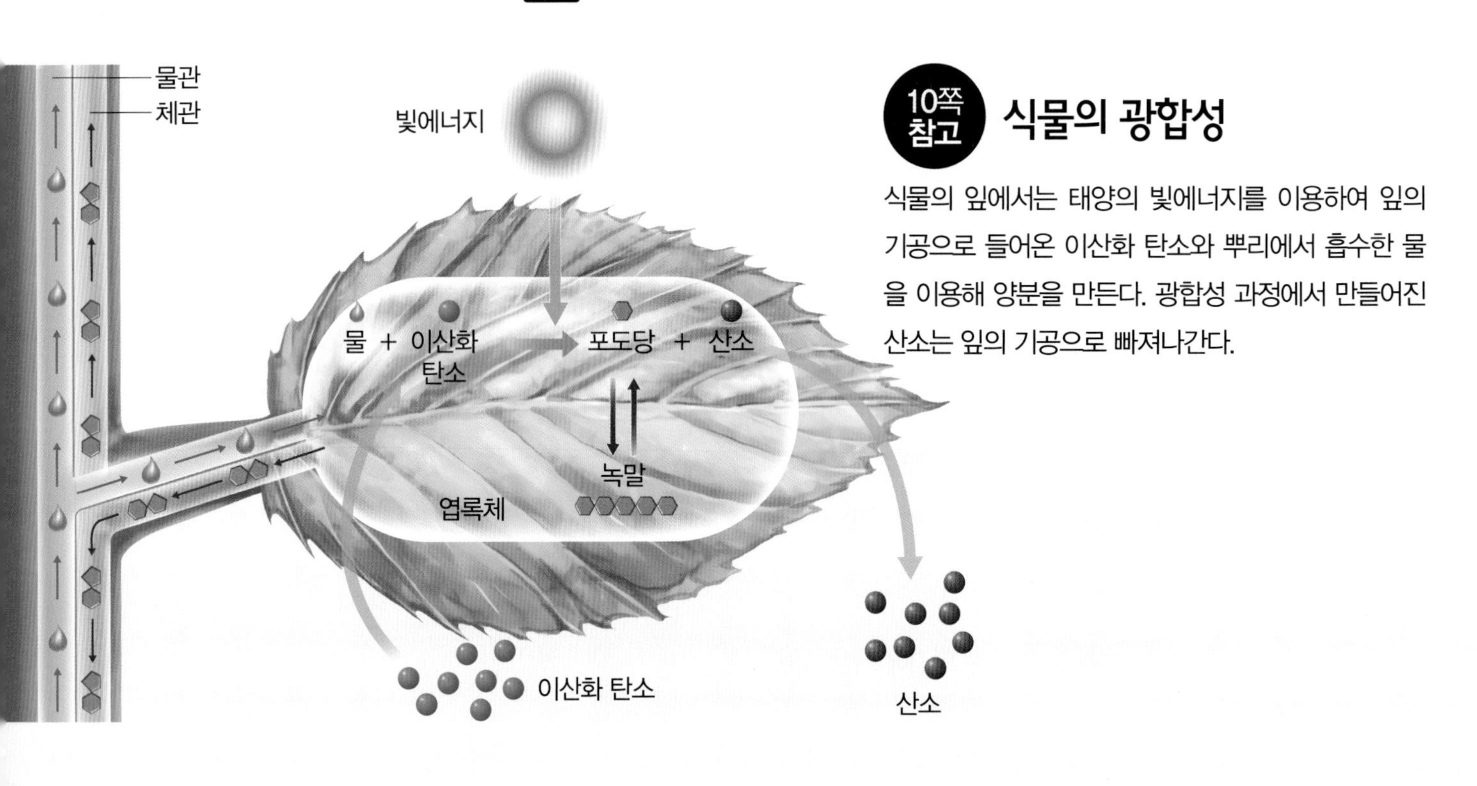

10쪽 참고 식물의 광합성

식물의 잎에서는 태양의 빛에너지를 이용하여 잎의 기공으로 들어온 이산화 탄소와 뿌리에서 흡수한 물을 이용해 양분을 만든다. 광합성 과정에서 만들어진 산소는 잎의 기공으로 빠져나간다.

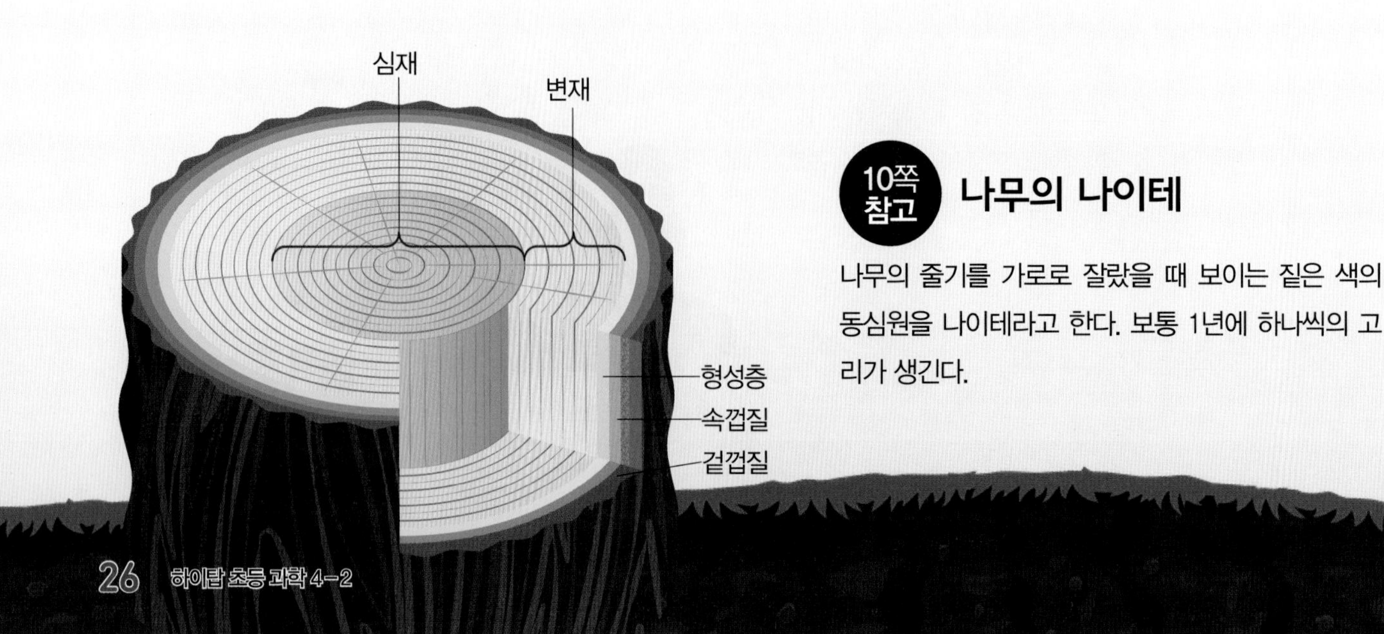

10쪽 참고 나무의 나이테

나무의 줄기를 가로로 잘랐을 때 보이는 짙은 색의 동심원을 나이테라고 한다. 보통 1년에 하나씩의 고리가 생긴다.

잎맥의 모양

식물의 종류에 따라 잎맥의 모양이 다르다.
세로로 긴 잎맥이 연속적으로 있는 모양은 나란히맥이라고 한다.
그물맥은 잎의 중심에 긴 잎맥이 있고, 그 잎맥을 따라 그물 모양의 잎맥이 퍼져 있다.

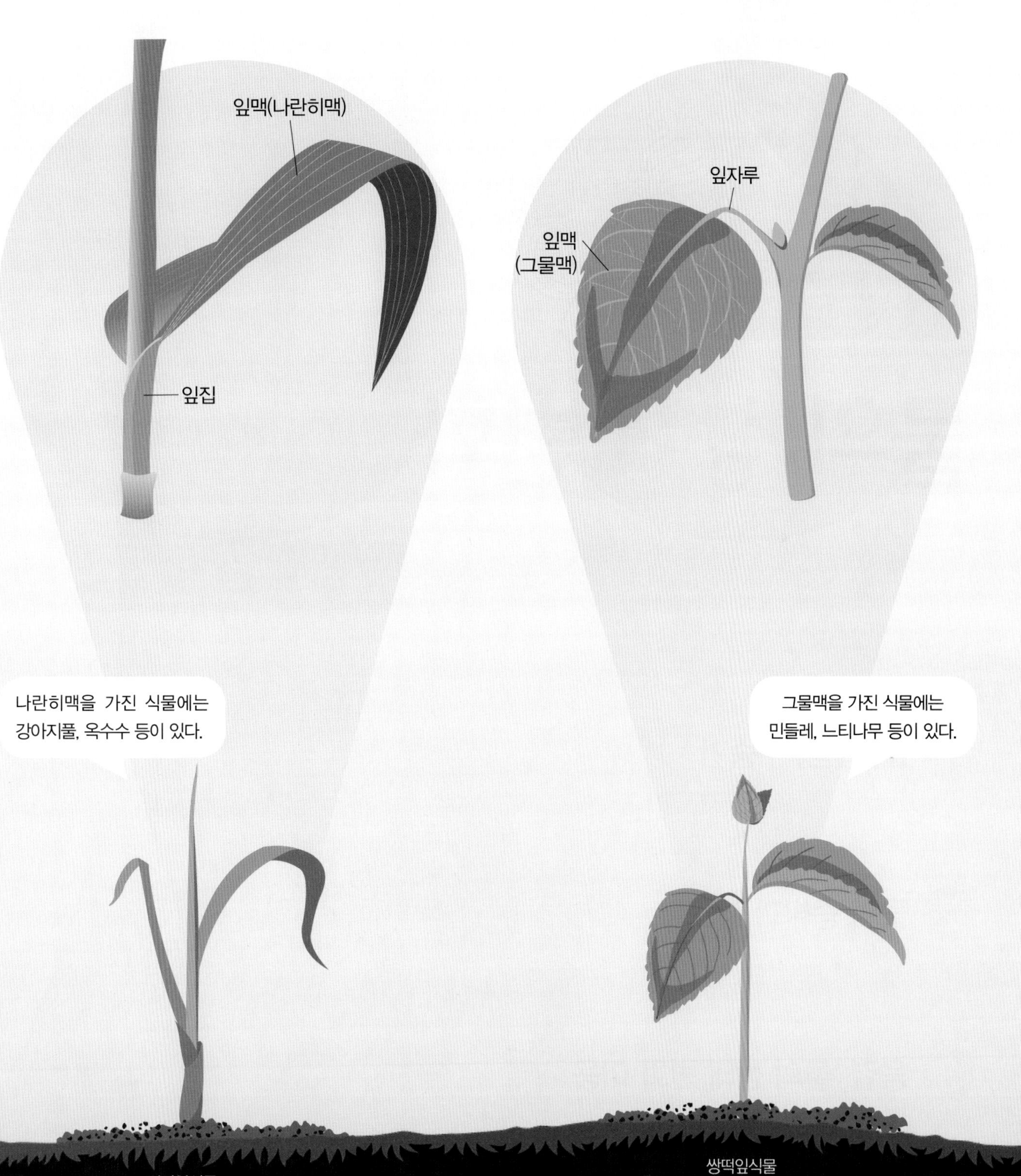

물의 상태 변화

선수 학습

- 3~4학년군
물질의 상태

이 단원의 학습

- 3~4학년군
물의 상태 변화

후속 학습

- 중학교 1~3학년군
물질의 상태 변화

1 물, 얼음, 수증기

만화로 보는
'물과 얼음'

1. 물의 세 가지 상태 물은 고체인 얼음, 액체인 물, 기체인 수증기의 세 가지 상태로 있으며, 서로 다른 상태로 변할 수 있다.

(1) **얼음** 고체인 얼음은 일정한 모양이 있고, 차갑고 단단하다.

(2) **물** 얼음이 녹으면 액체인 물이 된다. 물은 일정한 모양이 없이 흐르고, 담는 그릇에 따라 모양이 변한다.

(3) **수증기** 기체인 수증기는 일정한 모양이 없고 눈에 보이지 않는다.

심화 물질의 상태 변화

물질은 한 가지 상태로만 존재하는 것이 아니라 다른 상태로 변할 수 있다. 이때 물질의 상태가 변하는 현상을 상태 변화라고 한다. 물질의 상태는 온도와 압력에 따라 변하는데, 주로 온도에 따라 변한다.

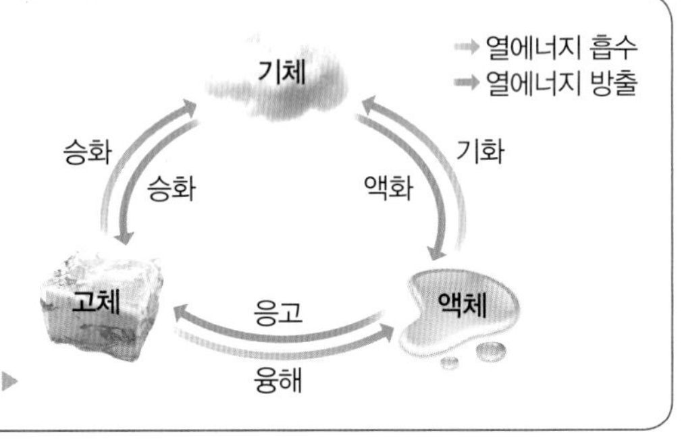

물질의 상태 변화 ▶

상태 변화의 종류
- 융해: 고체에서 액체로 상태가 변하는 현상
- 응고: 액체에서 고체로 상태가 변하는 현상
- 기화: 액체에서 기체로 상태가 변하는 현상
- 액화: 기체에서 액체로 상태가 변하는 현상
- 승화: 고체에서 액체를 거치지 않고 바로 기체로 상태가 변하거나, 기체에서 액체를 거치지 않고 바로 고체로 상태가 변하는 현상

Mini 탐구 얼음과 물 관찰하기

과정

1. 페트리 접시에 얼음과 물을 각각 담고 모양을 관찰한다.
2. 얼음과 물을 손으로 만져 본 후, 얼음을 손바닥에 올려놓고 일어나는 변화를 관찰한다.
3. 손에 묻은 물은 시간이 지나면 어떻게 되는지 관찰한다.

결과

얼음	물
• 모양이 일정하다. • 손으로 만졌을 때 차갑고, 단단하다.	• 일정한 모양이 없고, 흐른다. • 손에 잡히지 않는다.

▶ 페트리 접시에 담긴 얼음을 손바닥에 올려놓으면 얼음이 녹아 물이 된다.

▶ 손에 묻은 물은 시간이 지나면 마르고, 손에서 사라진다.

고드름의 상태 변화

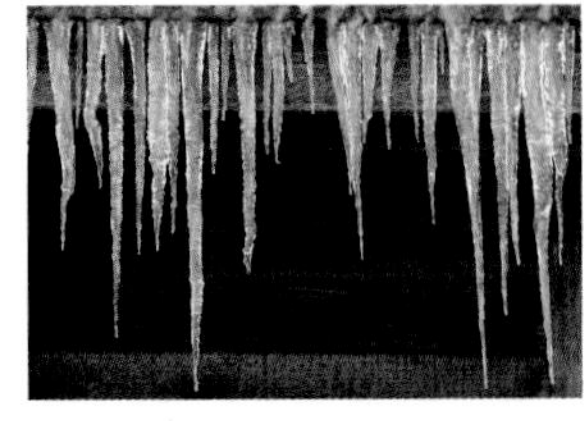

고체 상태의 얼음인 고드름이 햇볕을 받아 녹으면 액체 상태의 물이 되고, 땅에 떨어진 물이 마르면 기체 상태의 수증기가 된다.

2. 물이 얼거나 얼음이 녹을 때 부피와 무게 변화

물이 얼거나 얼음이 녹으면 부피는 변하지만 무게는 변하지 않는다.

(1) 물이 얼 때의 부피와 무게 변화 물이 얼어 얼음이 되면 부피는 늘어나지만 무게는 변하지 않는다. 교과서 속 탐구 32쪽

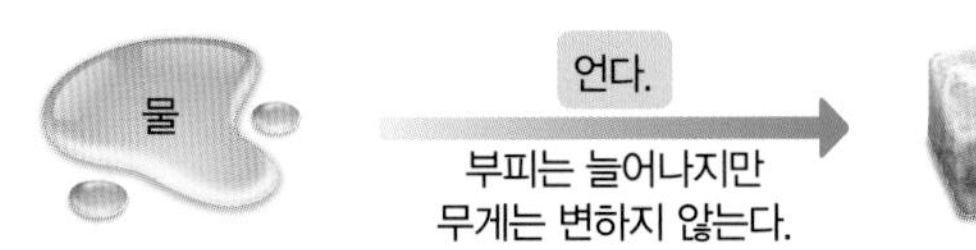

(2) 우리 주변에서 물이 얼어 부피가 늘어나는 예 페트병에 물을 가득 넣어 얼리면 페트병이 커지고, 유리병에 물을 가득 넣어 얼리면 유리병이 깨진다. 한겨울에 수도관에 설치된 •계량기가 터지기도 하는데, 이것은 물이 얼어 부피가 늘어나기 때문에 나타나는 현상이다.

▲ 물을 가득 넣어 얼린 페트병이 커진다.

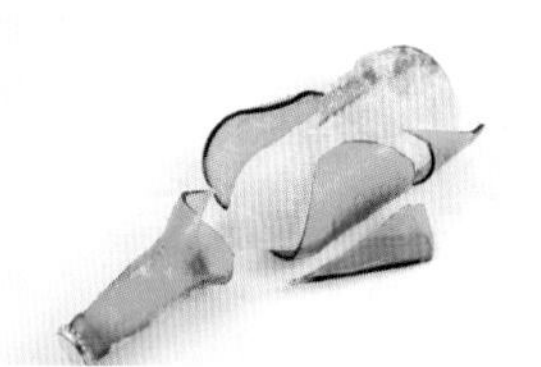
▲ 물을 가득 넣어 얼린 유리병이 깨진다.

▲ 한겨울에 수도관에 설치된 계량기가 터진다.

용어

• **계량기** 수도, 가스, 전력 등의 소비량을 재는 기구.

물과 얼음의 구조와 부피 변화

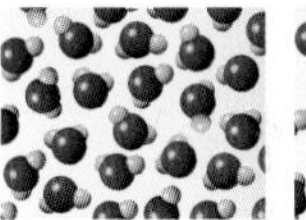
▲ 물

▲ 얼음

물은 일반적인 물질과 다르게 액체 상태보다 고체 상태의 부피가 더 크다. 물의 온도가 0℃보다 낮아지면 물 입자 사이의 거리가 가까워지면서 얼음이 된다. 이때 물 입자들이 육각형 모양의 결정을 이루므로 안에 빈 공간이 생기는데, 이 빈 공간으로 인해 부피가 늘어난다.

보충 플러스⁺ 물이 얼어 부피가 늘어나는 성질을 이용한 조상의 지혜

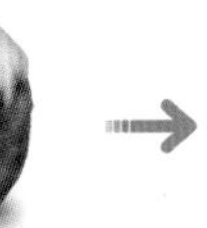
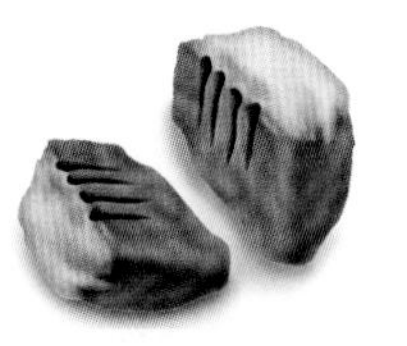

조상들은 겨울철 큰 바위에 구멍을 뚫고 물을 부은 뒤, 물이 얼어 부피가 늘어나면 그 힘을 못 이겨 바위가 갈라지는 것을 이용하여 건축물이나 예술품을 만들었다.

(3) 얼음이 녹을 때의 부피와 무게 변화 얼음이 녹아 물이 되면 부피는 줄어들지만 무게는 변하지 않는다. 이때 줄어든 부피는 물이 얼 때에 늘어난 부피와 같다. 교과서 속 탐구 33쪽

녹는다.
부피는 줄어들지만
무게는 변하지 않는다.

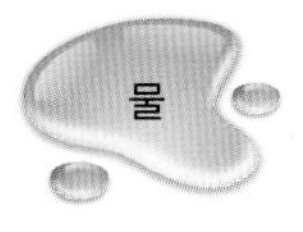

(4) 우리 주변에서 얼음이 녹아 부피가 줄어드는 예 꽁꽁 언 튜브형 얼음과자가 녹으면 튜브 안에 가득 찬 얼음과자의 부피가 줄어든다. 물이 얼어 부푼 페트병을 냉동실에서 꺼내 놓으면 얼음이 녹으면서 부피가 줄어든다.

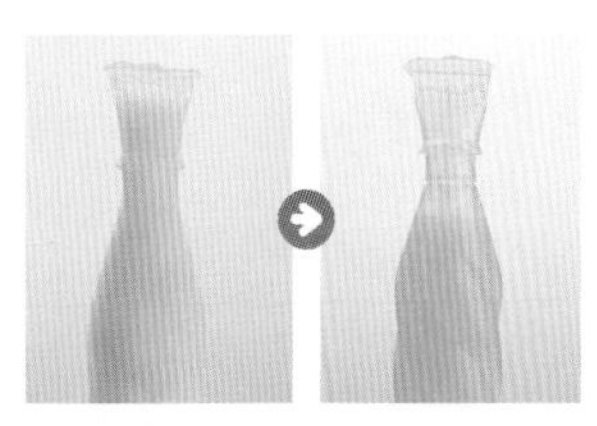
▲ 얼음과자가 녹기 전 ▲ 얼음과자가 녹은 후

물이 얼 때의 부피와 무게 변화 관찰하기

과정

1. 플라스틱 시험관에 물을 반 정도 붓고 마개를 막은 뒤 검은색 유성 펜으로 물의 높이를 표시한다.
2. 전자저울로 플라스틱 시험관의 무게를 측정한다.
3. 잘게 부순 얼음에 소금을 넣고 유리 막대로 잘 섞은 뒤 비커의 가운데에 플라스틱 시험관을 꽂아 물을 얼린다.
4. 물이 완전히 얼면 플라스틱 시험관을 꺼내 물의 높이를 빨간색 유성 펜으로 표시하고, 얼기 전의 부피와 비교한다.
5. 물이 언 플라스틱 시험관의 표면을 화장지로 닦은 뒤 전자저울로 무게를 측정하고, 얼기 전의 무게와 비교한다.

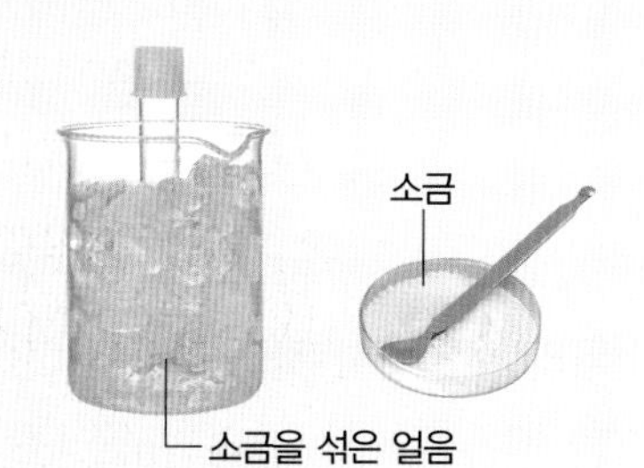

얼음이 녹으면서 열에너지를 흡수하므로 주변의 온도가 낮아지는데, 얼음과 소금을 섞으면 얼음이 녹은 물에 소금이 녹으면서 또 열에너지를 흡수하여 온도를 더 낮출 수 있어.

결과

부피(물의 높이)		무게(g)	
얼기 전	언 후	얼기 전	언 후
물	얼음	 물 13.0 g	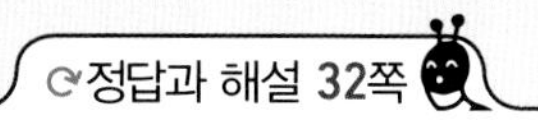 얼음 13.0 g
물이 얼면 부피가 늘어난다.		물이 얼어도 무게는 변하지 않는다.	

알 수 있는 사실 ▶ 물이 얼면 부피는 늘어나지만 무게는 변하지 않는다.

탐구 문제

정답과 해설 32쪽

1 물이 얼 때의 부피 변화를 알아보기 위해 물이 든 플라스틱 시험관에 물의 높이를 표시한 다음 물을 얼렸습니다. 다음 중 플라스틱 시험관 속 물이 완전히 언 후의 모습으로 옳은 것을 골라 ○표 하시오.

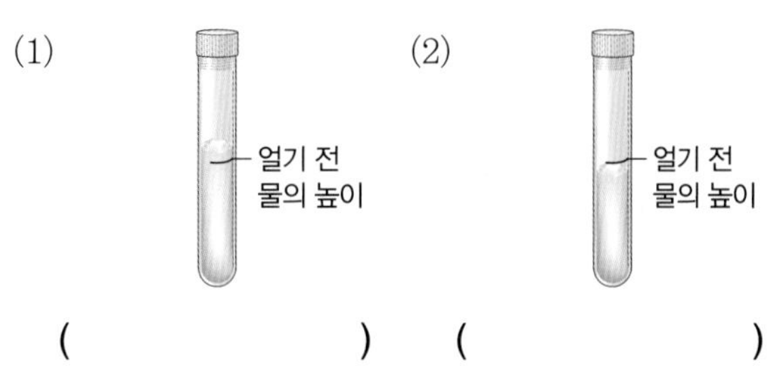

( ) ( )

2 플라스틱 시험관에 물을 넣고 얼기 전과 완전히 언 후의 무게를 각각 측정하였습니다. 물이 얼기 전 측정한 무게가 13.0 g이었다면 물이 완전히 언 후의 무게는 몇 g인지 저울의 □ 안에 알맞은 숫자를 쓰시오.

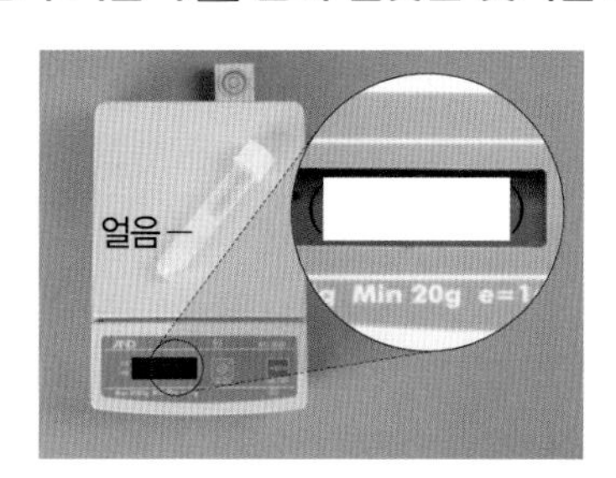

"얼음이 녹을 때의 부피와 무게 변화 관찰하기"

과정

1. 앞에서 물을 얼린 플라스틱 시험관의 부피와 무게를 확인한다.
2. 물이 얼어 있는 플라스틱 시험관을 따뜻한 물이 든 비커에 넣는다. ➡ 헤어드라이어로 따뜻한 바람을 쐬어 녹이는 방법을 이용할 수도 있다.
3. 플라스틱 시험관 안의 얼음이 완전히 녹으면 플라스틱 시험관 안 물의 높이를 파란색 유성 펜으로 표시하고, 녹기 전의 높이(빨간색 유성 펜)와 비교한다.
4. 플라스틱 시험관 표면의 물기를 화장지로 닦은 뒤 무게를 측정하고, 녹기 전의 무게와 비교한다.

결과

부피(물의 높이)		무게(g)	
녹기 전	녹은 후	녹기 전	녹은 후
얼음	물	얼음 13.0 g	물 13.0 g
얼음이 녹으면 부피가 줄어든다.		얼음이 녹아도 무게는 변하지 않는다.	

알 수 있는 사실 ▶ 얼음이 녹으면 부피는 줄어들지만 무게는 변하지 않는다.

정답과 해설 32쪽

1 물이 얼어 있는 플라스틱 시험관을 따뜻한 물이 든 비커에 넣었습니다. 얼음이 완전히 녹은 후에 시험관 속 물의 높이를 관찰한 결과로 옳은 것에 ○표 하시오.

(녹기 전 물의 높이)

(1) 얼음이 녹기 전 물의 높이와 같다. ( )

(2) 얼음이 녹기 전 물의 높이보다 낮아졌다. ( )

(3) 얼음이 녹기 전 물의 높이보다 높아졌다. ( )

2 플라스틱 시험관에 물을 넣고 완전히 얼린 후에 무게를 측정한 뒤, 시험관을 따뜻한 물이 든 비커에 넣어 얼음이 완전히 녹은 후에 다시 무게를 측정하였습니다. 얼음이 녹기 전과 녹은 후의 무게를 비교하여 ○ 안에 >, =, <로 나타내시오.

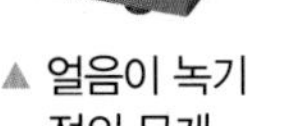
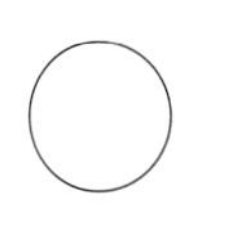

▲ 얼음이 녹기 전의 무게

▲ 얼음이 완전히 녹은 후의 무게

1 다음은 얼음과 물 중 어느 것을 관찰한 결과인지 쓰시오.

▲ 얼음

▲ 물

- 일정한 모양이 없다.
- 손에 잡히지 않고 흐른다.

( )

2 오른쪽과 같이 상온(25℃)에서 얼음을 손바닥에 올려놓았을 때 일어나는 물의 상태 변화를 찾아 기호를 쓰시오.

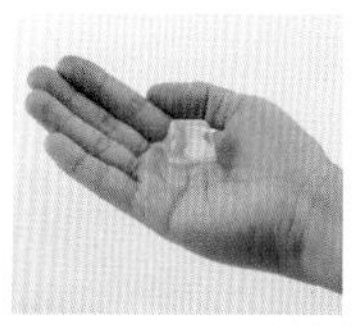

㉠ 고체 → 액체　　㉡ 액체 → 고체
㉢ 기체 → 고체　　㉣ 기체 → 액체

( )

3 다음은 작년 겨울에 민지가 쓴 일기의 일부분입니다. 밑줄 친 부분에 나타난 물의 상태는 고체, 액체, 기체 세 가지 상태 중 어느 것에 해당하는지 각각 쓰시오.

어제는 정말 추웠는데, 오늘 아침에는 햇볕이 따뜻했다. ㉠ 집 앞에 나가보니 벽에 고드름이 길게 생겨 있었다. 그런데 ㉡ 햇볕 때문인지 녹아서 물이 뚝뚝 떨어지고 있었다. 바닥에 떨어진 물이 ㉢ 마르면 눈에 보이지 않겠지?

㉠ ( ), ㉡ ( ), ㉢ ( )

[4~6] 다음 실험 과정을 보고, 물음에 답하시오.

❶ 플라스틱 시험관에 물을 반 정도 붓고 물의 높이를 표시한 다음 무게를 측정한다.
❷ 잘게 부순 얼음에 소금을 넣고 잘 섞은 뒤 ❶의 플라스틱 시험관을 꽂아 물을 얼린다.
❸ 물이 완전히 얼면 플라스틱 시험관을 꺼내 얼음의 높이를 표시한 다음 무게를 측정한다.

4 위 실험을 통해 알아보려고 하는 것을 옳게 말한 사람의 이름을 쓰시오.

- 다정: 얼음이 녹을 때의 무게 변화를 알아보기 위한 실험이야.
- 희연: 물이 수증기가 될 때의 부피 변화를 알아보려고 하는 거야.
- 민석: 물이 얼 때의 무게와 부피 변화를 알아보기 위한 실험이야.

( )

5 위 ❷ 과정에서 잘게 부순 얼음에 소금을 섞는 까닭으로 옳은 것에 ○표 하시오.

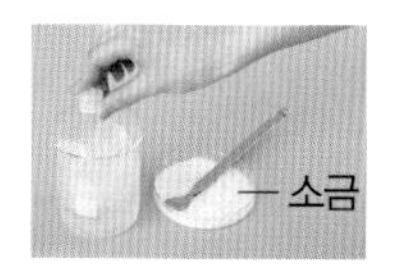

(1) 얼음 때문에 소금도 얼어서 온도가 더 낮아지기 때문이다. ( )
(2) 소금이 녹으면서 열에너지를 흡수하여 온도를 더 낮출 수 있기 때문이다. ( )

6 다음은 위 실험 결과를 정리한 것입니다. ( ) 안에 들어갈 알맞은 말에 ○표 하시오.

물이 얼어 얼음이 되면 무게는 변하지 않고, 부피는 (줄어든다, 변하지 않는다, 늘어난다).

7 다음은 우리 조상들이 겨울철에 물을 이용하여 큰 바위를 쪼개는 원리를 설명한 것입니다. (   ) 안에 들어갈 알맞은 말을 쓰시오.

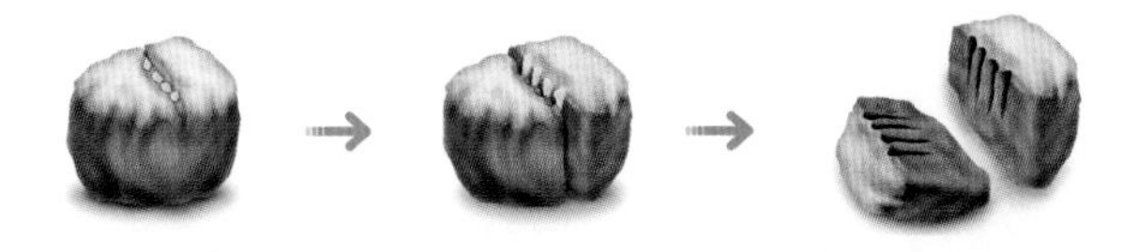

겨울철 큰 바위에 구멍을 뚫고 그 사이에 물을 부으면 추운 날씨로 인해 물이 얼면서 물의 (   )이/가 늘어나 바위가 쪼개진다.

(   )

8 오른쪽과 같이 플라스틱 시험관에 물을 붓고 얼린 후 얼음의 높이를 빨간색으로 표시하였습니다. 얼음이 완전히 녹은 후에 물의 높이를 관찰한 결과로 옳은 것을 **보기**에서 찾아 기호를 쓰시오.

보기

㉠ 녹기 전 얼음의 높이 = 녹은 후 물의 높이
㉡ 녹기 전 얼음의 높이 < 녹은 후 물의 높이
㉢ 녹기 전 얼음의 높이 > 녹은 후 물의 높이

(   )

9 위 8번 답과 같은 결과가 나타나는 까닭으로 옳은 것에 ○표 하시오.

(1) 얼음이 녹아 물이 되면 무게가 줄어들기 때문이다. (   )
(2) 얼음이 녹아 물이 되면 무게가 늘어나기 때문이다. (   )
(3) 얼음이 녹아 물이 되면 부피가 줄어들기 때문이다. (   )
(4) 얼음이 녹아 물이 되면 부피가 늘어나기 때문이다. (   )

10 다음과 같이 플라스틱 시험관에 물을 붓고 얼린 후에 전자저울로 무게를 측정하였더니 13.0 g이었습니다. 얼음이 완전히 녹은 후에 무게를 측정하면 몇 g일지 쓰시오.

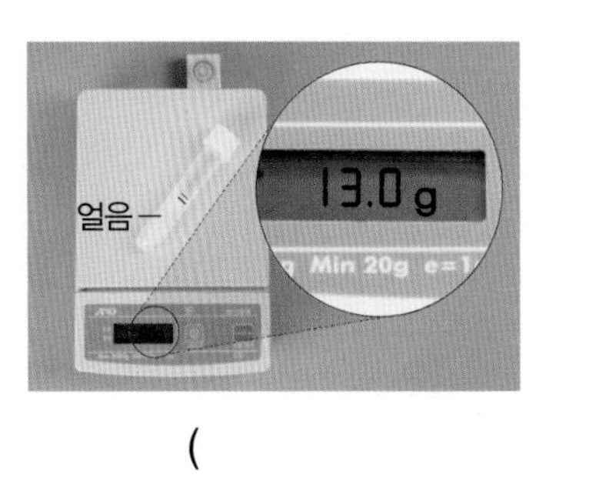

(   )g

11 다음 중 얼음이 녹아 물이 될 때의 변화에 대해 옳게 말한 사람의 이름을 쓰시오.

- 채윤: 얼음 20 g을 모두 녹이면 물 10 g이 돼.
- 성우: 얼음이 녹을 때 늘어난 무게는 물이 얼 때 줄어든 무게와 같아.
- 수빈: 얼음이 녹을 때 줄어든 부피는 물이 얼 때 늘어난 부피와 같아.

(   )

12 다음은 물의 상태 변화로 인해 나타나는 현상입니다. 상태 변화의 종류가 나머지와 다른 하나를 골라 기호를 쓰시오.

㉠ 겨울철 수도 계량기가 터진다.
㉡ 물을 가득 넣어 얼린 유리병이 깨진다.
㉢ 냉동실에 넣어 둔 요구르트병이 볼록해진다.
㉣ 꽁꽁 언 튜브형 얼음과자가 녹아 튜브 안에 빈 공간이 생긴다.

(   )

물의 증발과 끓음

만화로 보는
'증발'

• **염전** 소금을 만들기 위하여 바닷물을 끌어 들여 논처럼 만든 곳.

증발이 잘 일어나는 조건
온도가 높을수록, 바람이 강할수록, 습도가 낮을수록, 액체의 표면적이 넓을수록 증발이 잘 일어난다.

식품 건조기의 원리
식품 건조기는 따뜻해진 공기를 이용해 음식물 안의 수분을 빠르게 증발시키는 기계이다. 건조기의 위나 아래에 부착된 열풍기에서 따뜻한 공기가 나온다. 이 공기가 음식물을 지나갈 때 공기의 열 때문에 음식물 안의 물이 증발하게 된다. 인위적으로 따뜻한 공기를 공급하기 때문에 자연 상태에서 주변의 열을 이용해 물이 증발하는 자연 건조보다 물이 빠르게 증발한다.

1. 물이 증발할 때의 변화

(1) **증발** 액체인 물이 표면에서 기체인 수증기로 상태가 변하는 현상을 증발이라고 한다.

(2) **우리 주변에서 물이 증발하는 예** 과일이나 고추, 오징어 등과 같은 음식 재료를 말리는 것, 젖은 빨래가 마르는 것, •염전에서 소금을 얻는 것 등은 물이 증발하는 예이다.

▲ 햇볕에 고추를 말린다.

▲ 젖은 빨래를 말린다.

▲ 염전에서 소금을 얻는다.

Mini 탐구 식품 건조기에 넣은 사과 조각의 변화 관찰하기

과정

1. 비슷한 크기로 얇게 썬 사과를 손으로 만져 축축한 정도를 확인한 후 사과 조각의 반은 지퍼 백에 넣어 밀봉하고, 나머지 반은 식품 건조기에 넣어 몇 시간 동안 말린다.
2. 지퍼 백에 넣은 사과 조각과 식품 건조기에 넣어 말린 사과 조각의 모양, 크기, 맛 등을 비교하여 관찰한다.

결과 지퍼 백과 식품 건조기의 사과 조각 비교

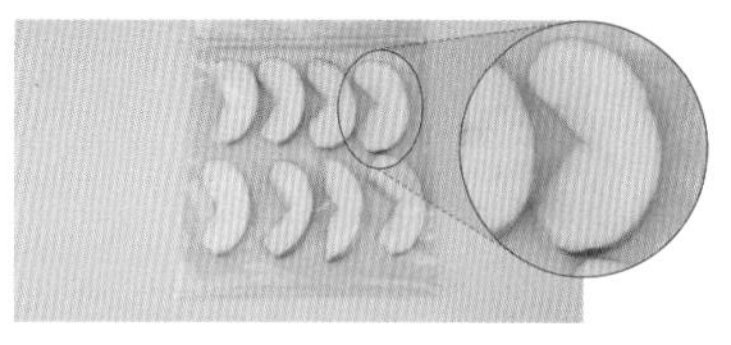
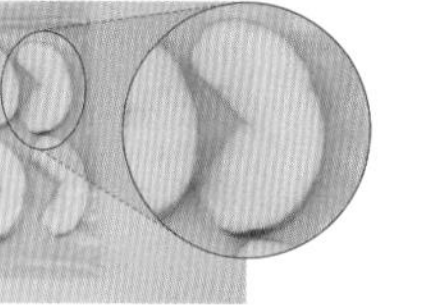
▲ 지퍼 백에 넣은 사과 조각

▲ 식품 건조기에 넣어 말린 사과 조각

구분	식품 건조기에 넣어 말린 사과 조각
모양	지퍼 백에 넣은 사과보다 표면이 쭈글쭈글하다.
크기	지퍼 백에 넣은 사과보다 조각의 크기가 작다.
맛	지퍼 백에 넣은 사과보다 더 단맛이 난다.
감촉	지퍼 백에 넣은 사과보다 건조하다.

▶ 식품 건조기에 넣어 말린 사과 조각이 마르고 크기가 작아진 까닭은 사과 표면에서부터 물이 수증기로 변해 공기 중으로 흩어졌기 때문이다.

2. 물이 끓을 때의 변화

(1) **끓음** 물을 가열하면 액체인 물이 기체인 수증기로 변한다. 처음에는 표면의 물이 천천히 증발하고, 물을 계속 가열하면 물속에서 기포가 생긴다. 이 기포는 물이 수증기로 변한 것이다. 이렇게 물의 표면뿐만 아니라 물속에서도 액체인 물이 기체인 수증기로 상태가 변하는 현상을 끓음이라고 한다.

▲ 물을 계속 가열하면 물의 표면뿐만 아니라 물속에서도 물이 수증기로 상태가 변한다.

(2) **물을 가열하면서 일어나는 변화** 처음에는 물속과 물 표면에 변화가 거의 없다가 매우 작은 기포가 조금씩 생긴다. 물이 끓기 전에 생기는 기포는 물속에 녹아 있던 적은 양의 공기가 공기 방울의 형태로 빠져나가는 것이다. 물을 계속 가열하면 물속에서 기포가 많이 생기는데, 이것은 공기 방울이 아니라 물이 수증기로 변한 것이다. 물이 끓기 전보다 물이 끓은 후 물의 높이가 낮아진다. 이것은 물이 수증기로 상태가 변해 공기 중으로 흩어졌기 때문이다. 교과서 속 탐구 38쪽

3. 증발과 끓음 비교하기

증발과 끓음은 모두 액체인 물이 기체인 수증기로 상태가 변하는 현상이다. 증발은 물 표면에서 물이 수증기로 상태가 변하지만, 끓음은 물 표면뿐만 아니라 물속에서도 물이 수증기로 상태가 변한다. 그리고 물이 끓을 때는 증발할 때보다 물의 양이 빠르게 줄어든다.

▲ 증발 ▲ 끓음

심화 액체가 기체로 상태가 변하는 현상(기화)

기화란 액체 상태인 물질이 기체 상태인 물질로 변하는 현상으로, 주로 증발하거나 끓을 때 기화 현상이 나타난다. 액체에서 기체로 상태가 변하면서 입자의 운동이 활발해져 입자가 공기 중으로 흩어지는데, 이러한 현상이 일어나는 까닭은 열에너지의 흡수 때문이다. 물이 열에너지를 흡수해 기체인 수증기로 상태가 변하는 것이다.

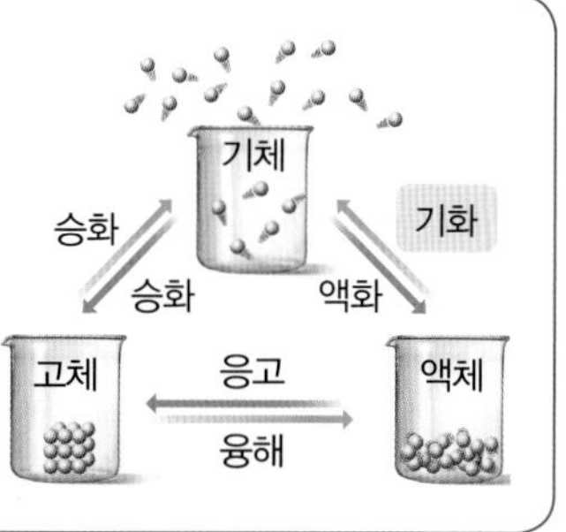

수증기와 김

물이 끓으면 기체 상태인 수증기가 되는데, 수증기는 우리 눈에 보이지 않는다. 하지만 수증기가 공기 중에서 냉각되면 일부가 작은 물방울로 액화한다. 이것이 우리 눈에 하얗게 보이는 김이다.

용어

- **기포** 액체나 고체 속에 기체가 들어가 거품처럼 둥그렇게 부풀어 있는 것.
- **냉각** 식어서 차게 되는 것.

물을 가열하면서 일어나는 변화 관찰하기

과정

1. 비커에 물을 반 정도 붓고, 유성 펜으로 물의 높이를 표시한다.
2. 물을 가열하면서 물이 끓기 전에 나타나는 변화를 관찰한다.
3. 물을 계속 가열하면서 물이 끓을 때 나타나는 변화를 관찰한다.
4. 불을 끄고 물의 높이를 1과 비교한다.

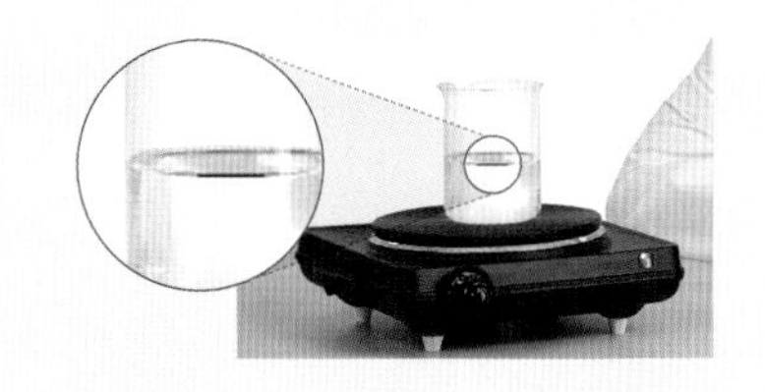

결과

▶ **물이 끓기 전과 물이 끓을 때 나타나는 변화**

▲ 물이 끓기 전

▲ 물이 끓을 때

▲ 물이 끓고 난 후

처음부터 물이 끓기 전	물이 끓을 때
변화가 거의 없다가 시간이 지나면 매우 작은 기포가 조금씩 생긴다.	큰 기포가 연속해서 매우 많이 생기고, 기포가 올라와 터지면서 물 표면이 울퉁불퉁해진다.

▶ **물의 높이 변화**

- 물의 높이 변화: 물이 끓은 후 물의 높이가 물이 끓기 전보다 낮아졌다.
- 물의 높이가 낮아진 까닭: 물이 수증기로 상태가 변해 공기 중으로 퍼져 나갔기 때문이다.

대략 4~5분 이상 물을 끓여야 물의 높이가 낮아진 것을 관찰하기 좋아.

알 수 있는 사실 ▶ 물을 가열하면 처음에는 표면의 물이 천천히 증발하다가 계속 가열하면 물속에서도 기포가 생기는 끓음 현상이 나타난다.

정답과 해설 33쪽

1 비커에 물을 넣고 가열하면서 변화를 관찰하였습니다. 물이 끓을 때의 변화로 옳지 않은 것을 보기에서 골라 기호를 쓰시오.

보기
- ㉠ 물 표면이 울퉁불퉁해진다.
- ㉡ 큰 기포가 많이 생겨 올라와 터진다.
- ㉢ 물 표면이 잔잔하고 거의 변화가 없다.

( )

2 오른쪽과 같이 비커에 물을 넣고 물의 높이를 표시한 다음 가열하였습니다. 물이 끓고 난 후 관찰한 물의 높이로 알맞은 것은 어느 것인지 기호를 쓰시오.

㉠ 끓기 전 물의 높이 / ㉡ 끓기 전 물의 높이 / ㉢ 끓기 전 물의 높이

( )

확인 문제

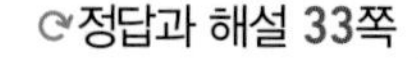
정답과 해설 33쪽

1 다음 (   ) 안에 들어갈 알맞은 말을 각각 쓰시오.

> 액체인 물이 표면에서 기체인 (㉠)(으)로 상태가 변하는 현상을 (㉡)(이)라고 한다.

㉠ (   ), ㉡ (   )

[2~3] 오른쪽과 같이 얇게 썬 사과를 식품 건조기에 넣어 몇 시간 동안 말렸습니다. 물음에 답하시오.

2 위 식품 건조기에 넣어 말린 후 사과 조각의 변화로 옳은 것에 ○표 하시오.

(1) 식품 건조기에 넣기 전보다 단맛이 줄어든다. (   )

(2) 식품 건조기에 넣기 전보다 표면이 쭈글쭈글해진다. (   )

(3) 식품 건조기에 넣기 전보다 사과 조각의 크기가 커진다. (   )

3 다음 중 위 사과 조각에 들어 있던 물의 상태 변화와 관련된 현상을 두 가지 찾아 기호를 쓰시오.

㉠ 
▲ 젖은 빨래가 마른다.

㉡ 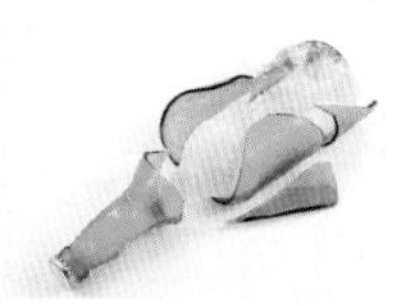
▲ 물을 가득 넣어 얼린 유리병이 깨진다.

㉢ 
▲ 염전에서 소금을 얻는다.

㉣ 
▲ 겨울철 수도 계량기가 깨진다.

(   )

4 다음 중 증발과 끓음의 공통점에 대해 옳게 말한 사람의 이름을 쓰시오.

> • 예은: 물이 표면에서만 수증기로 변해.
> • 성훈: 물의 양이 매우 빠르게 줄어들어.
> • 준기: 액체인 물이 기체인 수증기로 상태가 변하는 현상이야.

(   )

5 오른쪽은 주전자의 물이 끓고 있는 모습입니다. ㉠과 ㉡은 수증기와 김 중 무엇에 해당하는지 각각 쓰시오.

㉠ (   ), ㉡ (   )

6 다음은 물의 상태 변화를 나타낸 것입니다.

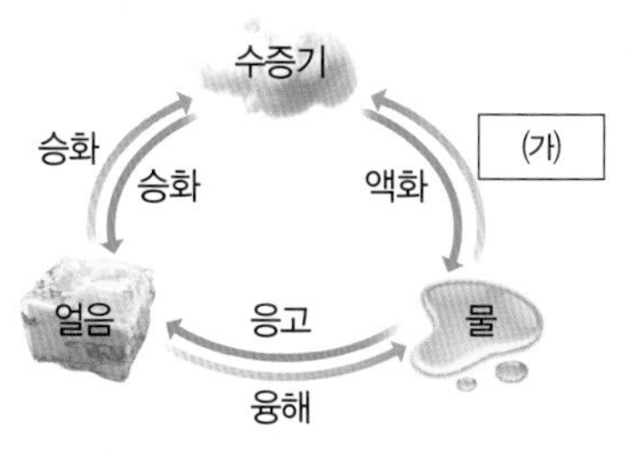

위 (가) 과정에 해당하는 상태 변화의 예가 아닌 것을 보기에서 골라 기호를 쓰시오.

보기

> ㉠ 오래 보관하기 위해 오징어를 말린다.
> ㉡ 물을 계속 끓였더니 물의 양이 줄어든다.
> ㉢ 빙판 위에서 스케이트를 탈 때 스케이트 날이 지나간 부분의 얼음이 녹는다.

(   )

3 응결, 물의 상태 변화 이용

만화로 보는
'응결'

1. 수증기가 응결하는 현상

(1) **응결** 차가운 컵 표면에 생긴 물방울은 공기 중에 있던 수증기가 변한 것이다. 이렇게 기체인 수증기가 액체인 물로 상태가 변하는 것을 응결이라고 한다. 교과서 속 탐구 42쪽

(2) **우리 생활에서 물의 응결과 관련된 예**

① 추운 겨울 유리창 안쪽에 맺힌 물방울은 공기 중의 수증기가 차가운 유리창에 닿아 응결해 물로 변한 것이다.

② 가열한 냄비 뚜껑 안쪽에 맺힌 물방울은 냄비 안의 물이 끓어 수증기로 변했다가 차가운 냄비 뚜껑에 닿아 응결해 다시 물로 변한 것이다.

③ 맑은 날 아침 거미줄에 맺힌 물방울은 공기 중의 수증기가 차가운 거미줄에 닿아 응결해 물로 변한 것이다. – 이러한 기상 현상을 이슬이라고 한다.

④ 겨울철에 따뜻한 실내로 들어오면 차가운 안경알 표면에 작은 물방울이 맺히는 것도 응결의 예이다.

▲ 추운 겨울 유리창 안쪽에 물방울이 맺힌다.

▲ 물이 끓고 있는 냄비 뚜껑 안쪽에 물방울이 맺힌다.

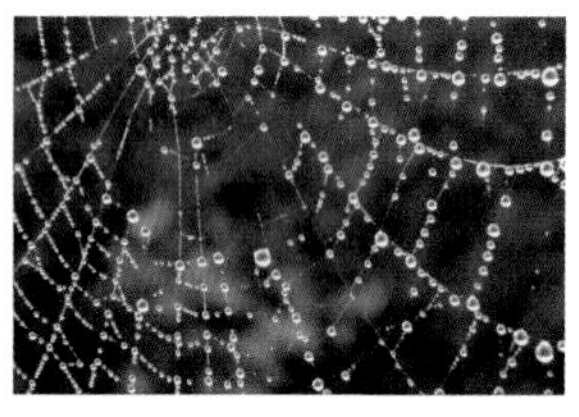
▲ 맑은 날 아침 거미줄에 물방울이 맺힌다.

응결과 액화

응결이란 차가운 컵 표면에 물방울이 생기는 것과 같이 공기 중의 수증기(기체)가 온도가 내려가 물(액체)로 상태가 변하는 현상을 말한다. 액화는 기체 상태의 물질이 액체 상태로 변하는 현상으로, 물을 포함한 모든 물질의 상태 변화를 설명할 때 사용한다. 즉, 응결은 액화의 한 종류이다.

액화 →

보충 플러스 수증기의 응결로 인한 기상 현상

안개, 이슬, 구름은 수증기의 응결로 인해 나타나는 기상 현상이다. 따뜻한 공기가 차가운 공기를 만나면 수증기가 응결해 작은 물방울 상태로 공기 중에 떠 있게 되는데, 이것이 안개이다. 따뜻한 공기가 차가운 물체를 만나면 물체의 표면에 물방울이 맺히는데, 이것이 이슬이다. 구름은 공기 중의 수증기가 높은 하늘에서 응결해 생긴 것이다.

▲ 안개

▲ 이슬

▲ 구름

• **기상** 지구의 대기 중에서 일어나는 바람, 구름, 비, 눈, 더위, 추위 등의 물리적인 현상.

2. 물의 상태 변화를 이용한 예

물은 고체인 얼음, 액체인 물, 기체인 수증기의 세 가지 중 하나의 상태로 있으며, 서로 다른 상태로 변할 수 있다. 이러한 물의 상태 변화를 우리 생활에서 다양하게 이용한다.

(1) **물이 얼음으로 상태가 변화된 예** 물을 얼려 얼음과자를 만들고, 겨울철 스키장에서 인공 눈을 만든다. 얼음과 얼음 사이에 물을 뿌리면 얼어붙는 현상을 이용해 얼음 작품을 만든다.

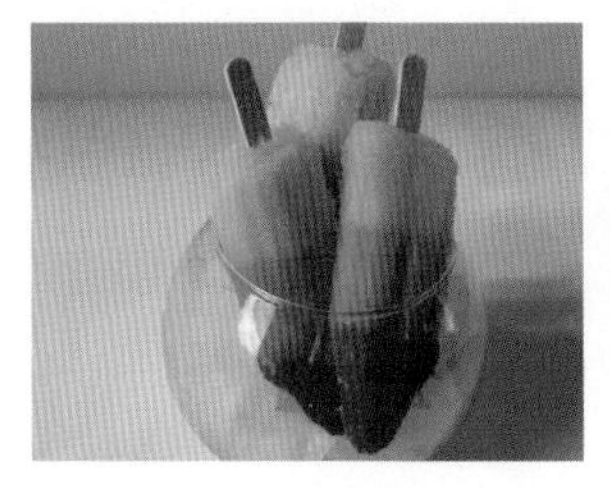
▲ 얼음과자를 만든다.

▲ 인공 눈을 만든다.

▲ 얼음 작품을 만든다.

(2) **물이 수증기로 상태가 변화된 예** 집이 건조할 때 가습기를 이용해 물을 수증기로 변화시킨다. 스팀다리미를 이용해 옷의 주름을 펴고, 스팀 청소기로 바닥을 닦는다. 물이 수증기로 변하는 것을 이용해 음식을 찌기도 한다.

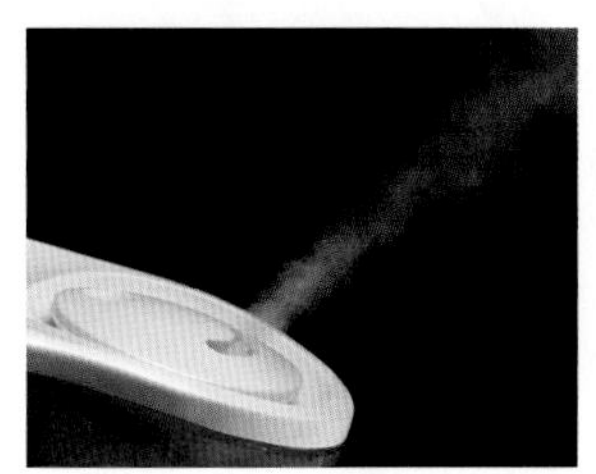
▲ 가습기를 이용한다.

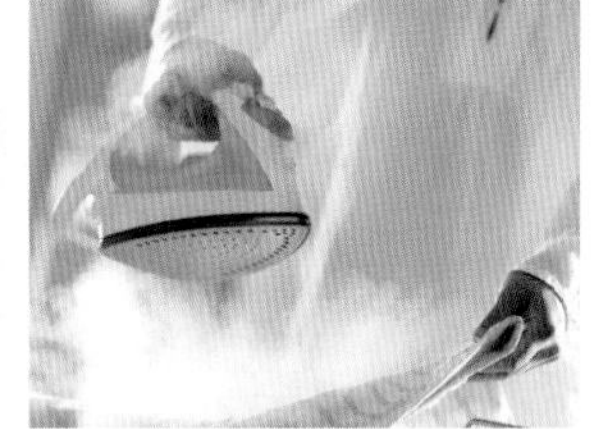
▲ 스팀다리미로 다림질한다.

▲ 수증기로 음식을 찐다.

(3) **물의 상태 변화를 이용해 가습기 만들기** 가습기는 집 안이 건조할 때 물을 수증기로 바꿔 공기 중 수증기의 양을 늘리는 도구이다. 솔방울, 숯, 물이끼 등과 같이 증발이 잘 일어나고 쉽게 구할 수 있는 재료로 천연 가습기를 만들 수 있다.

▲ 솔방울 가습기

심화 냉장고의 원리

냉장고는 증발기와 응축기(액화기)로 구성되어 있다. 증발기에서는 액체 냉매가 기체로 변하면서 열에너지를 흡수하기 때문에 냉장고 안의 온도가 낮아진다. 증발기에서 나온 기체 냉매는 응축기로 들어가서 액체로 변하는데, 이때 열에너지를 방출하므로 주변의 온도가 높아진다. 따라서 증발기가 있는 냉장고 내부는 차가운 상태를 유지할 수 있고, 응축기가 있는 냉장고 옆 부분이나 뒷부분은 따뜻하다.

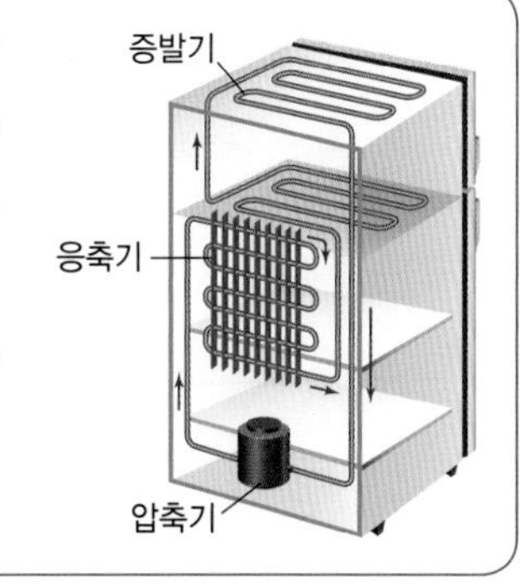

이글루에 숨어 있는 물의 상태 변화

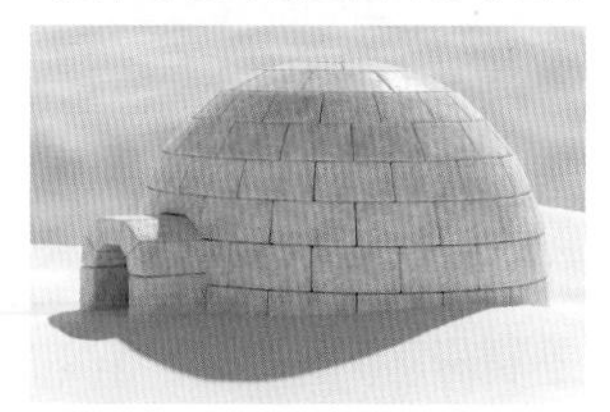

이글루는 그린란드, 캐나다, 알래스카 등 얼음으로 뒤덮인 지역에서 찾아볼 수 있는 집의 형태이다. 추운 지역에 사는 이누이트족은 얼음과 물만 이용해 집을 지으며, 이글루 안쪽 벽에 물을 뿌리면 물이 얼음에 닿아 얼면서 열에너지를 방출하기 때문에 이글루 안이 따뜻해진다.

용어
- **냉매** 에어컨, 냉장고와 같은 장치에 이용하는 물질로, 기화와 액화가 반복적으로 일어나면서 열에너지를 흡수하거나 방출함.
- **방출** 열, 빛, 전파 등의 형태로 에너지를 내보냄.

차가운 컵 표면에서 일어나는 변화 관찰하기

과정

1. 플라스틱 컵에 주스와 얼음을 넣고 뚜껑을 덮은 후 은박 접시에 올려놓고 전자저울로 무게를 측정한다.
2. 시간이 지남에 따라 플라스틱 컵 표면에서 일어나는 변화를 관찰한다.
3. 시간이 지난 뒤에 은박 접시에 올려진 컵의 무게를 측정하고 1의 결과와 비교한다.

결과

▶ **주스와 얼음을 넣은 플라스틱 컵 표면에서 일어나는 변화**

▲ 플라스틱 컵 표면에 작은 물방울이 맺힌다.

▲ 물방울이 흘러 은박 접시에 물이 고인다.

▶ **주스와 얼음을 넣은 플라스틱 컵의 무게 변화 예**

처음 무게를 정확하게 측정하려면 물방울이 컵 표면에 맺히기 전에 빨리 무게를 측정하거나 무게를 측정하기 직전에 컵 표면의 물기를 닦아 내는 것이 좋다.

처음 무게(g)	나중 무게(g)
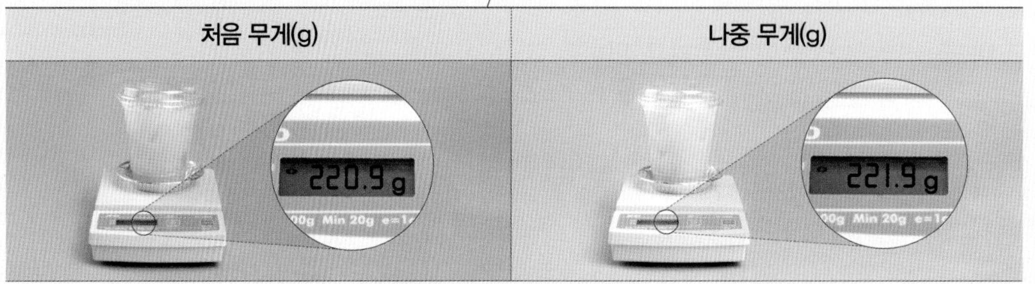	

처음 무게(예 220.9 g)보다 나중 무게(예 221.9 g)가 더 무겁다.

알 수 있는 사실 ▶ 처음 무게보다 나중 무게가 무거워진 까닭은 공기 중의 수증기가 차가운 컵 표면에서 응결하여 물방울로 맺혔기 때문이다.

정답과 해설 34쪽

1 다음은 오른쪽과 같이 플라스틱 컵에 주스와 얼음을 넣고 뚜껑을 덮은 후 변화를 관찰한 결과입니다. (   ) 안에 들어갈 알맞은 말을 쓰시오.

> 주스와 얼음을 넣은 플라스틱 컵 표면에 작은 물방울이 맺힌다. 이것은 공기 중의 (   ) 이/가 응결한 것이다.

(   )

2 앞의 1번 실험에서 주스와 얼음을 넣은 플라스틱 컵의 무게를 측정하였을 때 처음 무게와 시간이 지난 뒤의 무게를 비교하여 ○ 안에 >, =, <를 쓰시오.

▲ 처음 무게

▲ 나중 무게

확인 문제

정답과 해설 34쪽

[1~2] 다음 실험 과정을 보고, 물음에 답하시오.

❶ 플라스틱 컵에 주스와 얼음을 넣고 뚜껑을 덮은 후, 은박 접시에 올려놓고 무게를 측정한다.
❷ ❶의 플라스틱 컵 표면에서 일어나는 변화를 관찰한다.
❸ 시간이 지난 뒤에 무게를 다시 측정한다.

1 위 ❷ 과정에서 플라스틱 컵 표면에서 일어나는 변화를 관찰한 결과로 옳지 않은 것의 기호를 쓰시오.

㉠ 플라스틱 컵 표면에 물방울이 맺힌다.
㉡ 컵 표면의 물방울이 커져 아래로 흐른다.
㉢ 플라스틱 컵 안에 있던 얼음이 녹아 컵 표면으로 새어 나온다.

( )

2 다음 세 사람의 대화를 읽고, 위 실험에 대해 옳게 말한 사람의 이름을 쓰시오.

- 현이: ❶에서 측정한 무게보다 ❸에서 측정한 무게가 더 무거워.
- 진수: 무게가 무거워진 까닭은 얼음이 녹아서 주스의 양이 더 많아졌기 때문이야.
- 나윤: 아니야. 주스가 증발하기 때문에 무게가 더 가벼워져.

( )

3 다음에서 설명하는 기상 현상은 무엇인지 보기에서 찾아 쓰시오.

보기
안개 이슬 구름

맑은 날 아침 풀잎이나 거미줄에 물방울이 맺힌다.

( )

[4~5] 다음은 우리 생활에서 물의 상태 변화를 이용하는 예입니다. 물음에 답하시오.

(가)

▲ 얼음 작품을 만든다.

(나)
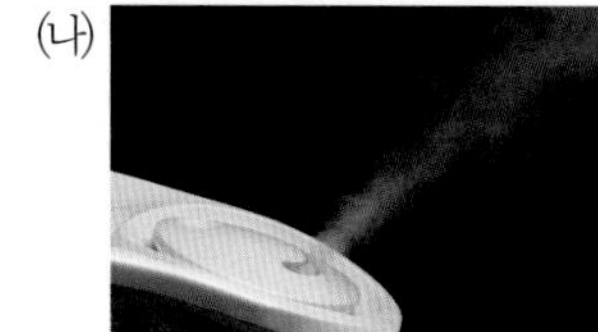
▲ 가습기를 사용한다.

(다)

▲ 인공 눈을 만든다.

(라)

▲ 얼음과자를 만든다.

4 위 (가)~(라) 중 이용하는 상태 변화의 종류가 다른 하나는 어느 것인지 기호를 쓰시오.

( )

5 다음은 위 (가)에서 이용하는 물의 상태 변화를 설명한 것입니다. ( ) 안에 들어갈 알맞은 말을 쓰시오.

얼음 작품을 만들 때 얼음과 얼음 사이에 물을 뿌리면 액체인 물이 고체인 ( )(으)로 상태가 변해 얼음 조각을 붙일 수 있다.

( )

6 다음 중 물이 수증기로 상태가 변하는 현상을 이용한 예가 아닌 것을 골라 기호를 쓰시오.

㉠

▲ 음식을 찐다.

㉡

▲ 이글루를 만든다.

㉢
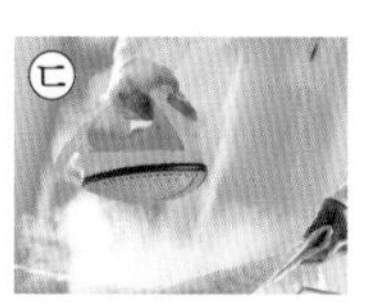
▲ 스팀다리미로 다림질한다.

( )

1 다음은 물의 세 가지 상태를 정리한 표입니다. ㉠과 ㉡에 들어갈 알맞은 말을 각각 쓰시오.

(㉠) 상태	액체 상태	기체 상태
얼음	물	(㉡)

㉠ (　　　　　　), ㉡ (　　　　　　)

2 다음 물의 상태와 그 특징을 바르게 연결하시오.

(1) 얼음 • 　　• ㉠ 일정한 모양이 없고, 눈에 보이지 않는다.

(2) 물 • 　　• ㉡ 모양이 일정하고, 단단하다.

(3) 수증기 • 　　• ㉢ 일정한 모양이 없이 흐르고, 손에 잡히지 않는다.

3 다음과 같이 물이 가득 든 페트병을 얼리면 페트병이 커지는 까닭은 무엇인지 쓰시오.

4 오른쪽과 같이 유리병에 물을 가득 넣어 얼렸더니 유리병이 깨졌습니다. 이러한 현상이 나타나는 상태 변화 과정을 골라 기호를 쓰시오.

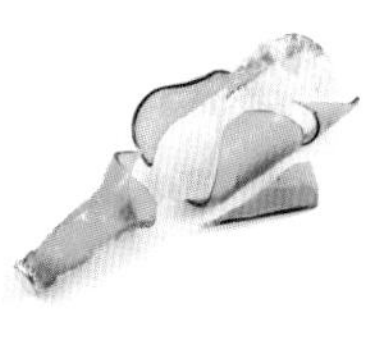

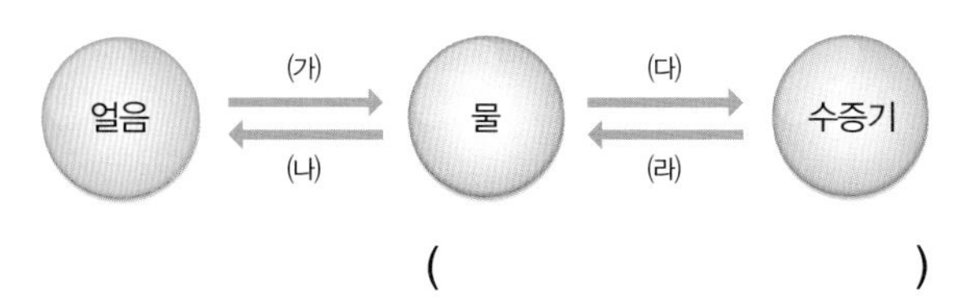

(　　　　　　)

[5~6] 다음 실험 과정을 보고, 물음에 답하시오.

❶ 플라스틱 시험관에 물을 넣어 완전히 얼린 후 물기둥의 높이를 빨간색 유성 펜으로 표시하고, 무게를 측정한다.

❷ ❶의 플라스틱 시험관을 따뜻한 물이 든 비커에 넣는다.

❸ 얼음이 완전히 녹으면 플라스틱 시험관 안 물의 높이를 파란색 유성 펜으로 표시하고, 녹기 전의 높이와 비교한다.

❹ 플라스틱 시험관 표면의 물기를 화장지로 닦은 뒤 무게를 측정하고, ❶의 무게와 비교한다.

5 다음은 위 ❶과 ❹ 과정에서 측정한 플라스틱 시험관의 무게를 정리한 표입니다. 빈칸에 들어갈 알맞은 수를 쓰시오.

구분	❶ 얼음이 녹기 전	❹ 얼음이 완전히 녹은 후
플라스틱 시험관의 무게(g)	162.0	

6 앞 실험 ❶과 ❸ 과정에서 표시한 물기둥의 높이가 다음과 같을 때, 물기둥 높이의 차는 무엇을 의미하는지 골라 기호를 쓰시오.

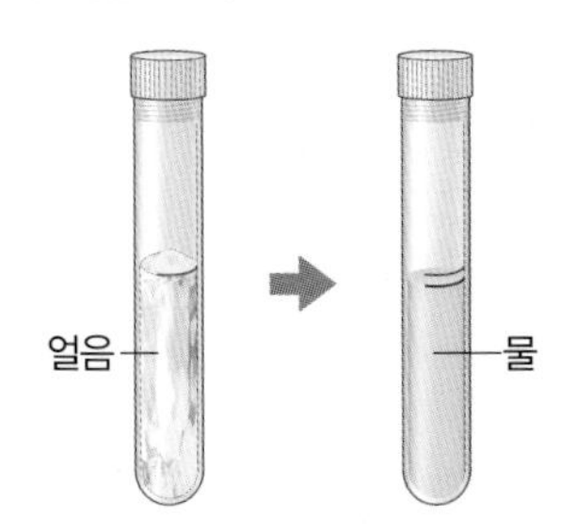

㉠ 물이 얼 때 줄어든 부피
㉡ 얼음이 녹을 때 늘어난 부피
㉢ 얼음이 녹을 때 줄어든 부피

( )

7 다음 중 비에 젖은 길이 시간이 지나면서 마르는 것처럼 액체인 물이 표면에서 기체인 수증기로 상태가 변하는 현상은 무엇입니까? ( )

① 증발
② 응결
③ 끓음
④ 냉각
⑤ 액화

8 다음 중 젖은 빨래가 잘 마르는 조건을 잘못 설명한 사람의 이름을 쓰시오.

- 윤아: 바람이 강하게 불면 빨래가 잘 말라.
- 가은: 날씨가 더우면 빨래가 더 잘 마를 거야.
- 호철: 젖은 빨래를 뭉쳐 두면 더 빨리 말릴 수 있어.
- 성욱: 공기 중에 수증기가 적어야 빨래에 있는 물이 잘 마르는 거야.

( )

9 다음과 같이 사과 조각을 식품 건조기에 넣어 말렸더니 사과 조각의 크기가 작아졌습니다. 그 까닭은 무엇인지 쓰시오.

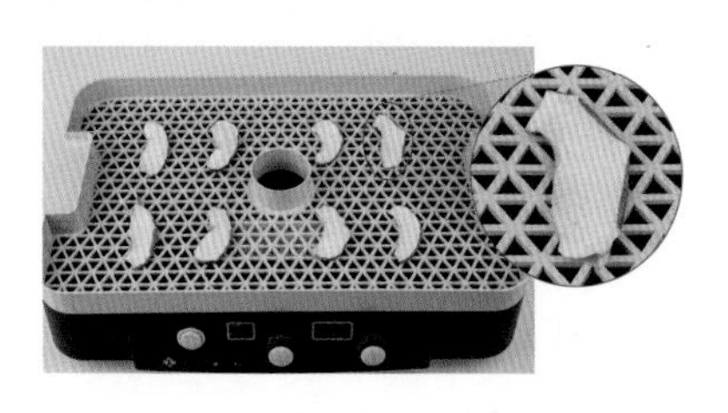

10 같은 크기의 비커 두 개에 각각 같은 양의 물을 부은 뒤 은별이는 햇볕이 잘 드는 곳에 비커를 두고, 진우는 알코올램프로 비커를 가열하였습니다. 물음에 답하시오.

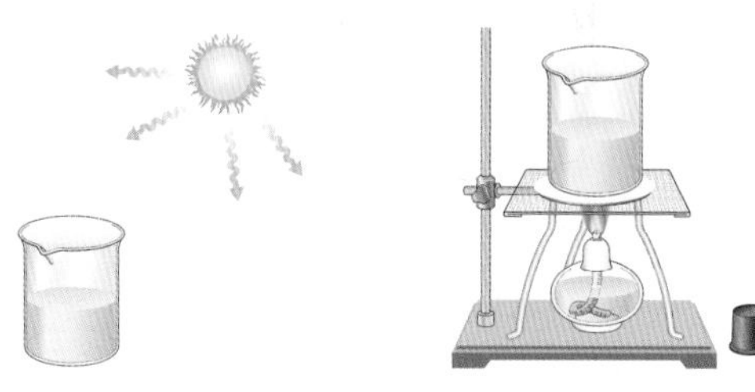
▲ 은별이의 비커 ▲ 진우의 비커

(1) 5분 후 물의 높이가 더 낮은 비커는 누구의 것인지 이름을 쓰시오.

( )

(2) (1)의 답과 같은 결과가 나타난 까닭은 무엇인지 ( ) 안에 들어갈 물의 상태 변화를 나타내는 말을 쓰시오.

증발보다 ( )이/가 물의 양이 빠르게 줄어들기 때문이다.

( )

11 크기가 같은 비커 세 개에 같은 양의 물을 넣고 비커의 무게를 측정한 후 다음과 같이 각각 다른 조건에서 실험하였습니다. 처음 무게와 나중 무게가 같은 비커는 어느 것인지 기호를 쓰시오.

(가) 물이 든 비커를 냉동실에 넣어 완전히 얼린 후 무게를 측정한다.
(나) 물이 든 비커를 알코올램프로 5분 동안 가열한 후 무게를 측정한다.
(다) 물이 든 비커를 햇볕이 잘 드는 곳에 3일 동안 놓아 둔 후 무게를 측정한다.

( )

12 오른쪽과 같이 주전자에 물을 넣고 물이 끓을 때까지 가열하였습니다. 다음 보기 중 관찰 결과로 옳지 않은 것을 골라 기호를 쓰시오.

보기
㉠ 하얗게 보이는 김은 기체 상태이다.
㉡ 물속에서 큰 기포가 매우 많이 생긴다.
㉢ 물이 수증기로 변하기 때문에 물의 높이가 낮아진다.

( )

13 다음 중 끓음 현상을 나타낸 그림을 찾아 ○표 하시오.

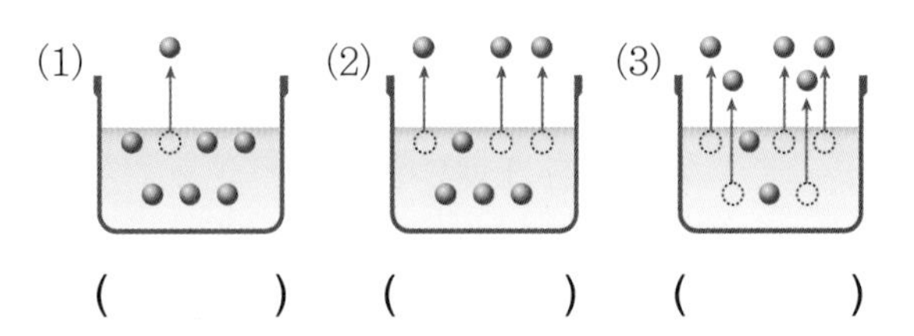

( ) ( ) ( )

14 다음 생활 속에서 볼 수 있는 모습들의 공통점을 물의 상태 변화와 관련지어 쓰시오.

▲ 맑은 날 아침 풀잎에 물방울이 맺힌다.

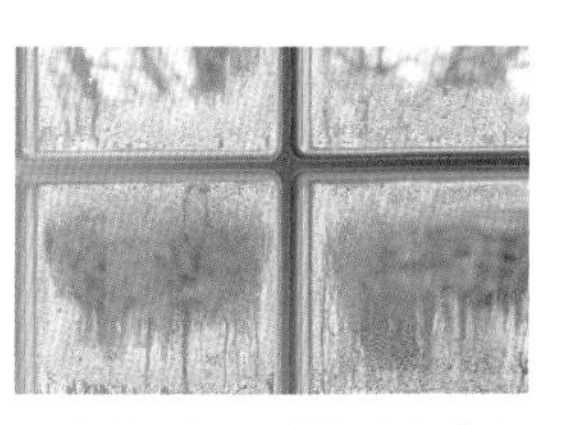
▲ 추운 날 유리창 안쪽에 물방울이 맺힌다.

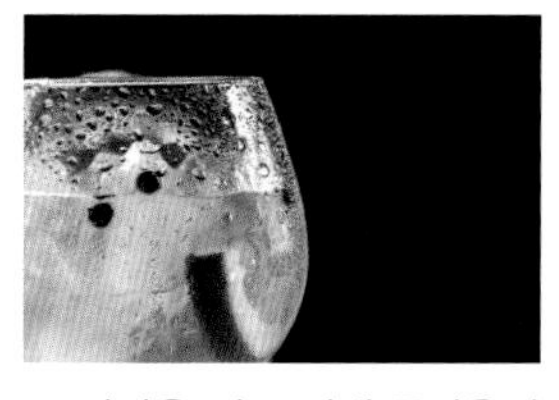
▲ 차가운 컵 표면에 물방울이 맺힌다.

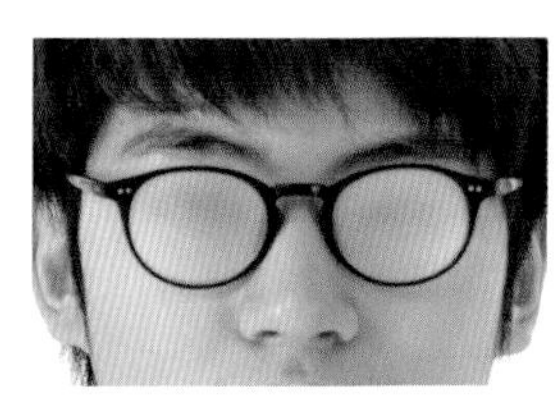
▲ 겨울에 따뜻한 실내로 들어오면 안경알 표면에 물방울이 맺힌다.

____

____

15 다음은 기상 현상 중 안개가 만들어지는 원리를 알아보는 실험입니다. 이 실험과 관계있는 현상을 보기에서 골라 쓰시오.

[실험 과정] 따뜻하게 데운 집기병 위에 얼음을 담은 페트리 접시를 올려놓는다.
[실험 결과] 집기병 안이 뿌옇게 흐려졌다.

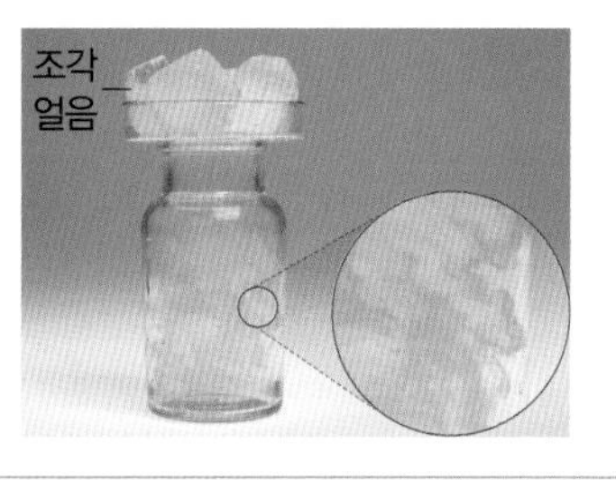

보기
끓음 응결 증발

( )

16 다음 그림과 같은 물의 상태 변화의 예로 옳은 것을 보기에서 찾아 기호를 쓰시오.

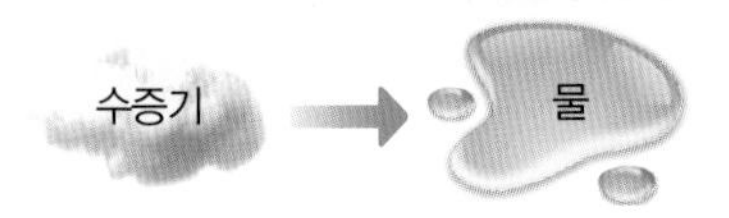

보기
㉠ 가뭄이 들어 논바닥이 갈라진다.
㉡ 겨울철 처마 밑에 고드름이 생긴다.
㉢ 염전에서 바닷물을 가두어 소금을 얻는다.
㉣ 물이 끓고 있는 냄비 뚜껑 안쪽에 물방울이 맺힌다.

( )

[17~19] 다음은 우리 생활에서 물의 상태 변화를 어떻게 이용하는지 조사한 내용입니다. 물음에 답하시오.

연우	희원	채우
물을 얼려 얼음 작품을 만들어요.	수증기를 물로 변화시켜 스팀다리미로 옷의 주름을 펴요.	가습기는 물을 수증기로 변화시켜요.

지안	도윤	현준
물이 수증기로 변하는 것을 이용해 음식을 쪄요.	물을 얼려 스키장에서 인공 눈을 만들어요.	물을 얼려 얼음과자를 만들어요.

17 조사한 내용에 잘못된 부분이 있는 사람은 누구인지 찾아 이름을 쓰시오.

( )

18 앞 17번 답의 잘못된 조사 내용을 바르게 고쳐 쓰시오.

____

____

19 앞의 조사 내용 중 다음과 같은 상태 변화를 이용한 예를 조사한 사람을 모두 찾아 이름을 쓰시오.

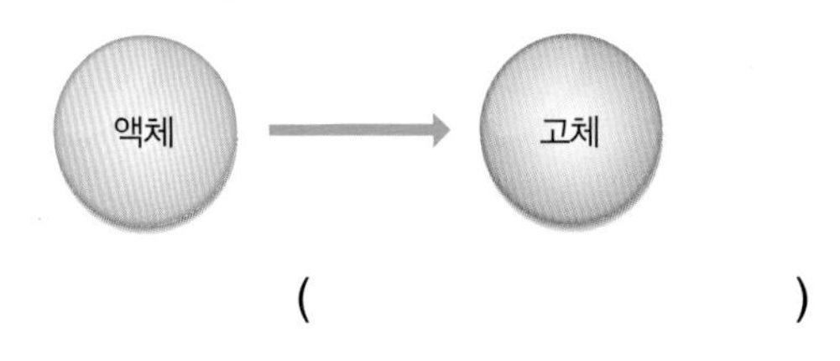

( )

20 다음은 지구 온난화에 대한 기사입니다. 물의 세 가지 상태 중 ( ) 안에 들어갈 알맞은 상태를 각각 쓰시오.

지구는 해마다 조금씩 온도가 높아지는 지구 온난화로 어려움을 겪고 있다. 지구 온난화로 극지방의 (㉠)이/가 녹아 (㉡)(으)로 상태가 변하여 생태계에 큰 변화를 가져오고 있다. 극지방에 사는 펭귄이나 북극곰의 터전이 사라지고, 지대가 낮은 나라들은 바닷물의 높이가 높아져 점점 물에 잠기고 있다.

㉠ ( ), ㉡ ( )

서술형 문제

1 오른쪽은 눈이 온 날에 온천 지역을 찍은 사진입니다. 이 지역에 있는 고체, 액체, 기체 상태의 물에 대해 설명하시오.

(1) 고체 상태의 물: ______________________

____

(2) 액체 상태의 물: ______________________

____

(3) 기체 상태의 물: ______________________

____

2 다음은 얼음이 녹거나 물이 어는 상태 변화를 나타낸 것입니다. ㈎와 ㈏ 과정에서 물의 부피와 무게 변화를 설명하시오.

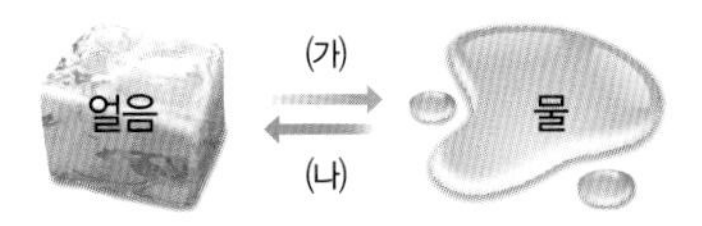

(1) ㈎ 과정에서 물의 부피와 무게 변화

____

____

(2) ㈏ 과정에서 물의 부피와 무게 변화

____

____

3 다음은 어느 식품 회사에서 튜브형 용기에 들어 있는 얼음과자를 출시하기 위해 대화한 내용입니다. 얼음과자 용기 속에 재료를 넣는 양에 대해 옳게 말한 사람의 이름을 쓰고, 그렇게 생각한 까닭을 쓰시오.

- 김과장: 재료를 용기에 가득 채우고 얼려야 사람들이 더 많이 살 것입니다.
- 박대리: 재료를 가득 채우지 않고, 빈 공간을 두고 얼려야 소비자의 불만을 줄일 수 있습니다.

____

____

____

4 다음과 같이 비커에 물을 넣고 물의 높이를 표시한 뒤, 햇볕이 잘 드는 곳에 두었습니다. 3일 정도 지난 뒤 관찰하였을 때 물의 높이는 어떻게 변하는지 쓰고, 그 까닭은 무엇인지 쓰시오.

____

____

정답과 해설 36쪽

5 다음은 주전자의 물이 끓고 있는 모습입니다. 증발과 비교하여 끓음 현상의 특징을 한 가지 쓰시오.

---

6 다음과 같이 얼음물이 들어 있는 컵을 종이 위에 올려놓았더니 잠시 후 컵 주위로 종이가 젖어 있었습니다. 종이가 젖은 까닭을 물의 상태 변화와 관련지어 쓰시오.

---

7 다음은 물의 상태 변화를 나타낸 그림입니다. 우리 생활에서 (가) 과정의 상태 변화를 이용하는 예를 한 가지 쓰시오.

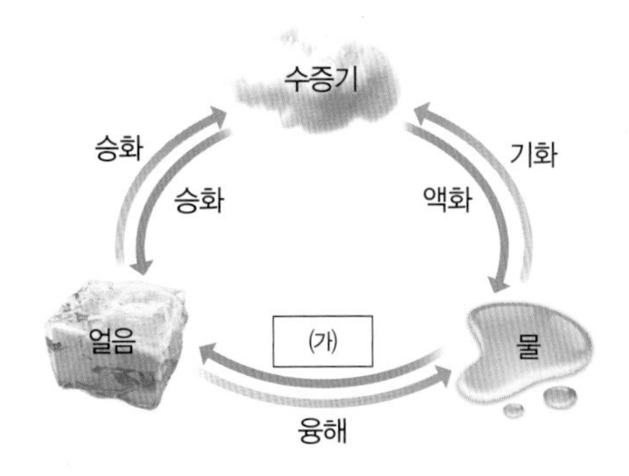

---

8 다음은 소금을 만들기 위하여 바닷물을 끌어 들여 논처럼 만든 곳의 모습입니다. 이곳의 이름을 쓰고, 이곳에서 소금이 만들어지는 원리를 물의 상태 변화와 관련지어 쓰시오.

(1) 이곳의 이름: (   )

(2) 소금이 만들어지는 원리: ____________

단원 핵심 정리

물의 세 가지 상태

얼음	물	수증기
• 고체 상태이다. • 일정한 모양이 있고, 차갑고 단단하다.	• 액체 상태이다. • 일정한 모양이 없이 흐르고, 담는 그릇에 따라 모양이 변한다.	• 기체 상태이다. • 일정한 모양이 없고, 눈에 보이지 않는다.

▶ 물은 고체인 얼음, 액체인 물, 기체인 수증기의 세 가지 상태로 있고, 서로 다른 상태로 변할 수 있다.

물이 얼 때나 얼음이 녹을 때의 부피와 무게 변화

구분	물이 얼 때	얼음이 녹을 때
부피 변화	부피가 늘어난다.	부피가 줄어든다.
무게 변화	변화 없다.	변화 없다.

▶ 물이 얼거나 얼음이 녹으면 부피는 변하지만 무게는 변하지 않는다. 자료 1

물의 증발과 끓음

구분	증발	끓음
공통점	액체인 물이 기체인 수증기로 상태가 변한다.	
차이점	• 물 표면에서 물이 수증기로 상태가 변한다. • 물의 양이 매우 천천히 줄어든다.	• 물 표면과 물속에서 물이 수증기로 상태가 변한다. • 증발할 때보다 물의 양이 빠르게 줄어든다.

▶ 물이 증발하거나 끓으면 수증기로 변해 공기 중으로 흩어진다.

물의 응결

구분	차가운 컵 표면에서 일어나는 변화
컵 표면의 변화	시간이 지나면 차가운 주스가 든 플라스틱 컵 표면에 물방울이 맺힌다.
컵 무게의 변화	처음과 비교해 무게가 늘어난다.

▶ 공기 중의 수증기가 차가운 컵 표면에서 응결하여 물방울로 맺힌다. 자료 2

우리 생활에서 물의 상태가 변하는 예

물이 얼음이 되는 상태 변화의 예	물이 수증기가 되는 상태 변화의 예
• 물을 얼려 붙여 얼음 작품을 만든다. • 스키장에서 물을 얼려 인공 눈을 만든다.	• 스팀다리미로 옷의 주름을 편다. • 물을 끓여 음식을 찐다.

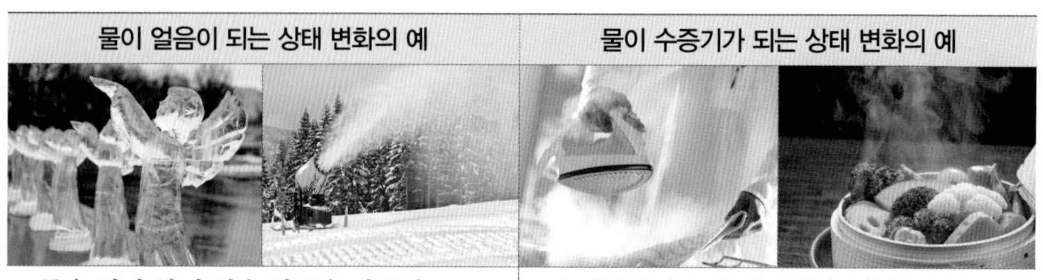

과학 자료

자료 1 얼음이 물 위에 뜨는 까닭

대부분의 물질은 기체 → 액체 → 고체로 상태가 변할수록 부피가 줄어든다. 하지만 물이 얼어 얼음으로 변할 때는 부피가 늘어난다. 그 까닭은 물이 얼면서 물을 이루는 입자들이 육각형 모양으로 배열이 변해 안에 빈 공간이 생기기 때문이다.

그렇다면 같은 부피의 물과 얼음 중 무엇이 더 무거울까? 100 mL의 물과 100 mL 얼음의 무게를 비교하면 물이 얼음보다 더 무겁다. 따라서 더 가벼운 얼음이 물 위에 뜨게 되는 것이다. 겨울에 기온이 0 ℃보다 낮아지면 호수의 물이 얼게 되는데, 얼음이 수면에 뜨기 때문에 물속에 있는 물고기가 얼어 죽지 않고 살 수 있다.

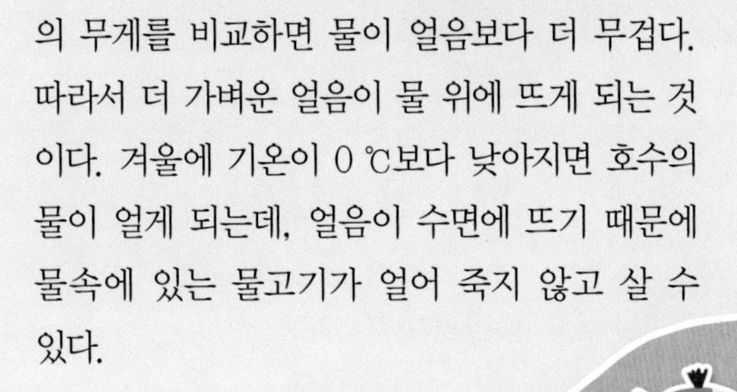

자료 2 우리 생활에서 볼 수 있는 응결

옛날 우리 조상들은 뜨거운 부침개나 전을 소쿠리에 담아 놓았다. 뜨거운 음식을 일반 접시에 담으면 음식의 바닥에 물이 생겨 제맛을 잃게 된다. 이것은 수증기가 응결하기 때문에 생기는 현상이다. 그래서 바닥에 구멍이 숭숭 뚫린 소쿠리에 뜨거운 음식을 담아 수증기가 쉽게 빠져나가도록 한 것이다.

포장용 치킨 박스를 살펴보면 구멍이 뚫려 있다. 이것도 응결과 관련된 것이다. 뜨거운 치킨을 박스에 담아 뚜껑을 덮으면 박스 안쪽 면에서 응결이 일어나 물방울이 치킨에 떨어진다. 그런데 박스에 구멍을 뚫으면 뜨거운 수증기가 구멍을 통해 빠져나가기 때문에 박스 안에서 응결이 일어나는 것을 줄여 바삭한 치킨을 먹을 수 있다.

비주얼 사이언스

30쪽 참고 물의 세 가지 상태

물질은 입자로 이루어져 있으며, 고체 상태의 물, 액체 상태의 물, 기체 상태의 물의 특징이 각각 다른 것은 물질의 상태에 따라 입자 배열이 다르기 때문이다.

36쪽 참고 포화 상태와 불포화 상태

물을 수조로 덮어 두면 증발이 일어나 물이 점점 줄어들다가 어느 정도 시간이 지나면 줄어들지 않는다.

공기가 최대로 포함할 수 있는 양보다 적은 양의 수증기를 포함한 상태를 불포화 상태라고 한다.

어떤 공기가 수증기를 최대로 포함하고 있는 상태를 포화 상태라고 한다.

공기에서 물속으로 들어가는 물 분자

물에서 공기 중으로 나가는 물 분자

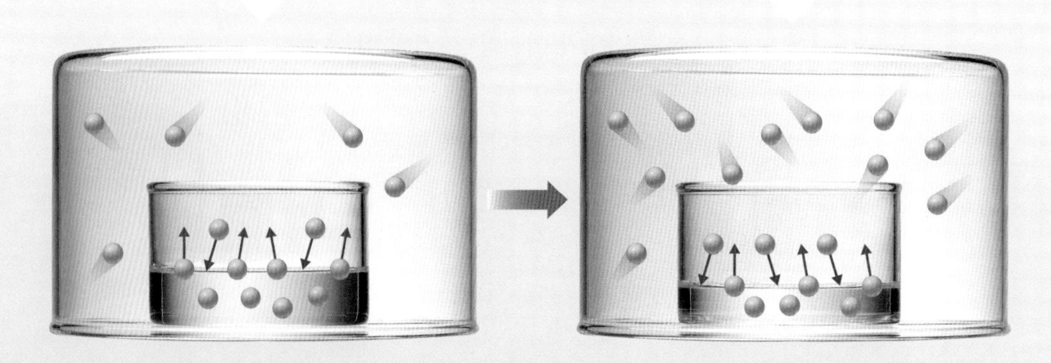

41쪽 참고 에어컨의 원리

에어컨의 증발기에서는 액체 냉매가 기체로 변하면서 실내 공기의 열을 흡수해 온도를 낮춘다. 기체 냉매는 실외기에 설치된 응축기로 들어가 액체로 변하면서 열을 방출해 실외기에서는 더운 바람이 나온다.

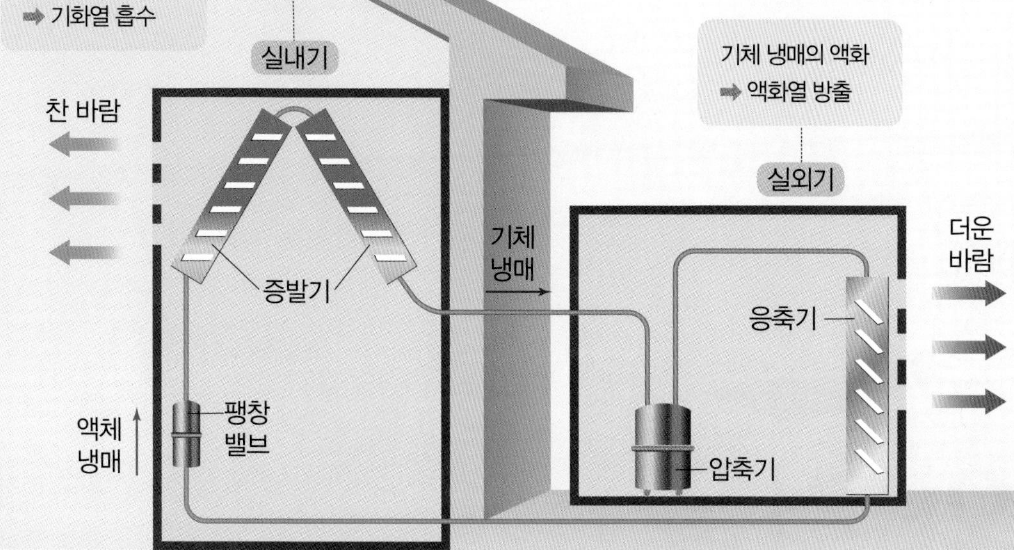

41쪽 참고 증기 난방기의 원리

보일러에서 물을 가열하면 물이 수증기로 변하면서 열을 흡수한다. 보일러에서 나온 수증기는 집 안에 설치된 방열기로 들어가 다시 물로 변하는데, 이때 열을 방출하여 실내 온도를 높인다.

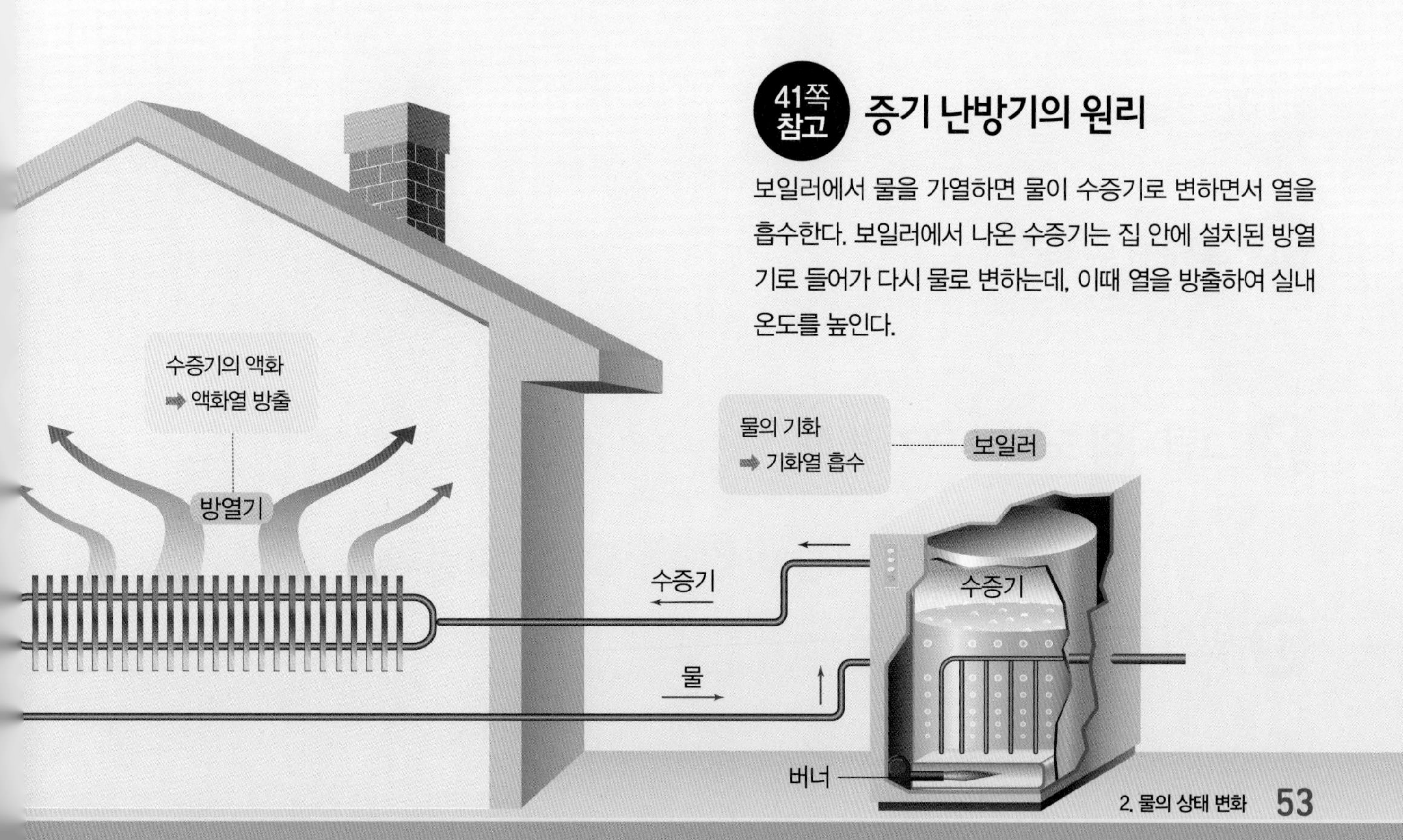

그림자와 거울

1 물체의 그림자

2 그림자의 모양과 크기 변화

3 빛의 반사, 거울

이 단원의 학습

- 3～4학년군 **그림자와 거울**

후속 학습

- 5～6학년군 **빛과 렌즈**
- 중학교 1～3학년군 **빛과 파동**

1 물체의 그림자

개념 강의

만화로 보는 '그림자놀이'

용어

• **도달** 목적하는 곳이나 수준에 다다름.

물체 하나에 불을 켠 손전등 두 개를 비출 때 물체의 그림자

• 그림자는 두 개 생긴다.
• 두 개의 그림자는 서로 다른 위치에 생긴다.

1. 그림자가 생기는 조건

햇빛이 있는 낮에 운동장에 있는 나무, 철봉, 아이들 주변에 그림자가 생긴다. 하지만 구름이 햇빛을 가리면 운동장에 생긴 그림자는 사라진다.

▲ 햇빛이 비칠 때 그림자가 생기고, 구름이 햇빛을 가리면 그림자가 사라진다.

(1) **그림자가 생기는 까닭** 빛이 곧게 나아가다가 물체를 만나 빛의 일부 또는 전부가 막혀 빛이 도달하지 못하는 곳에 그림자가 생긴다. 그림자가 생기려면 빛과 물체가 있어야 하고, 물체에 빛을 비춰야 한다.

(2) **그림자가 생기는 위치** 손전등－물체－스크린 순서가 될 때 물체의 뒤쪽에 그림자가 생긴다.

손전등
물체
스크린

Mini 탐구 그림자가 생기는 조건 찾아보기

과정

1. 흰 종이에 공의 그림자를 만들려면 무엇이 필요한지 생각한다.
2. 불을 켠 손전등과 공을 어떻게 놓아야 그림자가 생기는지 알아본다.

결과

손전등－공－흰 종이 순서로 놓고 손전등 비추기	책상 위에 흰 종이를 놓고 공의 위쪽에서 손전등 비추기

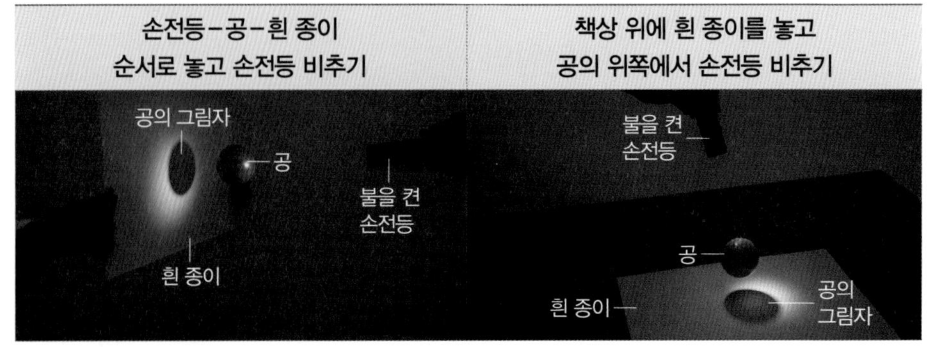

• 그림자가 생기려면 빛과 물체가 필요하다.
• 물체 뒤쪽에 그림자가 생긴다.

▶ 공에 손전등의 빛을 비추고 불을 켠 손전등과 흰 종이 사이에 공을 놓으면 그림자가 생긴다.

2. 불투명한 물체와 투명한 물체의 그림자

빛이 나아가다가 불투명한 물체를 만나면 진한 그림자가 생기고, 투명한 물체를 만나면 연한 그림자가 생긴다. 교과서 속 탐구 58쪽

(1) 물체에 따른 빛의 통과 정도 물체는 빛이 통과하는 정도에 따라 투명, 반투명, 불투명으로 나뉜다. 투명 > 반투명 > 불투명 순으로 빛이 많이 통과한다. – 빛이 물체를 통과하는 정도에 따라 그림자의 진하기가 다르다.

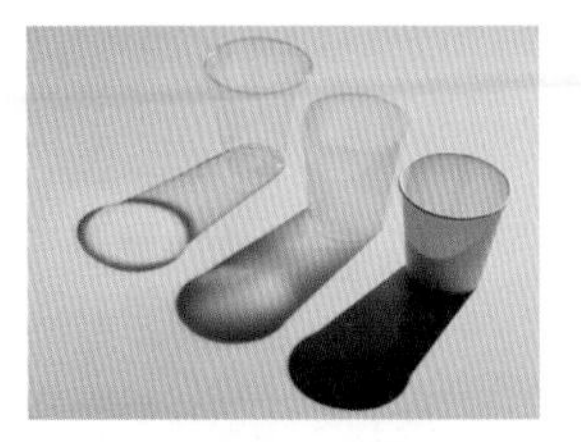
▲ 빛이 통과하는 정도가 다른 컵의 그림자

(2) 불투명한 물체의 그림자 도자기 컵, 책, 손과 같은 물체는 불투명한 물체이다. 빛이 나아가다가 불투명한 물체를 만나면 빛이 통과하지 못해 진하고 선명한 그림자가 생긴다. 우리 생활에서 반투명하거나 불투명한 물체로 그림자가 생기는 것을 이용하는 경우가 있다. 햇빛으로부터 눈을 보호하기 위해 색안경을 쓰거나 낮에 영화를 볼 때 블라인드를 치고, 약이나 음료가 빛을 받아 변하는 것을 막기 위해 갈색병을 사용하는 것이 그 예이다.

▲ 색안경

▲ 블라인드

▲ 갈색병

(3) 투명한 물체의 그림자 유리컵, 무색 비닐, OHP 필름과 같은 물체는 투명한 물체이다. 빛이 나아가다가 투명한 물체를 만나면 빛이 대부분 통과해 연한 그림자가 생긴다. 투명한 물체로 빛을 잘 들어오게 하는 경우도 있다. 빛이 잘 들어와 식물이 자라는 데 도움을 주도록 유리온실을 만들고, 실내를 밝게 하기 위해 창이나 천장을 유리로 만든다.

▲ 유리온실

▲ 교실 유리창

▲ 유리 천장

심화 그림자와 관련된 월식 현상

월식은 [태양–지구–달]로 일직선이 되어 달이 지구의 그림자 속으로 들어가 달의 일부가 보이지 않거나 전체가 가려지는 현상을 말한다.

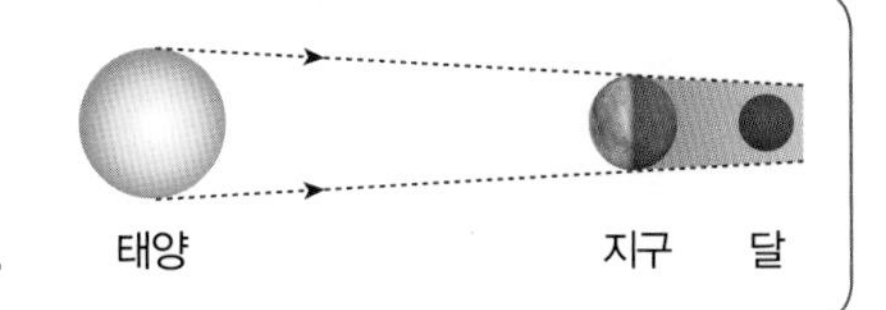

안경의 그림자

안경에 빛을 비추면 안경의 유리 부분은 투명해서 그림자가 연하고 흐릿하게 생기고, 안경의 테 부분은 불투명해서 그림자가 진하고 선명하게 생긴다.

반투명한 물체

빛을 조금만 통과시키는 물체로, 한지나 투사지와 같이 그 물체를 통하여 볼 때에 반대쪽이 흐릿하게 보이는 물체이다.

용어

- **온실** 빛, 온도, 습도 등을 조절하여 각종 식물의 재배를 자유롭게 하는 구조물.

불투명한 물체와 투명한 물체의 그림자 비교하기

과정

1. 손전등과 스크린 사이에 도자기 컵을 놓고 손전등의 빛을 비췄을 때 스크린에 생기는 그림자를 관찰한다.
2. 손전등과 스크린 사이에 유리컵을 놓고 손전등의 빛을 비췄을 때 스크린에 생기는 그림자를 관찰한다.
3. 도자기 컵의 그림자와 유리컵의 그림자를 비교한다.
4. 도자기 컵과 유리컵에서 빛이 통과하는 정도를 비교한다.

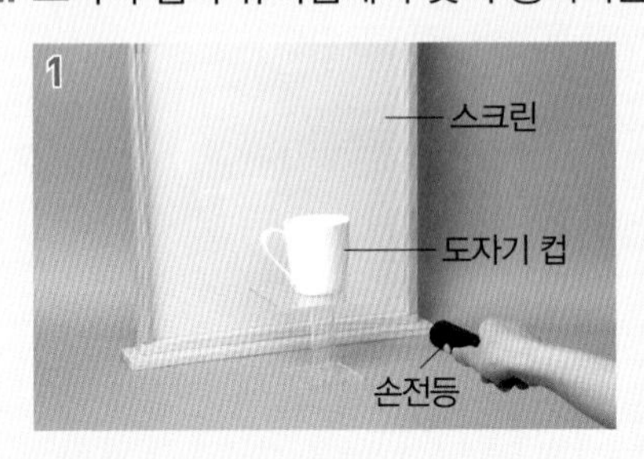

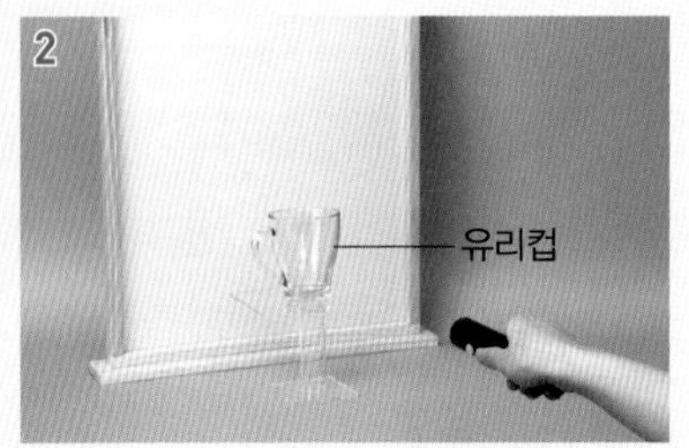

결과

▶ **도자기 컵과 유리컵의 그림자**

도자기 컵	유리컵
• 빛이 통과하지 못한다. • 도자기 컵의 모양과 같고, 진하고 선명한 그림자가 생긴다.	• 빛이 대부분 통과한다. • 유리컵의 모양과 같고, 연하고 흐릿한 그림자가 생긴다.

빛이 물체를 통과하는 정도에 따라 그림자의 진하기가 달라.

알 수 있는 사실 ▶ 빛이 나아가다가 불투명한 물체를 만나면 빛이 통과하지 못해 진한 그림자가 생긴다.

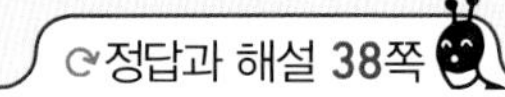
정답과 해설 38쪽

1 다음과 같이 스크린을 설치하고, 도자기 컵과 유리컵에 각각 손전등으로 빛을 비춰 그림자를 만들었을 때 더 진하고 선명한 그림자가 생기는 경우에 ○표 하시오.

(1)

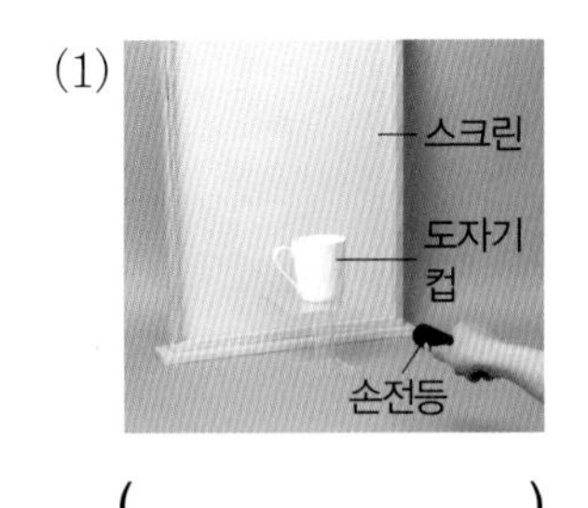

( )

(2)

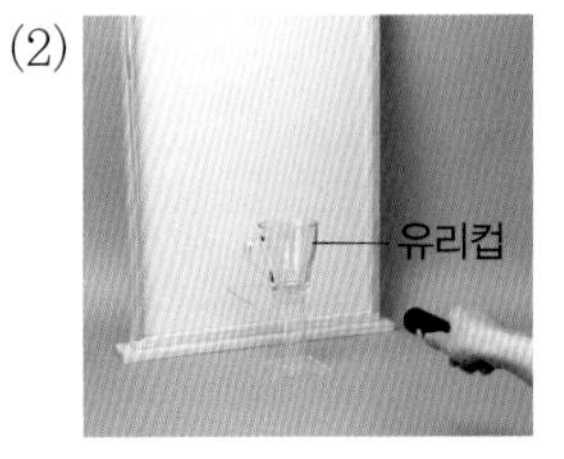

( )

2 앞의 1번 답과 같은 결과가 나타난 까닭을 바르게 설명한 사람의 이름을 쓰시오.

- 혜인: 유리컵은 투명해서 빛이 통과하지 못하기 때문이야.
- 준우: 도자기 컵은 불투명해서 빛이 대부분 통과하기 때문이야.
- 아영: 불투명한 물체는 빛이 물체를 통과하지 못하기 때문이야.

( )

정답과 해설 38쪽

1 다음 ㉠~㉢ 중 어느 위치에 물체를 놓아야 손전등의 빛을 비췄을 때 흰 종이에 물체의 그림자가 생기는지 기호를 쓰시오.

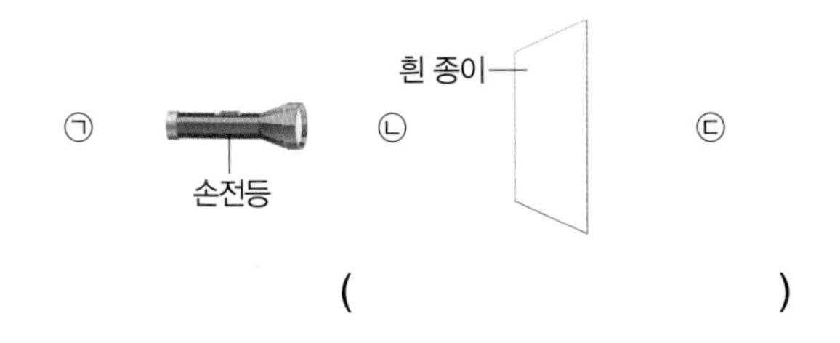

(　　　　　　　　　　)

2 다음에서 설명하는 '이것'은 무엇인지 쓰시오.

- 빛이 곧게 나아가다가 물체를 만나 빛의 일부 또는 전부가 막혀 빛이 도달하지 못하는 곳에 '이것'이 생긴다.
- '이것'이 생기려면 빛과 물체가 있어야 하고, 물체에 빛을 비춰야 한다.

(　　　　　　　　　　)

3 다음과 같이 어두운 방에서 손을 향해 손전등을 비추었을 때 스크린에 그림자가 생기는 위치를 두 군데 골라 기호를 쓰시오.

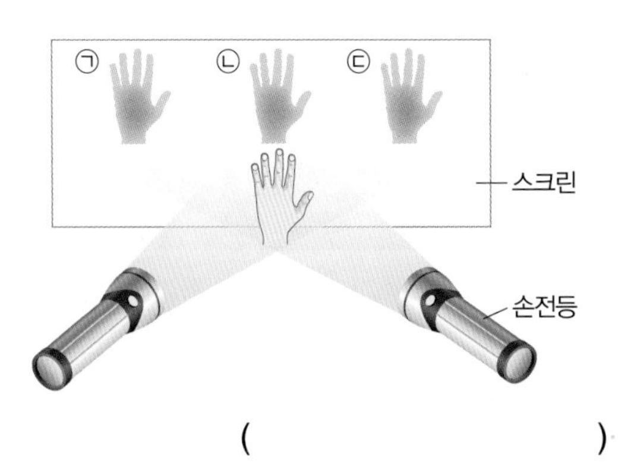

(　　　　　　　　　　)

4 다음의 밑줄 친 물체에 해당하는 것을 보기에서 골라 기호를 쓰시오.

빛을 대부분 통과시키는 이 <u>물체</u>에 빛을 비추면 연한 그림자가 생긴다.

보기

㉠ 책　　　　㉡ 유리컵
㉢ 축구공　　㉣ 도자기 컵

(　　　　　　　　　　)

5 다음은 오른쪽과 같이 안경에 빛을 비추어 생긴 그림자에 대한 설명입니다. (　　) 안에 들어갈 알맞은 말을 각각 쓰시오.

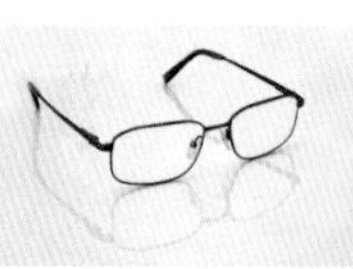

안경에 빛을 비추면 안경의 유리 부분은 (　㉠　)하기 때문에 그림자가 연하고 흐릿하게 생기고, 안경의 테 부분은 (　㉡　)하기 때문에 그림자가 진하고 선명하게 생긴다.

㉠ (　　　　　　), ㉡ (　　　　　　)

6 다음 물체들의 공통점을 옳게 말한 사람의 이름을 쓰시오.

▲ 색안경

▲ 갈색병

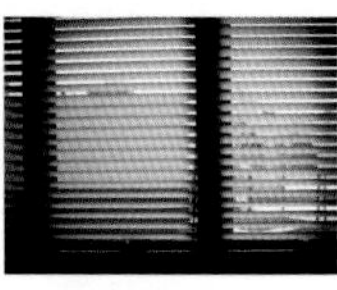
▲ 블라인드

- 기태: 그림자가 생기지 않는 물체들이야.
- 재민: 빛을 대부분 통과시키는 물체들이야.
- 나연: 투명한 물체를 이용해서 햇빛을 잘 받을 수 있게 조절하는 경우야.
- 수진: 우리 생활에서 반투명하거나 불투명한 물체로 그림자가 생기는 것을 이용하는 경우야.

(　　　　　　　　　　)

2 그림자의 모양과 크기 변화

개념 강의

만화로 보는
'그림자의 크기'

광원

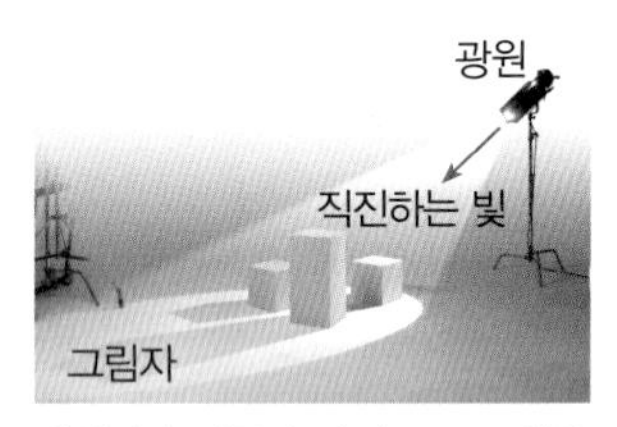

태양이나 전등과 같이 스스로 빛을 내는 물체를 광원이라고 한다. 광원에서 나와 직진하던 빛이 물체를 만나면 반사되고, 물체에 막혀 빛이 도달하지 못하는 부분에는 물체의 그림자가 생긴다.

1. 그림자의 모양

(1) **물체 모양과 그림자 모양** 그림자 연극은 빛과 스크린 사이에 인형을 넣어 움직일 때 스크린에 생긴 그림자를 이용해 꾸민 연극이다. 그림자 연극이나 동물 그림자 만들기를 할 때 물체 모양과 그림자 모양이 비슷하다.

(2) **빛의 직진** 빛은 태양이나 전등에서 나와 사방으로 곧게 나아간다. 이렇게 빛이 곧게 나아가는 성질을 빛의 직진이라고 한다. 직진하는 빛이 물체를 통과하지 못하면 물체 모양과 비슷한 그림자가 물체의 뒤쪽에 있는 스크린에 생긴다. 물체를 놓은 방향이 달라지면 그림자 모양이 달라지기도 한다.

Mini 탐구 물체 모양과 그림자 모양 비교하기

과정

1. 손전등, 원 모양 종이, 스크린을 차례대로 놓고 손전등을 켜서 스크린에 생긴 그림자 모양을 관찰한 후 삼각형 모양 종이를 사용해 같은 방법으로 그림자를 만들어 관찰한다.
2. 손전등, ㄱ자 모양 블록, 스크린을 차례대로 놓고 손전등을 켜서 스크린에 생긴 그림자 모양을 ㄱ자 모양 블록과 비교한다.
3. ㄱ자 모양 블록을 돌려 방향을 바꾸면서 스크린에 생긴 그림자 모양을 관찰한다.

결과

원 모양 종이의 그림자	삼각형 모양 종이의 그림자

종이 모양과 그림자 모양이 같다.

ㄱ자 모양 블록의 그림자

- ㄱ자 모양 블록과 스크린에 생긴 그림자 모양이 같다.
- ㄱ자 모양 블록을 돌려 방향을 바꾸면 그림자의 모양이 달라지기도 한다.

▶ 물체 모양과 물체 뒤쪽에 생긴 그림자 모양이 비슷하다.

보충 플러스⁺ 컵이 놓인 모습과 광원의 방향에 따른 그림자 모양

그림자는 입체적인 물체를 평면 위에 나타낸 것이라 물체의 모양과 비슷하지만 그대로 보여지는 것은 아니다. 그림자의 모양은 물체가 놓인 모습과 광원의 방향에 따라 달라진다.

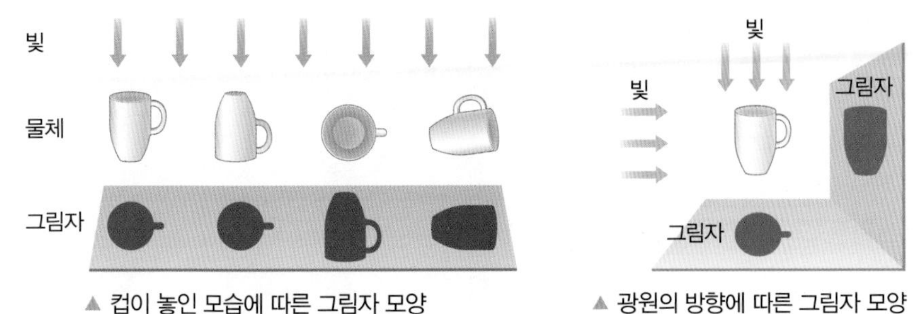

▲ 컵이 놓인 모습에 따른 그림자 모양 ▲ 광원의 방향에 따른 그림자 모양

2. 그림자의 크기 변화

물체의 그림자 크기를 변화시키려면 손전등의 위치나 물체의 위치, 스크린의 위치를 조절해야 한다. 교과서 속 탐구 62쪽

(1) **물체와 스크린을 그대로 두었을 때** 손전등을 물체에 가깝게 하면 그림자의 크기가 커진다. 손전등을 물체에서 멀게 하면 그림자의 크기가 작아진다. 그러므로 그림자의 크기를 크게 하려면 손전등을 물체에 가깝게 하고, 그림자의 크기를 작게 하려면 손전등을 물체에서 멀게 하면 된다.

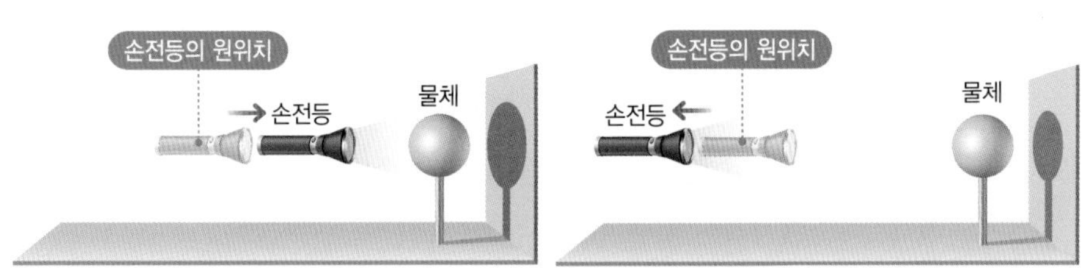

▲ 손전등을 물체에 가깝게 하면 그림자의 크기가 커지고, 물체에서 멀게 하면 그림자의 크기가 작아진다.

(2) **스크린과 손전등을 그대로 두었을 때** 물체를 손전등에 가깝게 하면 그림자의 크기가 커진다. 물체를 손전등에서 멀게 하면 그림자의 크기가 작아진다. 그러므로 그림자의 크기를 크게 하려면 물체를 손전등에 가깝게 하고, 그림자의 크기를 작게 하려면 물체를 손전등에서 멀게 하면 된다.

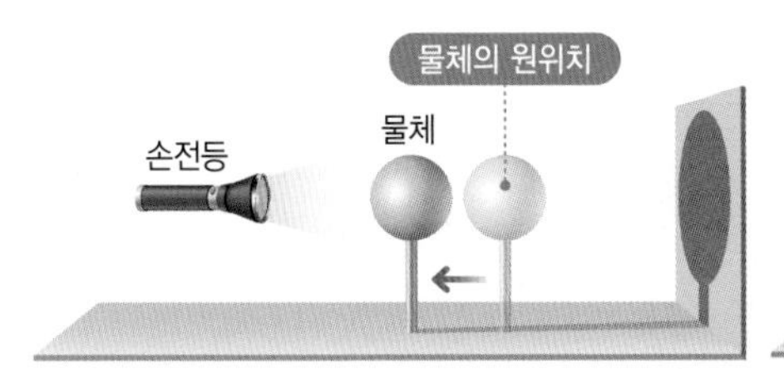

▲ 물체를 손전등에 가깝게 하면 그림자의 크기가 커지고, 손전등에서 멀게 하면 그림자의 크기가 작아진다.

(3) **손전등과 물체를 그대로 두었을 때** 스크린을 물체에서 멀게 하면 그림자의 크기가 커지고, 스크린을 물체에 가깝게 하면 그림자의 크기가 작아진다.

빛의 방향에 따른 도넛의 그림자 모양

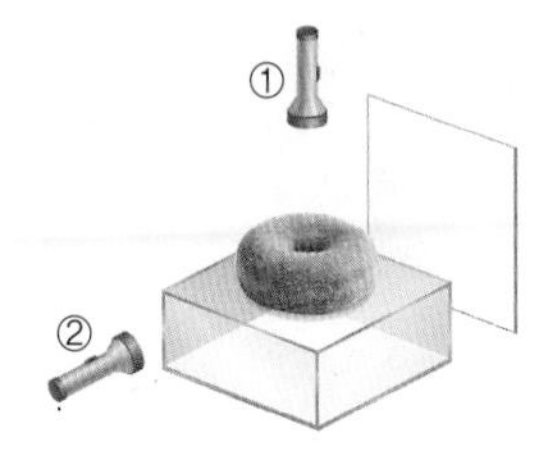

① 방향	② 방향

태양 빛과 그림자의 크기

광원, 물체, 스크린이 일렬로 놓여 있는 상태에서 광원과 스크린을 그대로 두었을 때는 물체가 광원에 가까워지면 그림자의 크기가 커지고, 광원에서 멀어지면 그림자의 크기가 작아진다. 그러나 태양 빛은 물체의 위치에 따라 그림자의 크기가 거의 변하지 않는다. 이것은 태양과 물체 사이의 거리가 매우 멀기 때문에 물체와 스크린 사이의 거리 변화가 그림자의 크기에 거의 영향을 끼치지 않기 때문이다.

그림자의 크기 변화시키기

과정

1. 손전등과 스크린 사이에 동물 모양 종이를 놓는다.
2. 손전등으로 빛을 비춰 스크린에 동물 모양 종이의 그림자가 생기도록 한다.
3. 동물 모양 종이와 스크린은 그대로 두고 손전등을 동물 모양 종이에 가깝게 할 때 그림자의 크기를 관찰한다.
4. 동물 모양 종이와 스크린은 그대로 두고 손전등을 동물 모양 종이에서 멀게 할 때 그림자의 크기를 관찰한다.

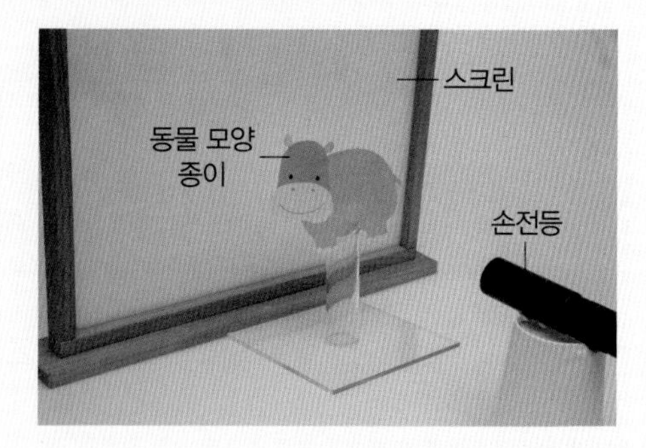

결과

▶ **동물 모양 종이의 그림자 크기 변화**

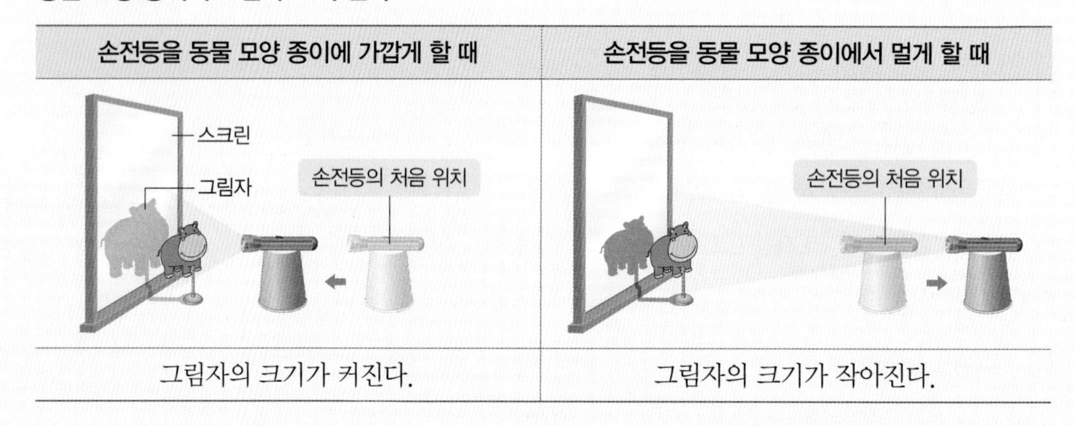

손전등을 동물 모양 종이에 가깝게 할 때	손전등을 동물 모양 종이에서 멀게 할 때
그림자의 크기가 커진다.	그림자의 크기가 작아진다.

알 수 있는 사실 ▶ 동물 모양 종이와 스크린을 그대로 두었을 때 손전등을 동물 모양 종이에 가깝게 하면 그림자의 크기가 커지고, 손전등을 동물 모양 종이에서 멀게 하면 그림자의 크기가 작아진다.

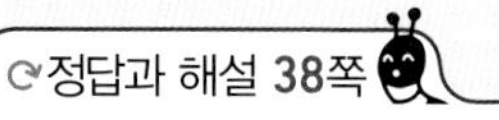
정답과 해설 38쪽

1 다음과 같이 스크린과 손전등 사이에 종이 인형을 놓은 후, 스크린과 종이 인형은 그대로 두고 손전등을 움직이면서 그림자의 크기를 관찰하였습니다. (   ) 안에 들어갈 알맞은 말에 ○표 하시오.

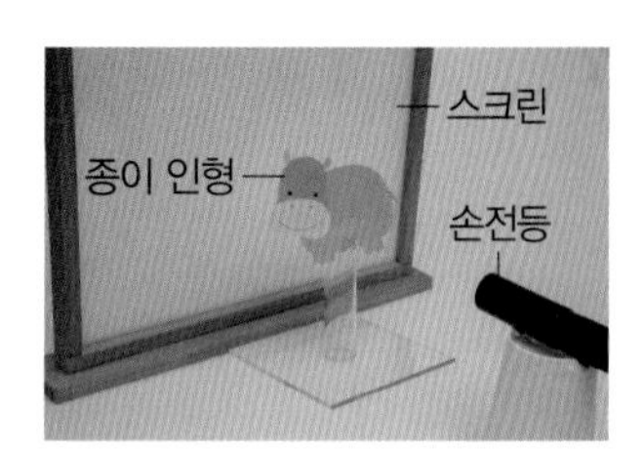

손전등과 종이 인형 사이의 거리를 (가깝게, 멀게) 하면 그림자의 크기가 커진다.

2 다음과 같이 손전등의 위치를 달리하여 그림자를 만들었을 때 알 수 있는 사실은 무엇인지 (   ) 안에 들어갈 알맞은 기호를 쓰시오.

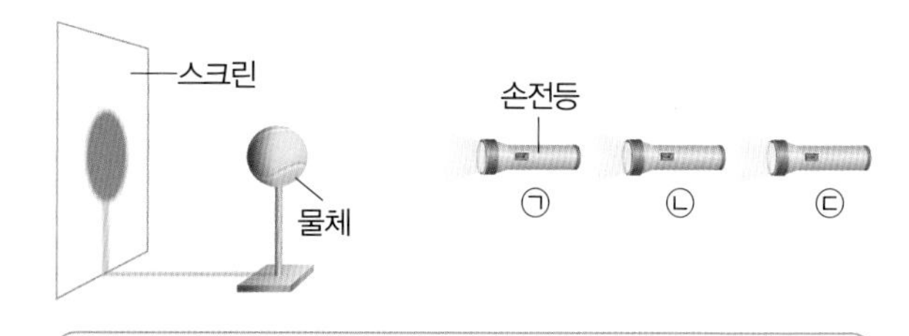

㉠~㉢ 중 스크린에 생긴 물체의 그림자 크기가 가장 작은 경우는 (   )이다.

(   )

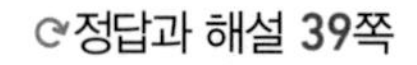

1 오른쪽 사진을 보고 알 수 있는 빛의 성질은 무엇인지 ( ) 안에 들어갈 알맞은 말을 쓰시오.

▲ 등대의 불빛

> 등대의 불빛이 나아가는 모습을 보면 빛이 공기 중에서 곧게 나아간다는 것을 알 수 있다. 이러한 성질을 ( )(이)라고 한다.

( )

2 다음과 같이 원 모양 종이와 삼각형 모양 종이를 사용해 그림자를 만들었습니다. 이 실험을 통해 알 수 있는 사실을 잘못 말한 사람의 이름을 쓰시오.

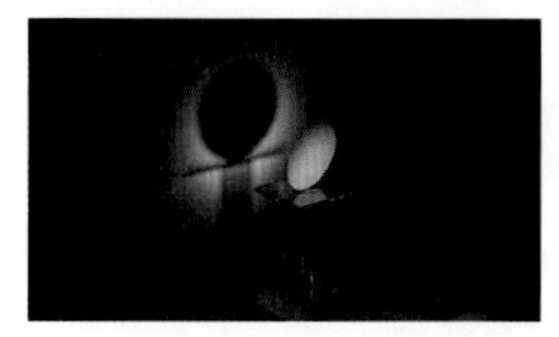
▲ 원 모양 종이의 그림자

▲ 삼각형 모양 종이의 그림자

> • 지수: 물체 모양과 물체 뒤쪽에 생긴 그림자의 모양은 비슷해.
> • 은호: 그림자 모양을 통해 빛이 물체를 통과해 그림자가 만들어진다는 것을 알 수 있어.
> • 다정: 원 모양 종이의 그림자는 원 모양이고, 삼각형 모양 종이의 그림자는 삼각형 모양이야.

( )

3 다음 중 오른쪽과 같은 모양의 블록을 돌려 방향을 바꾸면서 그림자를 만들었을 때, 그림자 모양이 될 수 없는 것을 골라 기호를 쓰시오.

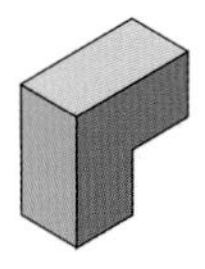

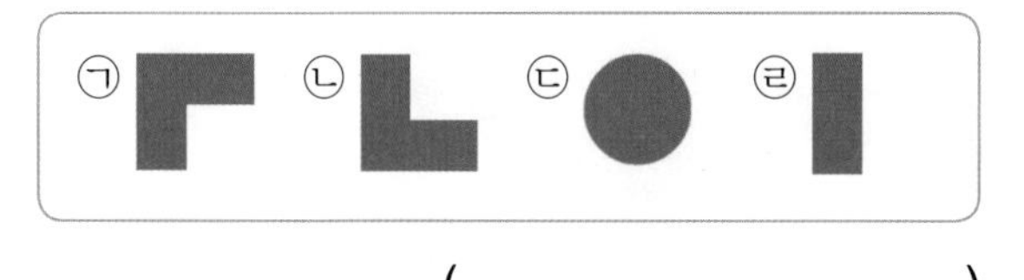

( )

4 다음 보기 중 그림자 크기에 영향을 주는 것을 골라 기호를 쓰시오.

> **보기**
> ㉠ 광원의 색깔
> ㉡ 광원의 밝기
> ㉢ 스크린의 크기
> ㉣ 광원과 물체 사이의 거리

( )

[5~6] 다음과 같이 물체의 그림자가 스크린에 생기도록 장치하였습니다. 물음에 답하시오.

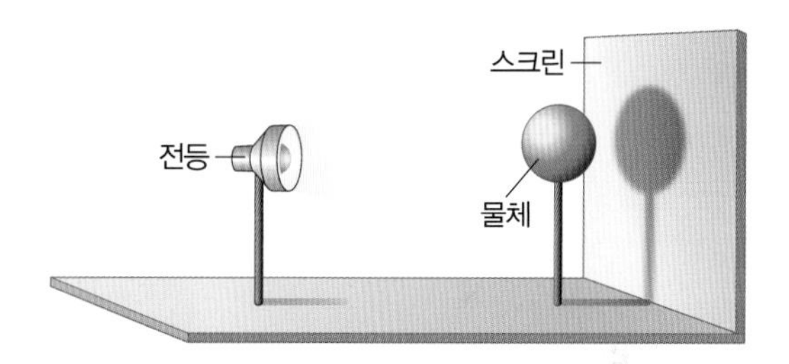

5 위 장치에서 물체와 스크린은 그대로 두고, 전등을 물체에서 멀게 하면 그림자의 크기는 어떻게 되는지 쓰시오.

( )

6 위 장치에서 그림자의 크기를 크게 하기 위한 방법으로 옳은 것에 모두 ○표 하시오.

(1) 전등과 스크린은 그대로 두고, 물체를 전등에서 멀게 한다. ( )

(2) 전등과 스크린은 그대로 두고, 물체를 전등에 가깝게 한다. ( )

(3) 물체와 스크린은 그대로 두고, 전등을 물체에 가깝게 한다. ( )

빛의 반사, 거울

만화로 보는 '거울'

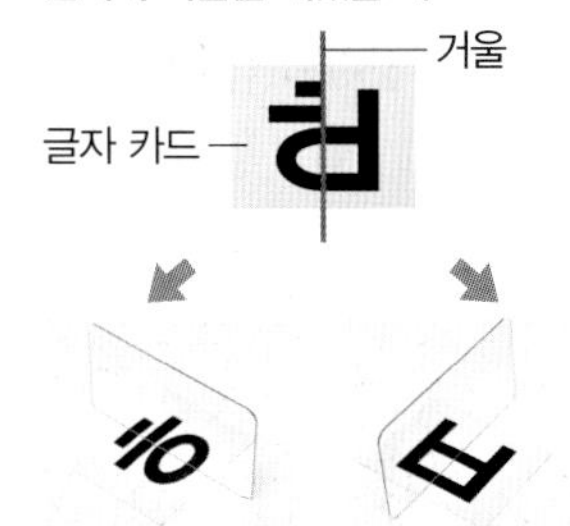

거울 앞에 글자 카드를 세우고 비추어 보았을 때

실제 글자 / 거울에 비친 글자

글자의 좌우가 바뀌어 보인다.

글자가 절반씩 있는 글자 카드의 가운데에 거울을 대었을 때

거울

글자 카드

왼쪽을 거울로 비출 때 / 오른쪽을 거울로 비출 때

카드의 왼쪽과 오른쪽을 각각 거울로 비추면 서로 다른 글자로 보인다. 거울은 빛을 반사하는 성질이 있어, 거울 앞에 놓인 물체의 모습을 비추기 때문이다.

1. 빛의 반사

(1) **거울에 비친 물체의 모습** 거울은 물체의 모습을 비추는 도구이다. 물체를 거울에 비춰 보면 물체의 상하는 바뀌어 보이지 않지만 좌우는 바뀌어 보인다. 거울에 비친 물체의 색깔은 실제 물체의 색깔과 같다. 교과서 속 탐구 66쪽

▲ 실제 모습

▲ 거울에 비친 모습

(2) **구급차의 앞부분에 글자의 좌우를 바꾸어 쓴 까닭** 위급한 상황에서 앞에 가는 자동차의 뒷거울에 구급차 앞부분의 모습이 비춰 보일 때 '119 구급대'라는 글자가 바르게 보여 빠르게 알아보고 길을 양보할 수 있기 때문이다.

글자를 거울에 비춰 보면 좌우가 바뀌어 보인다.

◀ 앞에 가는 자동차의 뒷거울에 비친 모습

(3) **빛의 반사** 빛이 나아가다가 거울에 부딪치면 거울에서 빛의 방향이 바뀌는 성질을 빛의 반사라고 한다. 거울은 빛의 반사를 이용해 물체의 모습을 비춘다.

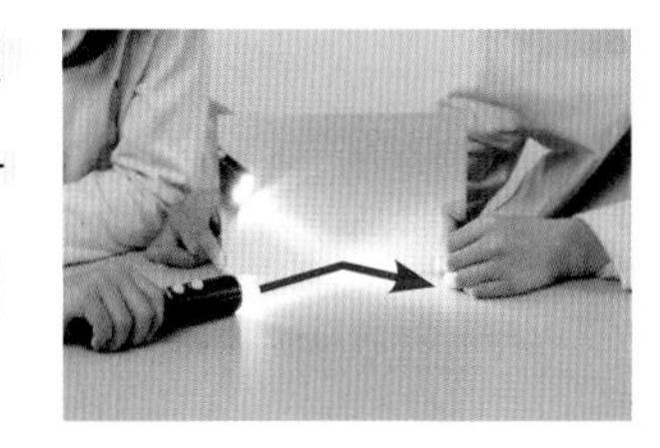

보충 플러스 거울에 물체의 모습이 비치는 까닭

모든 물체에서 빛의 반사가 일어나는데, 나란하게 들어온 빛이 거울이나 유리와 같은 매끄러운 면에서 일정한 방향으로 반사되는 현상을 정반사라고 한다. 반면 나란하게 들어온 빛이 종이나 구겨진 알루미늄박과 같은 거친 면에서 제각기 다른 방향으로 흩어져 반사되는 현상을 난반사라고 한다. 즉, 거울에 물체의 모습이 비치는 까닭은 거울 표면에서 정반사가 일어나기 때문이다.

Mini 탐구 빛이 거울에 부딪쳐 나아가는 모습 관찰하기

과정

1. 책상에 흰 종이를 깔아 놓고 거울을•수직으로 세운다.
2. 손전등의 빛을 거울에 비추면서 빛이 나아가는 모습을 관찰한다.
3. 벽에 종이 과녁판을 붙인 후 거울을 사용해 손전등의 빛을 종이 과녁판의 가운데에 비추고, 거울의 위치와 빛이 나아가는 길을 나타낸다.

결과

손전등의 빛을 거울에 비췄을 때 손전등의 빛이 나아가는 모습	거울을 사용해 손전등의 빛을 종이 과녁판의 가운데에 비추기

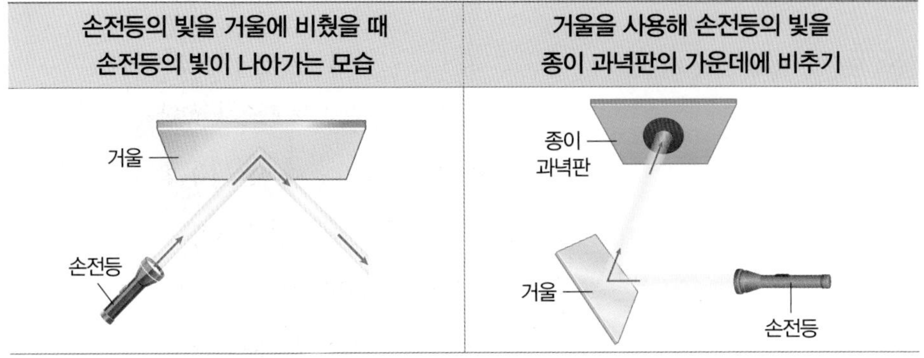

손전등의 빛이 거울에 부딪치면 거울에서 빛의 방향이 바뀐다.

▶ 빛이 나아가다가 거울에 부딪치면 거울에서 빛의 방향이 바뀐다.

심화 입사각과 반사각

빛이 반사할 때 입사각과 반사각의 크기가 같다. 이것을 반사 법칙이라고 한다. 입사각은 입사 광선(들어가는 빛)과 법선(거울 면에 수직인 선)이 이루는 각이고, 반사각은 반사 광선(반사되어 나가는 빛)과 법선이 이루는 각이다.

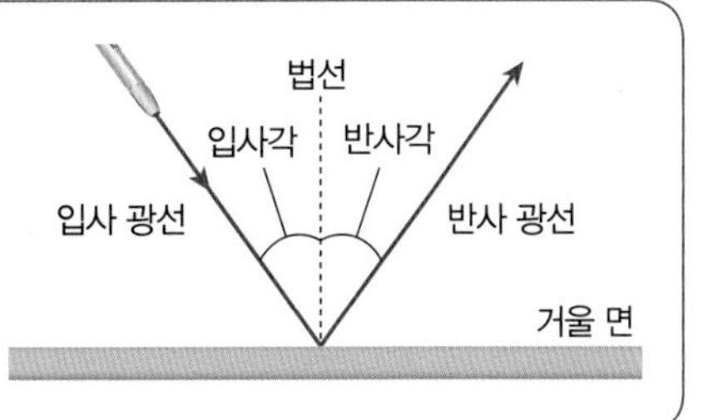

2. 거울의 이용

거울은 우리가 흔히 사용하는 생활용품이다. 세수할 때 얼굴을 보기 위해 세면대 거울을 사용하고, 미용실에서 자신의 머리 모양을 볼 수 있도록 거울을 사용한다. 또한 편의점에서 가게 안의 구석까지 보기 위해 거울을 사용하고, 다른 자동차의 위치를 확인할 때 자동차 뒷거울이나 옆 거울을 사용한다. 거울을 이용해 장식품이나 예술품을 만들기도 한다.

▲ 편의점 거울

▲ 자동차 옆 거울

▲ 거울을 이용한 예술품

용어

•**수직** 직선과 직선, 직선과 평면, 평면과 평면이 서로 만나 직각을 이루는 상태.

잠망경

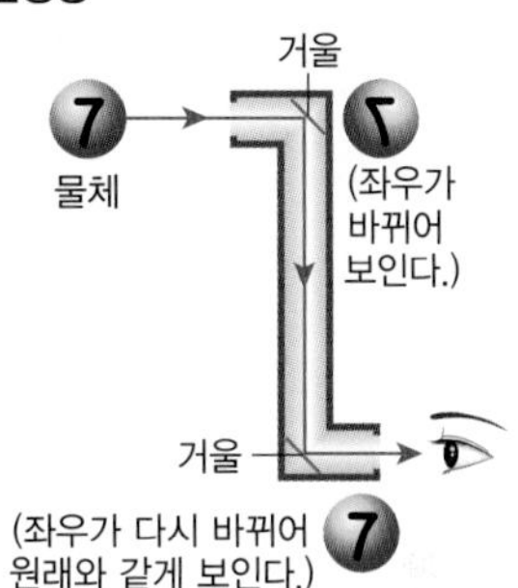

2개의 거울을 이용하여 만든 것으로, 물체를 직접 볼 수 없는 잠수함 등에서 사용한다.

거울을 사용해 물체를 여러 개로 보이게 하기

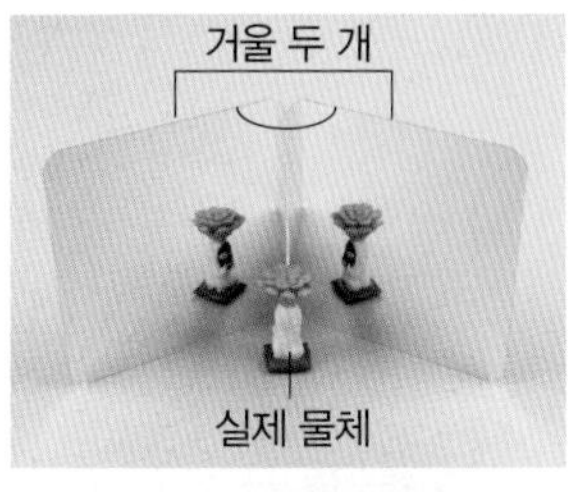

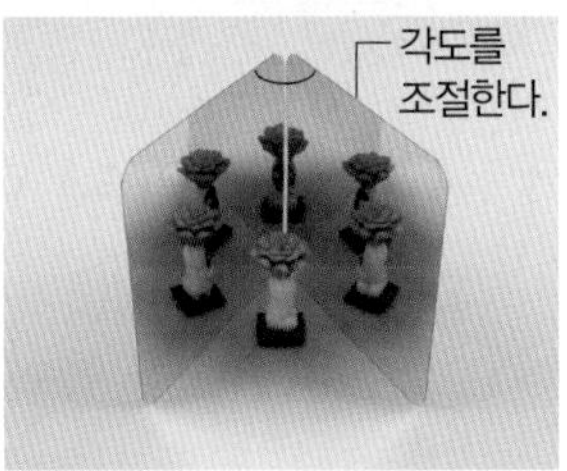

거울 두 개 사이에 물체를 놓은 뒤, 거울의 각도를 조절해 가면서 거울에 비친 물체의 모습을 여러 개 보이게 할 수 있다. 두 거울이 이루는 각의 크기를 작게 할수록 거울에 비친 물체의 개수가 많아진다.

거울에 비친 물체의 모습 관찰하기

과정

1. 거울을 세우고, 그 앞에 인형을 놓는다.
2. 거울에 비친 인형의 모습을 실제 인형과 비교해 공통점과 차이점을 찾는다.
3. 글자 카드를 세워 거울을 향하게 놓는다.
4. 실제 글자와 거울에 비친 글자를 비교한다.

결과

▶ **거울에 비친 인형의 모습과 실제 인형 비교**

공통점	색깔이 같다.
차이점	• 위로 올린 날개의 위치가 반대이다. • 실제 인형은 왼쪽 날개를 위로 올렸는데, 거울에 비친 인형은 오른쪽 날개를 위로 올렸다.

거울
인형

▶ **거울에 비친 글자와 실제 글자 비교**

거울에 비친 글자	실제 글자

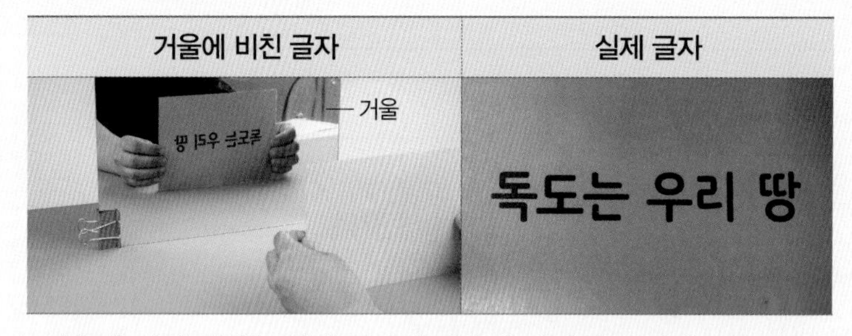

거울에 비친 글자는 실제 글자와 좌우가 바뀌어 보인다.

'응', '후', '표', '몸', '봄'과 같은 글자는 원래 모양과 거울에 비친 모양이 같아.

알 수 있는 사실 ▶ 물체를 거울에 비춰 보면 좌우가 바뀌어 보인다.

1 오른쪽 인형의 앞에 거울을 세우고 비췄을 때, 거울에 비친 인형의 모습에 대한 설명으로 옳지 않은 것을 골라 기호를 쓰시오.

㉠ 실제 인형의 색깔과 같다.
㉡ 실제 인형의 모습과 상하가 바뀌어 보인다.
㉢ 실제 인형의 모습과 좌우가 바뀌어 보인다.

( )

2 오른쪽과 같은 글자 카드의 앞에 거울을 세우고 비췄을 때, 거울에 비친 글자의 모습으로 옳은 것을 골라 ○표 하시오.

(1) ( )　(2) ( )

정답과 해설 40쪽

1 다음 중 거울에 대한 설명으로 옳은 것에 ○표, 옳지 않은 것에 ×표 하시오.

(1) 거울은 물체의 모습을 비추는 도구이다. ( )

(2) 거울에 비친 물체의 색깔은 실제 물체의 색깔과 같다. ( )

(3) 거울에 물체를 비춰 보면 물체의 상하가 바뀌어 보인다. ( )

(4) 거울에 물체를 비춰 보면 물체의 좌우가 바뀌어 보인다. ( )

2 다음의 숫자 카드를 거울 앞에 세우고 비춰 보았을 때 거울에 비친 모습이 숫자 '4'로 바르게 보이는 것은 어느 것인지 기호를 쓰시오.

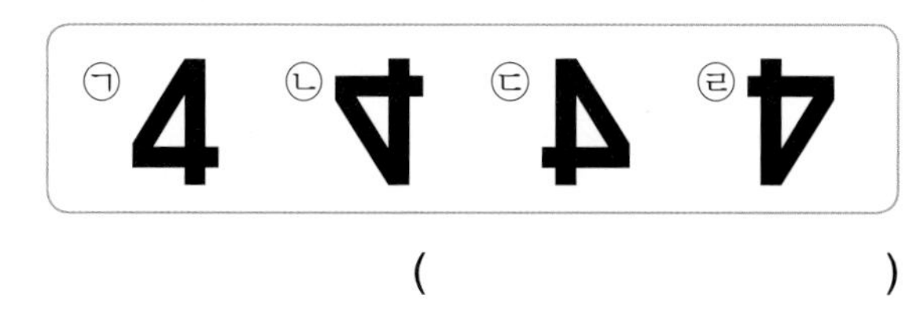

( )

3 오른쪽 사진을 보고 알 수 있는 빛의 성질은 무엇인지 ( ) 안에 공통으로 들어갈 알맞은 말을 쓰시오.

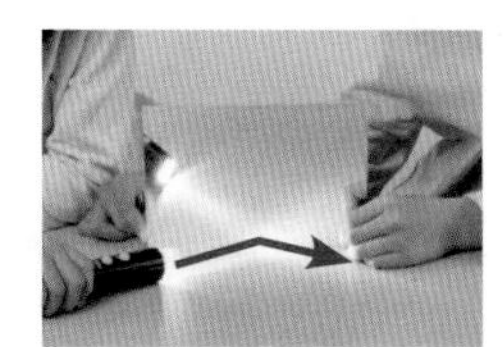

- 빛이 나아가다가 거울에 부딪치면 거울에서 빛의 방향이 바뀌는 성질을 ( )(이)라고 한다.
- 거울은 ( )을/를 이용해 물체의 모습을 비춘다.

( )

4 다음 중 손전등의 빛이 거울에 부딪쳐 나아가는 모습을 옳게 나타낸 것은 어느 것인지 기호를 쓰시오.

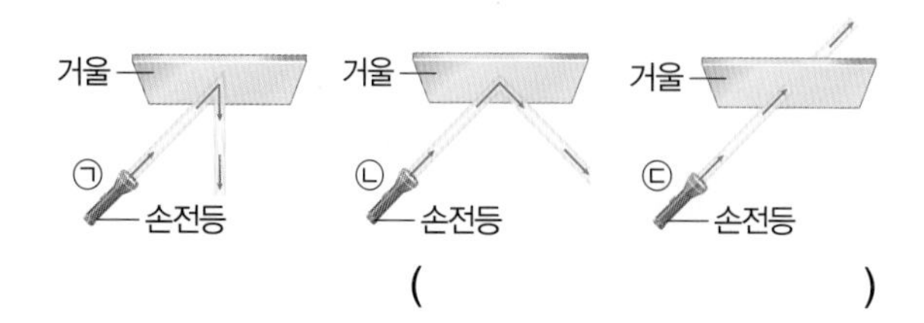

( )

5 다음과 같이 두 개의 거울을 사용하여 눈으로 직접 볼 수 없는 곳에 있는 물체를 볼 수 있게 해 주며, 잠수함 등에서 사용하는 도구의 이름은 무엇인지 쓰시오.

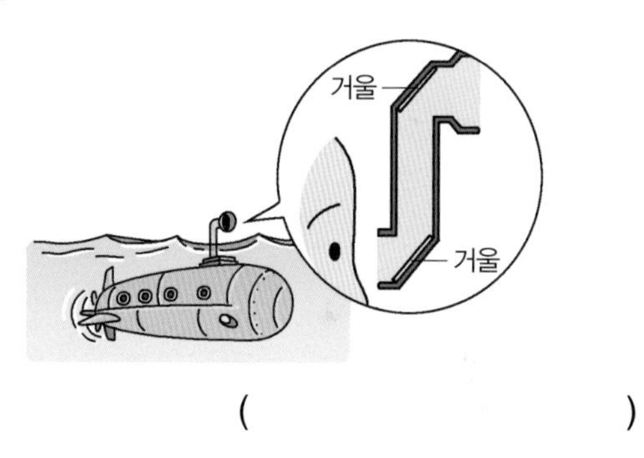

( )

6 다음에서 설명하는 쓰임새에 맞는 거울의 모습을 보기에서 찾아 각각 기호를 쓰시오.

보기

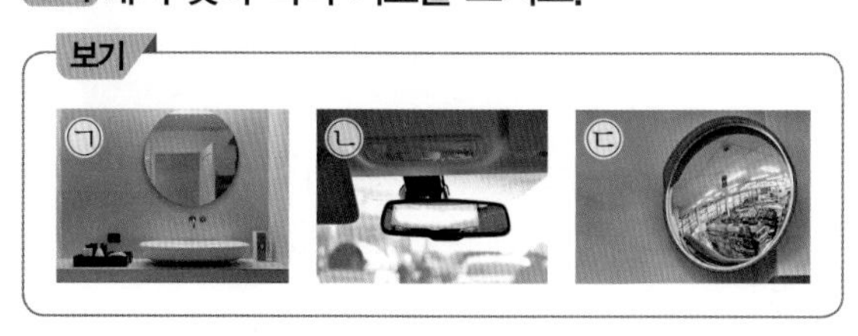

(1) 세수나 양치를 할 때 거울을 사용한다. ( )

(2) 가게 안 구석까지 보기 위해 거울을 사용한다. ( )

(3) 뒤에 있는 자동차의 위치를 보기 위해 거울을 사용한다. ( )

1 다음 (가)에서는 나무, 철봉, 아이들 주변 등에 그림자가 생겼지만, (나)에서는 그림자가 생기지 않았습니다. 그 까닭은 무엇인지 쓰시오.

2 다음 그림을 보고 그림자가 생기는 조건에 대해 잘못 말한 사람의 이름을 쓰시오.

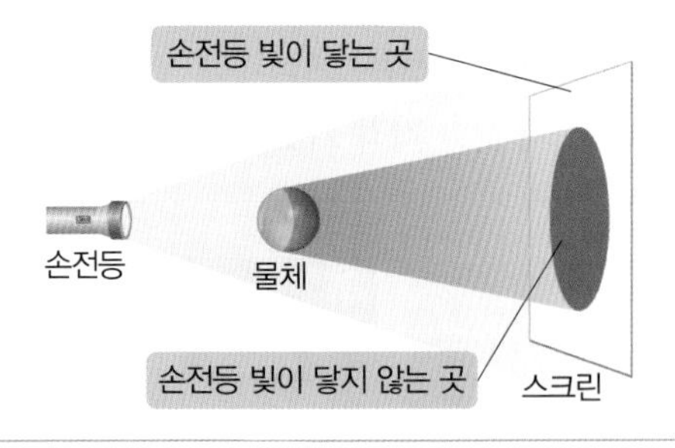

- 영지: 빛, 물체, 스크린이 있어야 해.
- 지훈: 물체가 빛을 가려 빛이 닿지 않는 곳에 그림자가 생겨.
- 태희: 손전등으로 물체에 빛을 비추면 손전등과 물체 사이에 그림자가 생겨.

( )

[3~4] 다음과 같이 스크린을 설치하고, 도자기 컵과 유리컵에 손전등으로 빛을 비추려고 합니다. 물음에 답하시오.

(가)

(나)

3 위 실험 결과로 옳은 것에 모두 ○표 하시오.

(1) (가)는 연한 그림자가 생긴다. ( )
(2) (나)는 진한 그림자가 생긴다. ( )
(3) (나)의 그림자 모양은 유리컵 모양과 같다. ( )
(4) (가)의 그림자 모양은 도자기 컵 모양과 같다. ( )

4 다음은 위 실험을 통해 알 수 있는 사실을 정리한 것입니다. ( ) 안에 들어갈 알맞은 말을 각각 골라 ○표 하시오.

빛이 나아가다가 ㉠(투명, 불투명)한 물체를 만나면 빛이 통과하지 못해 ㉡(진한, 연한) 그림자가 생긴다.

5 다음 중 물체의 그림자가 생기는 것을 우리 생활에 이용한 예를 찾아 기호를 쓰시오.

( )

정답과 해설 41쪽

6 다음 신문 기사를 읽고 개기 월식이 일어날 때 태양, 지구, 달이 위치한 모습으로 옳은 것에 ○표 하시오.

> 한국천문연구원에 따르면 다음 달 26일 달이 지구의 그림자에 완전히 가려져 붉게 보이는 개기 월식 현상이 우리나라에서 관측될 것이라고 한다. 서울 기준으로 오후 8시 9분부터 8시 18분까지 관측 가능할 것이라고 한다.

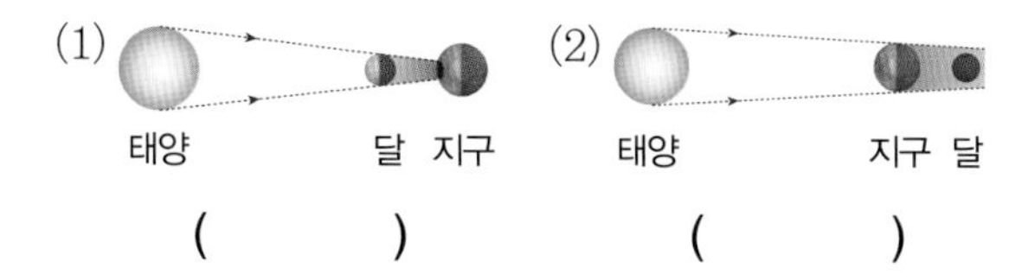

( ) ( )

7 다음과 같이 가운데 구멍이 뚫린 종이를 스크린 앞에 두고 손전등으로 빛을 비추었을 때, 스크린에 생기는 종이의 그림자 모양을 ▢ 안에 그리시오.

8 오른쪽 도자기 컵에 빛을 비춰 만들 수 있는 그림자의 모양으로 옳지 않은 것을 **보기**에서 골라 기호를 쓰시오.

보기

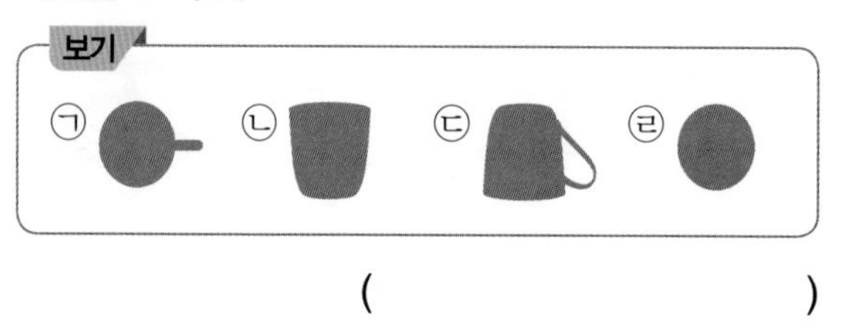

( )

9 다음 중 물체와 그 물체로 만들 수 있는 그림자의 모양을 잘못 짝 지은 것은 어느 것입니까? ( )

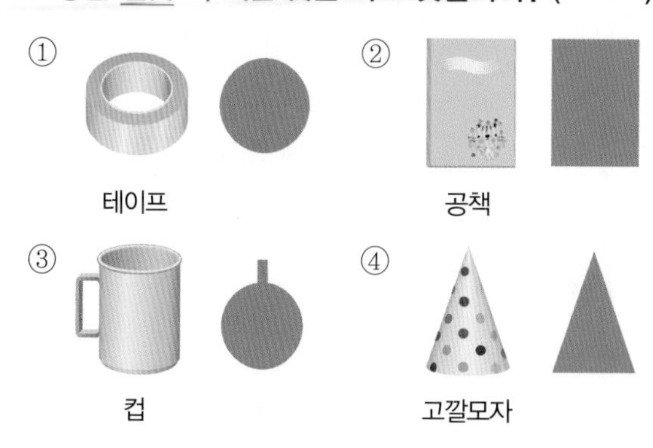

10 다음 그림과 같이 블록에 위, 아래, 오른쪽, 왼쪽, 앞, 뒤 방향에서 손전등 빛을 각각 비추어 그림자를 만들 때, 만들 수 있는 블록의 그림자 모양을 ▢ 안에 모두 그리시오.

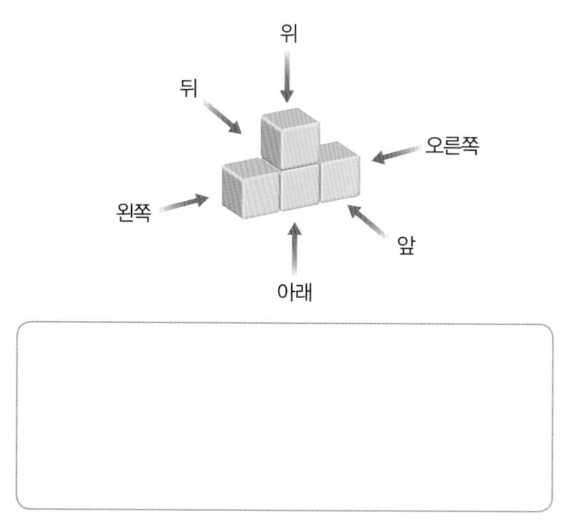

[11~12] 다음과 같이 손전등으로 하마 모양 종이 인형에 빛을 비추며, 손전등의 위치를 조절하였습니다. 물음에 답하시오.

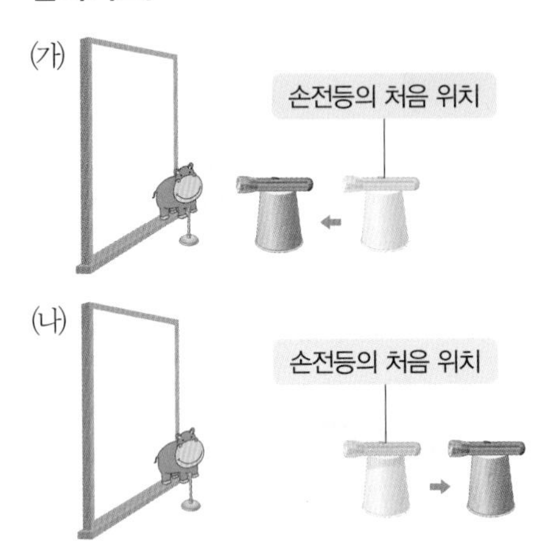

11 위 실험은 무엇을 알아보기 위한 것인지 **보기**에서 골라 기호를 쓰시오.

보기

㉠ 손전등의 밝기에 따른 그림자의 크기 변화
㉡ 손전등의 개수에 따른 그림자의 크기 변화
㉢ 손전등과 물체 사이의 거리에 따른 그림자의 크기 변화
㉣ 스크린과 물체 사이의 거리에 따른 그림자의 크기 변화

( )

12 위 실험을 통해 알 수 있는 사실을 그림자의 크기 변화와 관련지어 쓰시오.

[13~14] 거울 앞에 다음 글자 카드를 세우고 비추어 보았습니다. 물음에 답하시오.

13 위 글자 카드가 거울에 비친 모습을 ▢ 안에 그리시오.

14 위 13번 답으로 보아 거울에 비친 물체의 모습은 실제 물체의 모습과 비교하여 어떻게 다른지 쓰시오.

15 바닥에 놓인 글자 카드의 가운데에 거울을 수직으로 대고, 카드의 왼쪽을 비추면 ㅈ, 오른쪽을 비추면 ㅎ으로 보이는 글자 카드는 어느 것인지 기호를 쓰시오.

보기

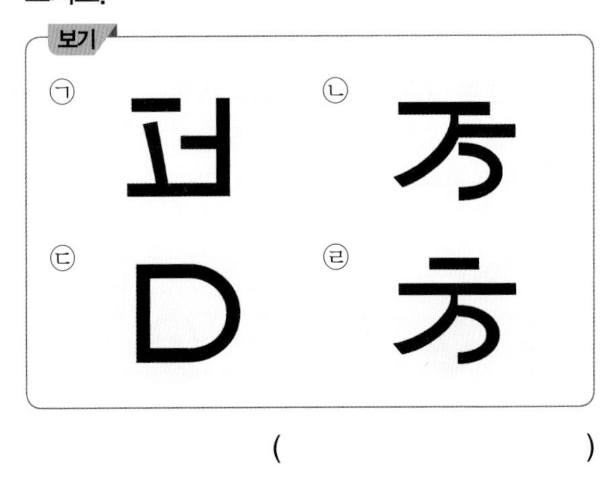

( )

16 오른쪽 그림은 거울에 비친 시계의 모습입니다. 시계가 가리키는 시각은 몇 시 몇 분인지 쓰시오.

( )시 ( )분

17 다음과 같은 굽은 길에서 연지가 어떤 색깔의 색종이를 들고 있는지 민석이가 보려면 최소한 몇 개의 거울이 필요한지 쓰시오.

( )개

18 위 17번 문제와 관련된 빛의 성질을 보기에서 두 가지 골라 기호를 쓰시오.

보기

㉠ 빛은 곧게 나아간다.
㉡ 빛은 거울에 흡수된다.
㉢ 빛은 열을 발생시킨다.
㉣ 빛은 거울에 부딪치면 방향이 바뀐다.

( )

19 다음 그림과 같은 잠망경으로 숫자 카드를 보았습니다.

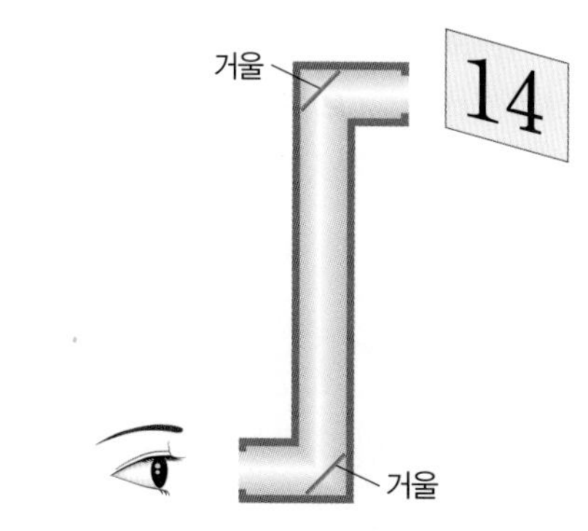

(1) 숫자가 어떤 모습으로 보이는지 ▢ 안에 그리시오.

(2) 위 (1)의 답과 같이 보이는 까닭을 쓰시오.

____

____

____

20 다음 중 거울 두 개 사이에 물체를 놓았을 때, 거울에 비친 물체의 개수가 가장 많은 경우를 찾아 기호를 쓰시오.

㉠ 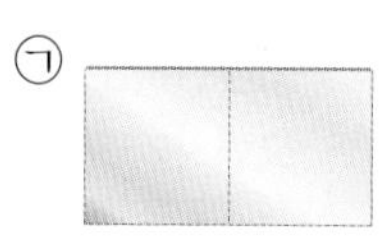
㉡ 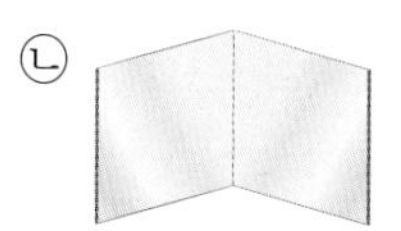
㉢ 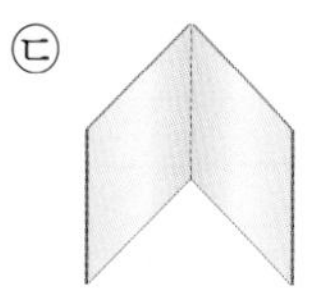
㉣ 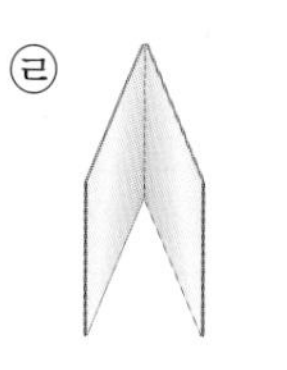

( )

서술형 문제

1 다음은 태양의 위치에 따라 그림자의 위치가 달라지는 것을 이용해 시각을 알 수 있도록 만든 우리나라의 해시계 '앙부일구'의 모습입니다. 해시계의 단점을 그림자와 관련지어 쓰시오.

▲ 앙부일구

2 다음은 도자기 컵과 유리컵에 손전등의 빛을 비춰 나타난 그림자를 비교하여 정리한 표입니다. 빈칸에 들어갈 알맞은 말을 쓰시오.

구분	도자기 컵	유리컵
빛이 통과하는 정도	빛이 통과하지 못한다.	(1)
그림자의 모양과 진하기	(2)	유리컵의 모양과 같고, 연하고 흐릿한 그림자가 생긴다.

(1)

(2)

3 오른쪽과 같이 새가 하늘을 나는 모습을 그림자로 나타낼 때 새 인형의 손잡이 부분의 그림자가 덜 보이게 하려면 어떻게 해야 하는지 쓰시오.

4 다음과 같이 손전등으로 물체에 빛을 비춰 그림자가 생기게 한 후, 손전등과 스크린은 그대로 두고 물체의 위치를 조절하여 그림자의 크기 변화를 관찰하였을 때 알게 된 사실을 쓰시오.

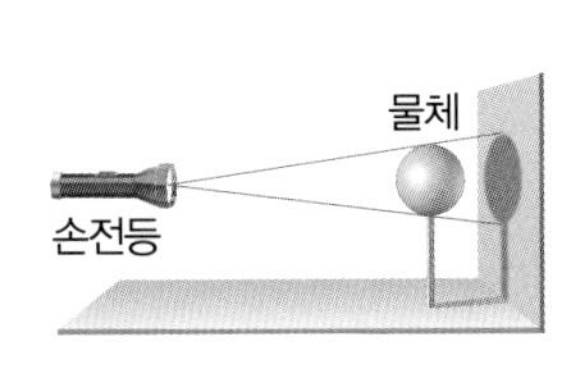

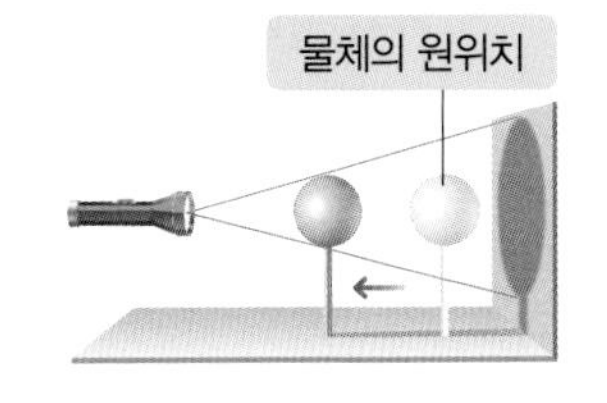

정답과 해설 42쪽

5 다음은 종이 인형을 이용해 그림자 연극을 하는 모습입니다. 스크린과 조명의 위치를 그대로 두었을 때, 소녀의 그림자 크기만 더 커지게 표현하려면 어떻게 해야 하는지 쓰시오.

6 다음과 같이 구급차의 앞부분에 '119 구급대'라는 글자가 좌우가 바뀌어 쓰여 있는 까닭은 무엇인지 쓰시오.

7 다음과 같이 거울 두 개를 사용해 손전등의 빛을 과녁판의 가운데에 비출 수 있는 까닭은 무엇인지 빛의 성질과 관련지어 쓰시오.

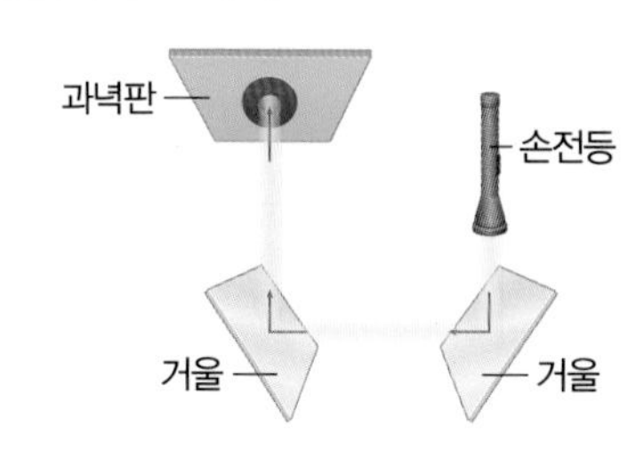

8 다음은 우리 생활에서 거울을 이용하는 예를 조사한 것입니다. 빈칸에 들어갈 알맞은 말을 쓰시오.

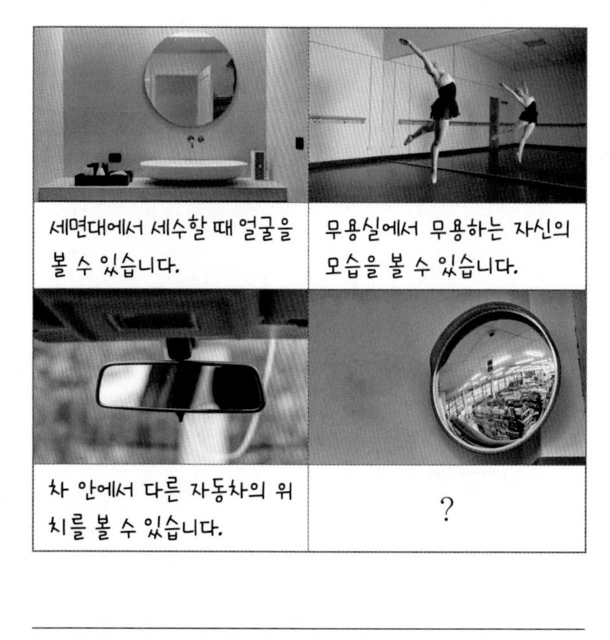

세면대에서 세수할 때 얼굴을 볼 수 있습니다.	무용실에서 무용하는 자신의 모습을 볼 수 있습니다.
차 안에서 다른 자동차의 위치를 볼 수 있습니다.	?

핵심 정리

그림자가 생기는 까닭

구분	도자기 컵	유리컵
그림자의 모양과 진하기	도자기 컵의 모양과 같다. 도자기 컵 모양의 그림자가 진하고 선명하게 생긴다.	유리컵의 모양과 같다. 유리컵 모양의 그림자가 연하고 흐릿하게 생긴다.
빛이 통과하는 정도	빛이 통과하지 못한다.	빛이 대부분 통과한다.

▶ 빛이 곧게 나아가다가 불투명한 물체를 만나면 빛이 통과하지 못해 진한 그림자가 생기고, 투명한 물체를 만나면 빛이 대부분 통과해 연한 그림자가 생긴다.

그림자의 크기 변화

물체와 스크린을 그대로 두었을 때	손전등을 물체에 가깝게 하면 그림자의 크기가 커지고, 손전등을 물체에서 멀게 하면 그림자의 크기가 작아진다.
스크린과 손전등을 그대로 두었을 때	물체를 손전등에 가깝게 하면 그림자의 크기가 커지고, 물체를 손전등에서 멀게 하면 그림자의 크기가 작아진다.

▶ 물체의 그림자 크기를 변화시키려면 손전등의 위치나 물체의 위치, 스크린의 위치를 조절해야 한다.

거울의 성질

빛의 반사	• 빛이 나아가다가 거울에 부딪치면 거울에서 빛의 방향이 바뀌는 성질을 빛의 반사라고 한다. • 거울은 빛의 반사를 이용해 물체의 모습을 비추는 도구이다. 자료 1	거울
거울에 비친 물체의 모습	• 거울에 비친 물체의 모습은 실제 물체와 색깔이 같다. • 물체를 거울에 비춰 보면 물체의 상하는 바뀌어 보이지 않지만 좌우는 바뀌어 보인다.	거울 인형

▶ 거울에 비친 물체의 모습은 실제 물체와 색깔은 같고, 좌우는 바뀌어 보인다.

우리 생활에서 거울을 이용하는 예

세면대 거울	미용실 거울	자동차 뒷거울	편의점 거울

▶ 집, 가게, 자동차 등에서 다양하게 거울을 이용한다. 자료 2

과학 자료

자료 1 우리 눈에 물체가 보이는 까닭

밤에 자려고 불을 끄면 물체가 잘 보이지 않는다. 물체를 보기 위해서는 빛이 필요하기 때문이다. 태양, 별, 전등과 같이 스스로 빛을 내는 물체를 광원이라고 한다. 광원은 스스로 빛을 내기 때문에 광원에서 나온 빛이 직접 우리 눈에 들어와 광원을 볼 수 있는 것이다. 하지만 생물이나 책처럼 스스로 빛을 내지 못하는 물체는 빛이 없으면 볼 수 없다. 빛을 비추면 물체의 표면에서 빛이 반사되어 우리 눈으로 들어와 물체의 모양뿐만 아니라 물체의 색도 함께 볼 수 있다. 광원에서 나오는 빛은 수많은 색이 포함되어 있는데, 물체는 그 빛의 일부는 흡수하고, 일부는 반사한다. 물체마다 반사하거나 흡수하는 빛의 색이 다르다. 예를 들어 사과가 빨갛게 보이는 것은 빨간색 빛만 반사하여 우리 눈으로 들어오고, 나머지 빛은 흡수하기 때문이다.

자료 2 거울의 종류

거울은 표면의 모양에 따라 종류가 다르다. 거울의 표면이 평평한 평면거울, 거울의 가운데 부분이 볼록하게 튀어나온 볼록 거울, 거울의 가운데 부분이 오목하게 들어가 있는 오목 거울로 나눌 수 있다. 거울의 모양에 따라 물체의 모습이 다르게 보인다.

평면거울은 실제 물체의 모습과 좌우만 바뀌어 보인다. 우리가 사용하는 대부분의 거울은 평면거울이다. 볼록 거울에 보이는 물체의 모습은 원래보다 작게 보이므로 넓은 범위를 봐야 하는 도로 반사경이나 편의점 거울 등에 사용한다. 오목 거울은 물체를 확대해 보거나 반사된 빛을 한 곳으로 모아 멀리까지 나아가게 하는 데 사용한다. 치과용 거울이나 현미경 등에 사용한다.

VISUAL SCIENCE

비주얼 사이언스

57쪽 참고 투명한 물체의 색

유리와 같이 투명한 물체의 색은 물체에서 투과되어 나오는 빛의 색으로 보인다.

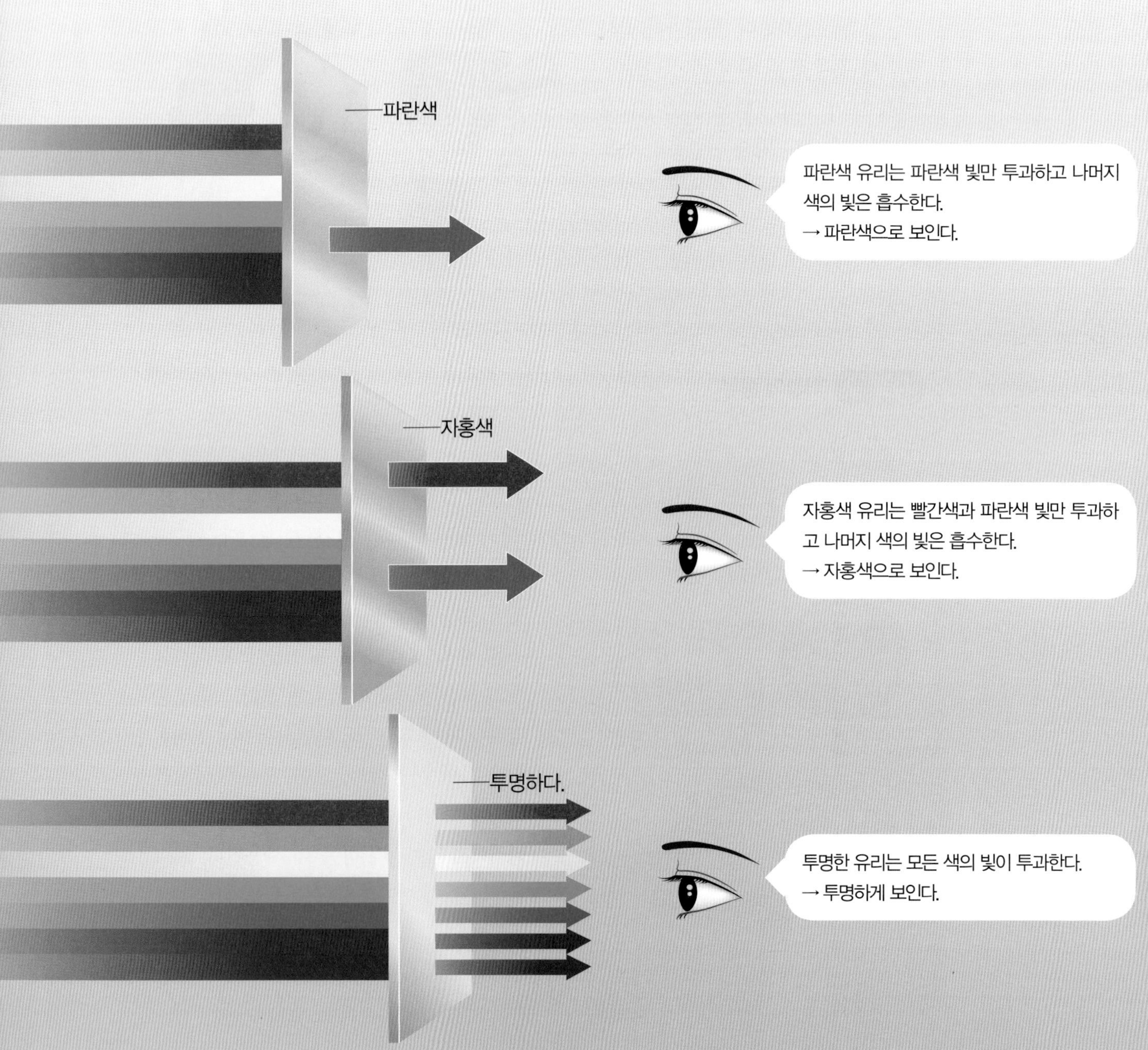

어둠상자 속의 물체

어둠상자 속의 물체를 보기 위해서는 광원이 있어야 하고, 광원에서 나온 빛이 물체에서 반사되어야 한다. 그리고 물체에서 반사된 빛이 우리 눈에 들어와야 한다.

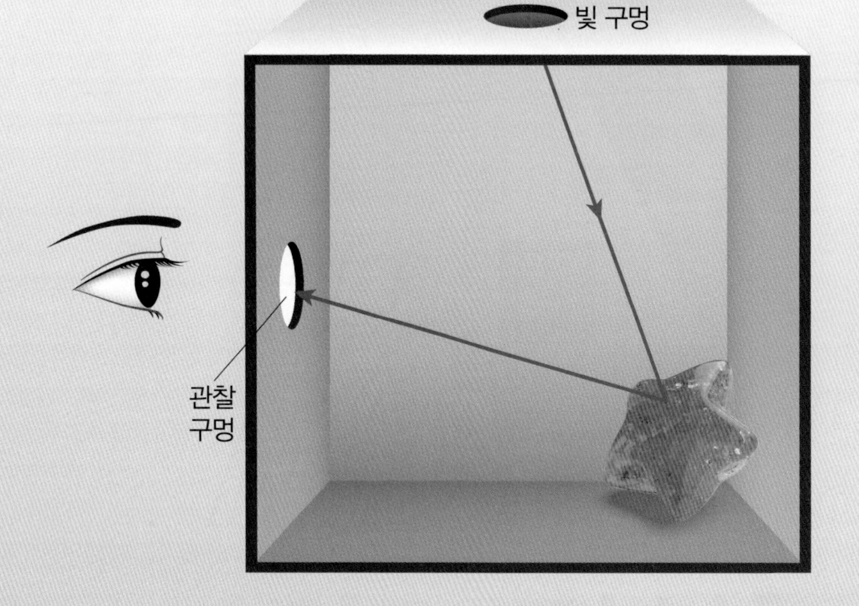

볼록 거울과 오목 거울

빛을 퍼뜨리는 성질이 있는 볼록 거울은 실제 물체보다 작게 보인다.
빛을 모으는 성질이 있는 오목 거울은 실제 물체보다 크게 보인다.

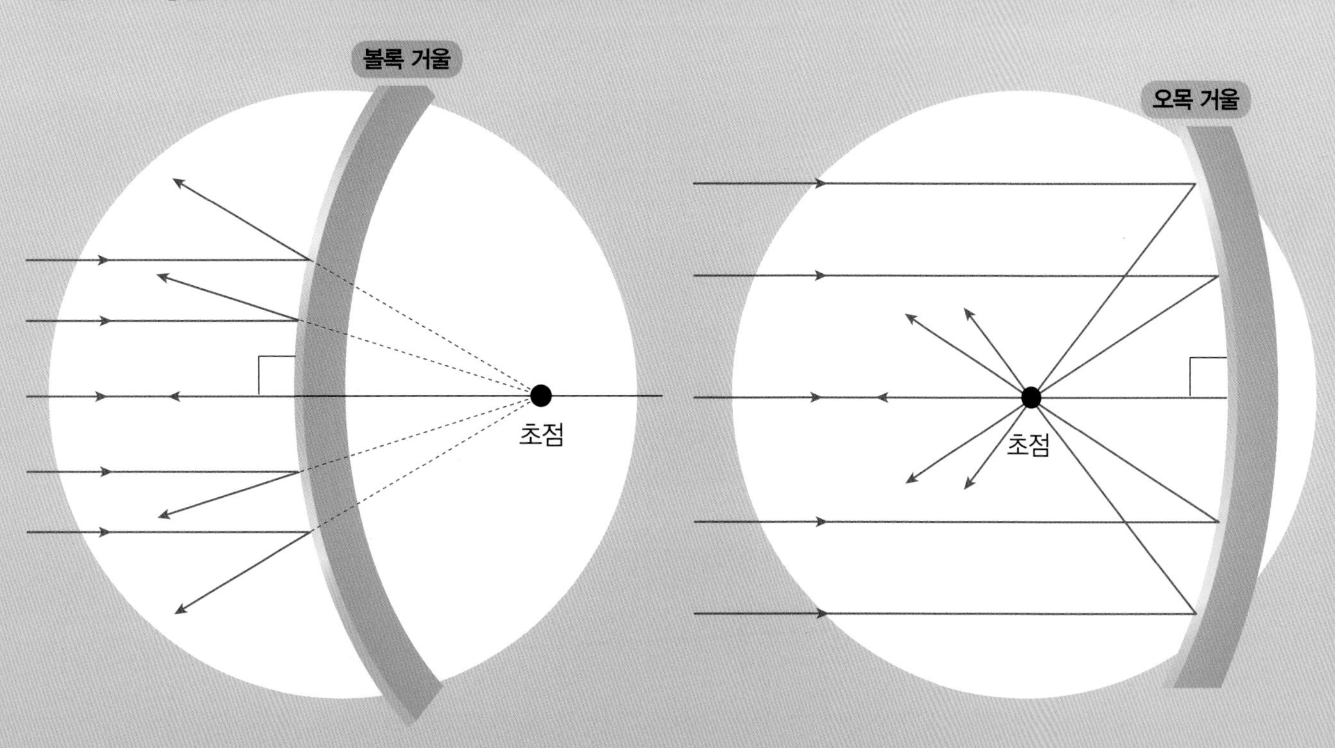

화산과 지진

화산 활동과 지진이
발생하면 어떻게 될까?
선수
학습
• 3~4학년군
지층과 화석
이 단원의
학습
• 3~4학년군
화산과 지진
후속
학습
• 중학교 1~3학년군
지권의 변화

1 화산

개념 강의

만화로 보는 '화산'

어머, 네 여드름 터지기 직전이야. 화산처럼.

열받게 하면 더 빨리 터진다. 화산처럼.

용어

• **분출** 액체나 기체 상태의 물질이 솟구쳐서 뿜어져 나옴.

세계 여러 곳의 화산

▲ 후지산(일본)

▲ 킬라우에아산(미국)

화산과 화산이 아닌 산

• 화산: 땅속의 마그마가 분출하여 생긴 지형이며, 산꼭대기에 대부분 분화구가 있다. 분화구에 물이 고여 있는 것도 있다.
• 화산이 아닌 산: 마그마가 분출하지 않았으며, 산꼭대기에 분화구가 없다.

1. 화산 활동으로 나오는 물질

(1) **화산** 땅속 깊은 곳에서 암석이 녹은 것을 마그마라고 하는데, 화산은 마그마가 분출하여 생긴 지형이다. 세계 여러 곳에는 다양한 크기와 모양의 화산이 있다. 화산 꼭대기에는 대부분 움푹 파여 있는 분화구가 있다. 분화구에 물이 고여 호수(화구호)가 만들어지기도 한다.

▲ 한라산(우리나라)
└ '백록담'이라는 화구호가 있다.

(2) **화산 분출물** 세계 여러 곳에 있는 화산 중에는 현재에도 활동 중인 화산이 있다. 화산이 분출할 때 나오는 물질을 화산 분출물이라고 한다. 화산 분출물에는 기체인 화산 가스, 액체인 용암, 고체인 화산재와 화산 암석 조각 등이 있다. 화산 가스에는 여러 가지 기체가 섞여 있으며 대부분은 수증기이다. 화산 암석 조각의 크기는 매우 다양하다. 교과서속 탐구 82쪽

보충 플러스 용암의 끈적한 정도에 따른 화산의 형태

마그마는 땅속 깊은 곳에서 암석이 녹은 것으로, 마그마가 지표 밖으로 나오면 가스가 빠져나가면서 용암이 된다. 뜨거운 용암은 지표 밖으로 나오면서 식는데, 끈적끈적한 용암은 뾰족하고 높은 화산(종상 화산)을 만들고, 물처럼 잘 퍼지는 용암은 경사가 완만한 화산(순상 화산)을 만든다.

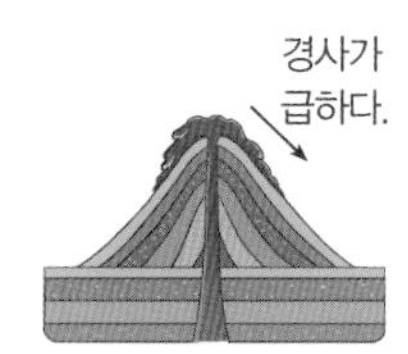

▲ 종상 화산

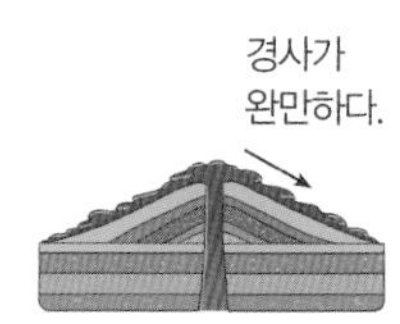

▲ 순상 화산

2. 화산 활동으로 만들어진 암석 마그마가 식어 만들어진 암석을 화성암이라고 한다. 화성암 중 대표적인 암석은 현무암과 화강암이다.

(1) **현무암** 마그마가 지표 가까이에서 빠르게 식어서 만들어져 알갱이의 크기가 작다. 색깔이 어둡고, 표면이 거칠며 군데군데 구멍이 있는 것도 있다. 마그마가 지표 가까이에서 빠르게 식으면서 가스 성분이 빠져나가 표면에 구멍이 생긴 것이다.

(2) **화강암** 마그마가 땅속 깊은 곳에서 서서히 식어서 만들어져 알갱이의 크기가 커서 눈으로 구분할 수 있다. 현무암보다 색깔이 밝고 여러 가지 색이 포함되어 있다. 촉감이 거칠고 반짝거리는 알갱이가 있다.

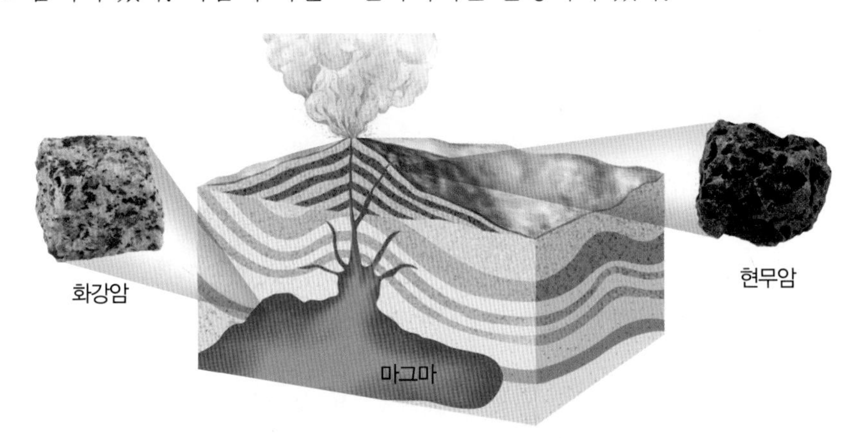

Mini 탐구 현무암과 화강암 비교하기

과정 현무암과 화강암을 관찰하고 색깔과 알갱이의 크기 등을 비교해 본다.

결과 현무암과 화강암의 특징

구분	현무암	화강암
암석의 색깔	어두운색이다.	밝은색이다.
암석을 이루는 알갱이의 크기	맨눈으로 구분하기 어려울 정도로 알갱이가 매우 작다.	맨눈으로 구분할 수 있을 정도로 알갱이가 크다.
기타	표면에 크고 작은 구멍이 많이 뚫려 있는 것도 있고, 구멍이 없는 것도 있다.	대체로 밝은 바탕에 검은색 알갱이가 보이고, 반짝이는 알갱이가 있다.

3. 화산 활동이 우리 생활에 주는 영향 화산 활동은 우리 생활에 피해를 주기도 하지만 이로운 점도 있다. 화산 분출물은 마을을 뒤덮거나 산불을 발생시켜 피해를 주기도 한다. 화산재와 화산 가스의 영향으로 호흡기 질병 및 날씨의 변화가 나타나기도 한다. 화산재는 비행기 엔진을 망가뜨려 항공기 운항을 어렵게 하지만, 땅을 기름지게 하여 농작물이 자라는 데 도움을 주기도 한다. 땅속의 높은 열은 온천 개발이나 지열 발전에 활용한다.

현무암과 화강암의 이용

▲ 돌하르방

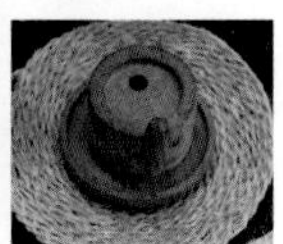
▲ 맷돌

현무암은 제주도의 돌하르방, 맷돌 등을 만드는 데 이용된다.

▲ 석굴암

▲ 불국사 돌계단

경주에 있는 석굴암과 불국사의 돌계단은 화강암으로 만들어졌다.

화산 활동이 주는 피해

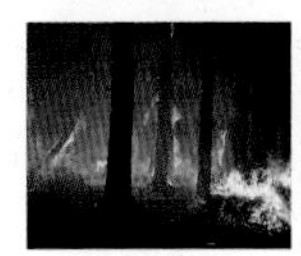
▲ 산불

▲ 항공기 운항 차질

산불을 발생시키기도 하고, 화산재로 인해 항공기 운항이 어려워진다.

화산 활동이 주는 이로움

▲ 온천

▲ 지열 발전

땅속의 높은 열은 온천 개발이나 지열 발전에 활용한다.

화산 분출 모형실험 하기

과정

1. 알루미늄 포일 위에 마시멜로를 놓고 식용 색소를 뿌린다.
2. 알루미늄 포일로 마시멜로를 감싼 뒤 윗부분을 열어 둔다.
3. 마시멜로를 감싼 알루미늄 포일을 은박 접시 위에 올린 후, 삼발이 위에 올린다.
4. 알코올램프에 불을 붙인 뒤 나타나는 현상을 관찰한다.

결과

▶ **가열하면서 나타나는 현상**

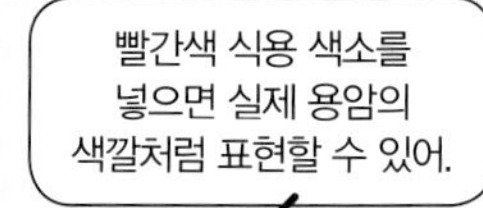

- 알루미늄 포일 안에 들어 있던 마시멜로가 뜨거워지면 연기가 나며, 알루미늄 포일 밖으로 마시멜로가 흘러나온 뒤 식으면서 굳는다.
- 마시멜로가 작은 덩어리로 튀어나오기도 한다.

알 수 있는 사실

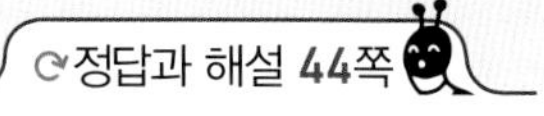
정답과 해설 44쪽

1 오른쪽과 같이 빨간색 식용 색소를 뿌린 마시멜로를 알루미늄 포일로 감싼 뒤, 삼발이 위에 올려 가열하였습니다. 무엇을 알아보기 위한 실험인지 골라 기호를 쓰시오.

> ㉠ 화산 분출 모습
> ㉡ 지층이 만들어지는 과정
> ㉢ 지진으로 인한 피해 모습

( )

2 앞의 1번 실험에서 가열한 후의 모습이 오른쪽과 같았을 때, 실제 화산 분출물과 바르게 비교한 사람을 찾아 이름을 쓰시오.

> - 다인: 화산 분출 모형실험의 연기는 화산 암석 조각과 비교할 수 있어.
> - 서후: 화산 분출 모형실험의 알루미늄 포일에서 나와 흐르는 마시멜로는 용암과 비교할 수 있어.

( )

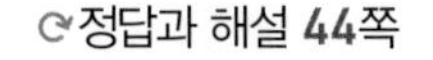

정답과 해설 44쪽

1 다음은 화산에 대한 설명입니다. ( ) 안에 공통으로 들어갈 알맞은 말을 쓰시오.

> • (   )은/는 땅속 깊은 곳에서 암석이 녹은 것을 말한다.
> • 화산은 (   )이/가 분출하여 생긴 지형이다.

(   )

2 화산의 특징으로 옳은 것에 ○표, 옳지 <u>않은</u> 것에 ×표 하시오.

(1) 화산의 생김새는 모두 같다. (   )
(2) 모든 화산은 경사가 급하다. (   )
(3) 분화구에 물이 고여 호수가 생긴 화산도 있다. (   )
(4) 전 세계 어느 지역에도 현재 활동 중인 화산은 없다. (   )

3 다음 화산 분출물과 그 상태를 바르게 연결하시오.

(1) 
▲ 용암

(2) 
▲ 화산 가스

(3) 
▲ 화산 암석 조각

• ㉠ 고체 상태
• ㉡ 액체 상태
• ㉢ 기체 상태

4 오른쪽은 화성암이 만들어지는 위치를 나타낸 것입니다. ㉠과 ㉡ 중 알갱이의 크기가 더 큰 화성암이 만들어지는 위치를 골라 기호를 쓰고, 그 화성암의 이름을 쓰시오.

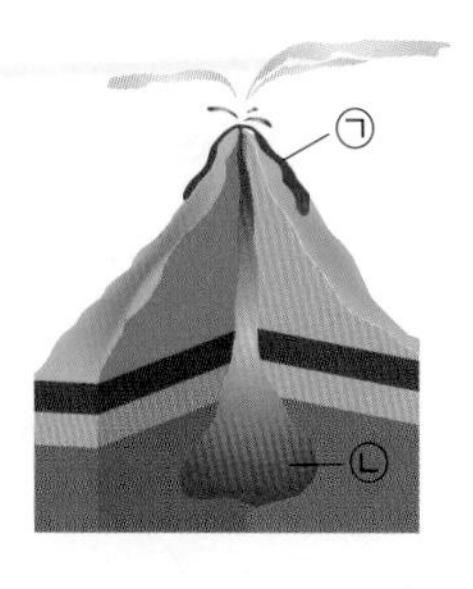

(   )

5 다음에서 설명하는 화성암의 이름을 쓰시오.

> 마그마의 활동으로 만들어진 대표적인 화성암으로, 지표면 가까이에서 빠르게 식어서 만들어진다. 색깔이 어둡고, 표면에 구멍이 있는 것도 있다. 제주도에서 이 암석으로 돌하르방을 만들거나 맷돌을 만든다.

(   )

6 다음 화산 활동이 우리 생활에 주는 영향을 피해와 이로운 점으로 분류하여 기호를 쓰시오.

피해	이로운 점
(1)	(2)

지진

만화로 보는
'지진 대처 방법'

• **함몰** 물속이나 땅속에 빠짐.

1. 지진이 발생하는 까닭

(1) **지진** 땅은 지구 내부에서 작용하는 힘을 오랫동안 받으면 휘어지거나 끊어지기도 한다. 땅이 끊어지면서 흔들리는 것을 지진이라고 한다. 지진은 화산 활동이나 지표의 약한 부분, 지하 동굴의 •함몰 등에 의해 발생하기도 한다. 교과서 속 탐구 86쪽

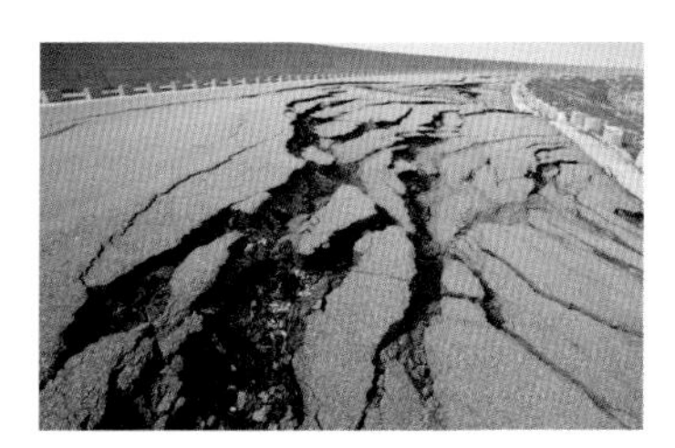
▲ 지진으로 갈라진 땅

(2) **지진의 세기** 우리나라와 세계 여러 지역에서 지진이 자주 발생한다. 지진은 강한 지진도 있고, 약한 지진도 있다. 지진의 세기는 지진이 일어날 때 발생하는 힘의 크기를 재어 규모로 나타낸다. 규모는 소수 첫째 자리까지 아라비아 숫자로 표시한다. 규모의 숫자가 클수록 강한 지진이다.
└ 예 규모 4.5

Mini 탐구 흔들림 지진판으로 지진 발생 모형실험 하기

과정

1. 흔들림 지진판 위에 블록을 쌓아 건물의 모습을 만든다.
2. 흔들림 지진판을 위아래, 양옆으로 흔들며 블록 건물의 변화를 관찰한다.
3. 실제 지진과 모형실험의 공통점과 차이점은 무엇인지 알아본다.

결과

▶ 블록 건물의 변화: 흔들림 지진판을 약하게 흔들었을 때는 블록이 조금씩 흔들리다가 흔들림 지진판을 세게 흔들었더니 블록이 무너져 내렸다.

▶ 실제 지진과 모형실험 비교

공통점	차이점
흔들림 지진판을 손으로 흔들 때 블록에 떨림이 전달되어 무너진 것처럼 지구 내부에서 작용하는 힘에 의해 지진이 일어나면 땅의 떨림이 전달되어 건물이나 도로가 무너진다.	흔들림 지진판은 짧은 시간 동안 비교적 작은 힘 때문에 흔들려 블록이 무너지지만, 지진은 오랜 시간 동안 지구 내부에서 작용하는 힘이 쌓여 큰 힘 때문에 발생한다.

지진이 발생했을 때의 모습

▲ 지진으로 무너진 건물

▲ 지진으로 무너진 도로

화산 활동과 지진의 비슷한 점

• 지구 내부의 힘 때문에 발생하는 현상이다.
• 크고 작은 땅의 흔들림이 발생할 수 있다.
• 사람들에게 피해를 줄 수 있다.
• 자주 일어나는 지역의 분포가 비슷하다.

2. 지진으로 인한 피해 지진이 발생하면 약한 흔들림을 느끼는 정도로 그칠 수도 있지만, 사람이 다치거나 건물과 도로가 무너지는 등 인명과 재산에 큰 피해를 주기도 한다. 우리에게도 지진에 대비하는 자세가 필요하다.

(1) 우리나라에서 발생한 지진 피해 사례

연도	발생 지역	규모	피해 내용
2018	경상북도 포항	4.6	부상자 발생
2017	경상북도 포항	5.4	부상자 및 •이재민 발생, 건물 손상
2016	경상북도 경주	5.8	부상자 발생, 건물 •균열, 시설물 파손

(2) 다른 나라에서 발생한 지진 피해 사례

연도	발생 지역	규모	피해 내용
2020	터키	6.7	사망자 및 부상자 발생, 건물 붕괴
2019	페루	8.0	사망자 및 부상자 발생, 건물 손상
2018	인도네시아	7.5	사망자 및 부상자 발생, 건물 붕괴, 공항 시설 파손

3. 지진이 발생했을 때 대처 방법 지진이 발생하면 침착하게 행동하는 것이 중요하며, 상황과 장소에 맞는 올바른 대처 방법에 따라 행동해야 한다.

지진이 발생하기 전에 구급약품이나 비상식량 등을 준비하고, 흔들리는 물건을 고정한다.

(1) 지진으로 흔들릴 때

① 교실 안: 책상 아래로 들어가 머리와 몸을 보호하고, 책상 다리를 꼭 잡는다.

② 승강기 안: 모든 층의 버튼을 눌러 가장 먼저 열리는 층에서 내린다.

③ 건물 밖: 머리를 보호하고 건물이나 벽 주변에서 떨어진다.

④ 대형 할인점: 넘어지거나 떨어질 물건으로부터 머리와 몸을 보호한다.

(2) 흔들림이 멈추었을 때

① 학교에서는 머리를 보호하며 선생님의 지시에 따라 넓은 장소로 신속하게 이동한다. – 지진으로 크게 흔들리는 시간은 1~2분 정도이므로 흔들림이 멈추면 이동한다.

② 건물에서는 승강기 대신 계단을 이용해 신속하게 이동한다.

③ 집에서는 전기와 가스를 차단하고 밖으로 나갈 수 있게 문을 열어 둔다.

지진의 규모에 따른 피해 정도

- 일반적으로 지진의 규모가 클수록 피해 정도도 크지만, 지진의 규모가 같다고 해서 피해 정도가 같은 것은 아니다.
- 같은 규모의 지진이라도 지진 대비 정도, 지진 경보 시기, 도시화 정도 등 여러 가지 요인에 따라 피해 정도가 다르다.

용어

- **이재민** 지진, 태풍, 홍수, 가뭄 등의 재해를 입은 사람.
- **균열** 거북의 등에 있는 무늬처럼 갈라져 터짐.

내진 설계

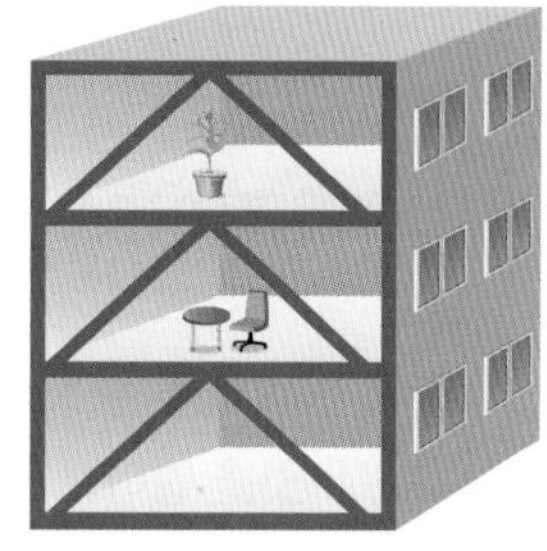

건물의 특성, 지진의 특성을 고려해 지진에 안전한 건물을 설계하는 것을 말한다.

지진 발생 모형실험 하기

과정

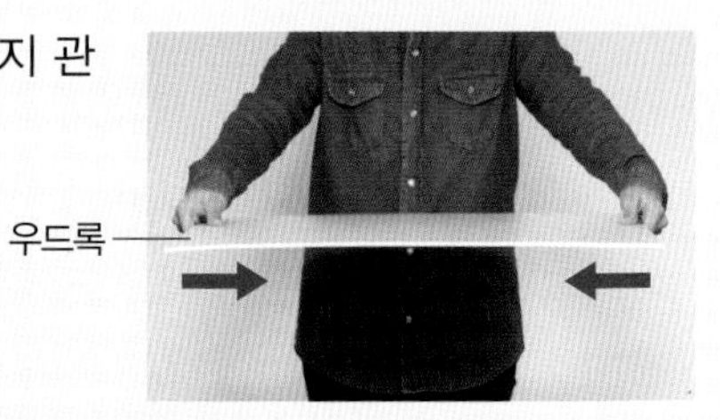

1. 양손으로 우드록을 중심 방향으로 밀면 우드록이 어떻게 되는지 관찰한다.
2. 우드록이 끊어질 때 손의 느낌을 알아본다.
3. 지진 발생 모형실험과 실제 자연 현상을 비교해 본다.

결과

양쪽에서 중심 방향으로 힘을 주어 우드록이 휘어지도록 할 때	양쪽에서 중심 방향으로 계속 힘을 주어 우드록이 끊어지도록 할 때

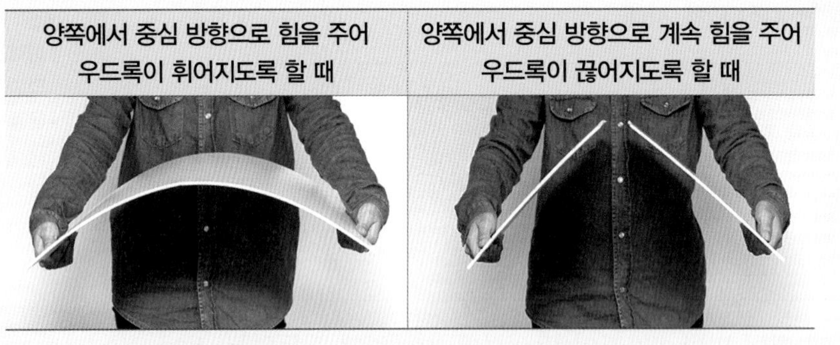

▶ **지진 발생 모형실험과 실제 자연 현상 비교하기**

지진 발생 모형실험	실제 자연 현상
우드록	땅
양손으로 미는 힘	지구 내부에서 작용하는 힘
우드록이 끊어질 때의 떨림	지진

알 수 있는 사실 ▶ 우드록이 끊어질 때 손에 전달되는 떨림은 땅이 끊어질 때 흔들리는 떨림과 같다.

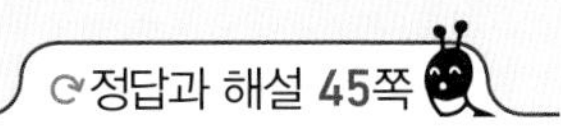
정답과 해설 45쪽

1 오른쪽과 같이 양손으로 우드록을 잡고 중심 방향으로 밀어 우드록이 끊어질 때 손의 떨림을 느꼈습니다. 무엇을 알아보기 위한 실험인지 기호를 쓰시오.

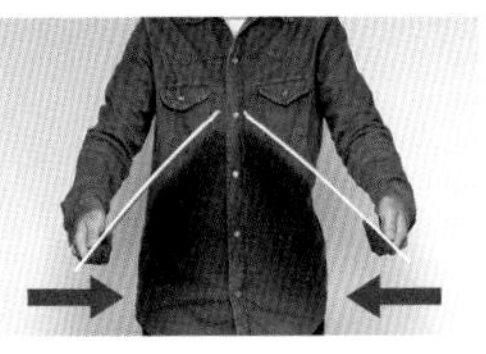

㉠ 태풍이 발생하는 원인
㉡ 화산이 폭발하는 원인
㉢ 지진이 발생하는 원인
㉣ 지층이 만들어지는 과정

( )

2 앞의 1번 모형실험과 실제 자연 현상을 바르게 비교한 것을 두 가지 고르시오. ( )

	모형실험	실제 자연 현상
①	우드록	땅
②	우드록	바다
③	우드록	하늘
④	우드록을 양손으로 미는 힘	우주에서 작용하는 힘
⑤	우드록을 양손으로 미는 힘	지구 내부에서 작용하는 힘

정답과 해설 45쪽

1 다음에서 설명하는 자연 현상은 무엇인지 쓰시오.

지구 내부에서 작용하는 힘을 오랫동안 받아 땅이 끊어지면서 흔들리는 자연 현상이다.

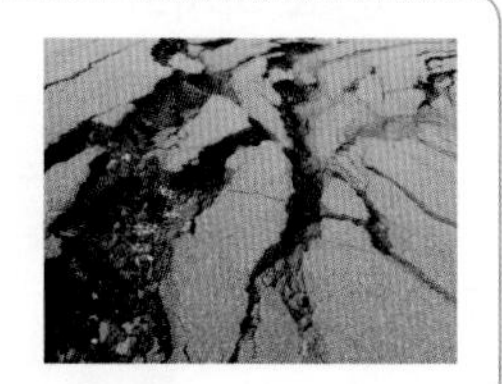

( )

2 다음은 흔들림 지진판을 이용해 지진 발생 모형실험을 하는 모습입니다. 흔들림 지진판을 흔드는 손의 힘은 실제 자연에서 무엇을 의미하는지 쓰시오.

( )

3 다음과 같이 상호가 지진에 대해 조사한 내용을 발표했습니다. 상호가 발표한 내용 중 잘못된 내용을 골라 기호를 쓰시오.

㉠ 지진이 발생하면 땅이 흔들리거나 갈라지고 건물이 무너지기도 합니다.
㉡ 지진의 세기는 규모로 나타내며, 숫자가 클수록 약한 지진입니다.
㉢ 모든 지진이 큰 피해를 발생시키는 것은 아닙니다.

( )

[4~5] 다음 표는 최근 발생한 지진의 규모와 피해 정도를 나타낸 것입니다. 물음에 답하시오.

연도	발생 지역	규모	피해 내용
2020	터키	6.7	사망자 및 부상자 발생, 건물 붕괴
2019	페루	8.0	사망자 및 부상자 발생, 건물 손상
2018	경상북도 포항	4.6	부상자 발생

4 위 표에서 가장 강한 지진이 발생한 지역은 어디인지 쓰시오.

( )

5 위 표를 보고 알 수 있는 사실로 옳은 것을 골라 기호를 쓰시오.

㉠ 최근에는 지진이 발생하지 않았다.
㉡ 우리나라도 지진의 안전지대가 아니다.
㉢ 다른 나라에서만 지진이 발생하고 있다.
㉣ 지진의 규모에 관계없이 피해 정도는 같다.

( )

6 다음 중 지진이 발생했을 때 대처하는 방법을 바르게 말한 사람의 이름을 쓰시오.

- 세진: 흔들림이 멈추면 승강기를 이용해 이동해야 해.
- 현희: 집 안에 있을 때는 가스 밸브를 열고 전등을 모두 켜 놓아야 해.
- 태우: 지진으로 흔들릴 때 교실 안에 있다면 책상 아래로 들어가 머리와 몸을 보호해야 해.

( )

1 오른쪽 화산을 보고, ( ) 안에 들어갈 알맞은 말을 각각 쓰시오.

▲ 한라산(우리나라)

> 한라산은 땅속 깊은 곳에서 암석이 녹은 (㉠)이/가 분출하여 생긴 지형이다. 화산의 꼭대기에 움푹 파인 곳을 (㉡)(이)라고 하는데, 한라산의 (㉡)에는 물이 고여 생긴 호수가 있다.

㉠ ( ), ㉡ ( )

2 다음은 색점토와 비닐을 사용해 화산 활동 모형을 만든 것입니다. 빨간색 점토를 붙인 ㉠은 화산 분출물 중 무엇을 표현한 것인지 보기에서 골라 쓰시오.

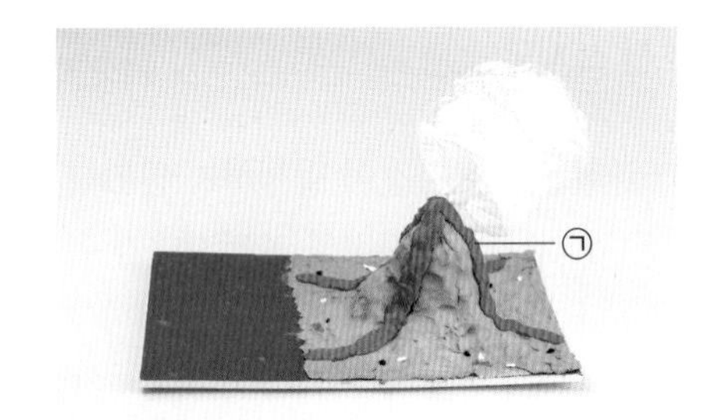

보기

> 용암, 화산재, 화산 가스, 화산 암석 조각

( )

3 화산은 뾰족하고 높은 화산도 있고, 경사가 완만한 화산도 있습니다. 이렇게 화산의 생김새가 다양한 까닭은 무엇인지 쓰시오.

______

______

______

4 다음과 같은 화산 활동에 대한 설명으로 옳은 것에 ○표 하시오.

(1) 화산 활동은 우리에게 피해만 준다. ( )

(2) 화산 활동으로 분출되는 물질은 모두 고체 상태이다. ( )

(3) 화산 활동으로 분출되는 화산 가스의 대부분은 산소이다. ( )

(4) 세계 여러 곳에 있는 화산 중에는 현재도 활동 중인 화산이 있다. ( )

5 다음은 화산이 분출할 때 나오는 물질을 조사하여 정리한 표입니다. 빈칸에 들어갈 알맞은 말을 각각 쓰시오.

화산 분출물	특징	상태
화산 가스	여러 가지 기체가 섞여 있다.	기체
용암	마그마가 지표 밖으로 분출하여 기체가 빠져나간 상태이다.	㉠
화산 암석 조각	크기가 매우 다양하다.	㉡

㉠ ( ), ㉡ ( )

[6~7] 다음은 준호가 가족 여행을 다녀온 후에 쓴 일기입니다. 물음에 답하시오.

> 가족들과 제주도 여행을 다녀왔다. 제주도에는 특이하게 생긴 암석으로 만들어진 돌담이 많이 있었다. 암석을 살펴보니 색깔이 어둡고 구멍이 송송 뚫려 있었다. 손으로 만져 보니 표면이 많이 거칠었다.

6 위 일기에서 준호가 제주도에서 본 암석의 이름은 무엇인지 쓰시오.

( )

7 위 6번 답의 암석이 만들어지는 위치를 골라 기호를 쓰시오.

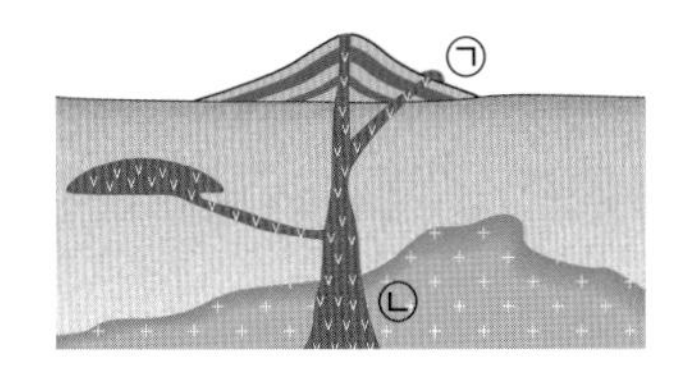

( )

8 다음은 대표적인 화성암의 모습입니다. (가)와 (나)에 대한 설명으로 옳은 것을 모두 고른 것은 어느 것입니까? ( )

(가) 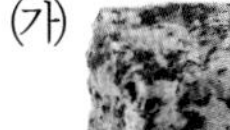

(나) 

> ㉠ (가)는 (나)보다 알갱이의 크기가 크다.
> ㉡ (가)는 마그마가 지표면 가까이에서 식어서 만들어진다.
> ㉢ (나)는 화산이 분출할 때 가스 성분이 빠져나가 구멍이 생기기도 한다.

① ㉠　② ㉠, ㉡
③ ㉠, ㉢　④ ㉡, ㉢
⑤ ㉠, ㉡, ㉢

9 화산 주변 땅속의 높은 열을 우리 생활에서 어떻게 이용하는지 한 가지 쓰시오.

____

____

10 다음 신문 기사에서 밑줄 친 화산 분출물이 우리 생활에 주는 피해가 아닌 것을 **보기**에서 골라 기호를 쓰시오.

> 지난 7일에 인도네시아 시나붕 화산이 분화하면서 잿빛의 화산재가 약 2800 m 높이까지 치솟았다. 시나붕 화산은 인도네시아에 있는 활화산으로, 최근 잦은 폭발로 마을 주민들이 피해를 입어 지금은 모두 다른 지역으로 이전시켰다고 한다.

보기

> ㉠ 호흡기 질병에 걸린다.
> ㉡ 태양 빛을 차단해 날씨의 변화가 나타난다.
> ㉢ 비행기 엔진을 망가뜨려 항공기 운항이 어려워진다.
> ㉣ 땅을 기름지게 하여 농작물이 자라는 데 도움을 준다.

( )

11 다음과 같은 경우에 공통적으로 발생할 수 있는 자연 현상은 무엇인지 쓰시오.

- 화산 활동이 일어날 때
- 지하 동굴이 무너질 때
- 지표의 약한 부분이 함몰될 때
- 지구 내부에서 작용하는 힘 때문에 땅이 끊어질 때

( )

12 다음은 화산 활동과 지진 발생 지역을 표시한 지도입니다. 지도를 보고 알 수 있는 사실을 다음의 낱말을 사용하여 쓰시오.

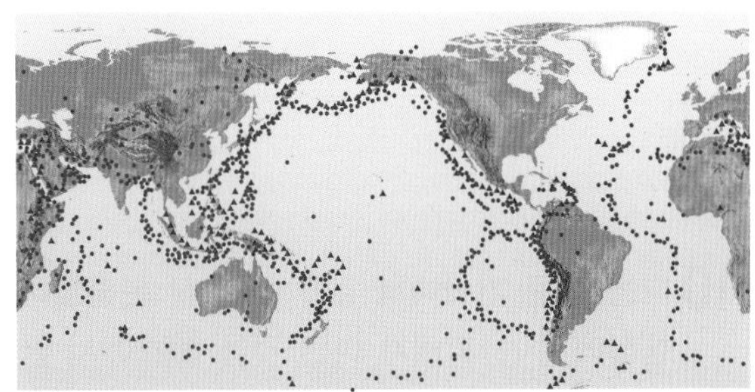

▲ 화산 활동 발생 지역 • 지진 발생 지역

화산 활동, 지진, 지역

---

13 다음 중 지진에 대해 바르게 설명한 사람을 찾아 ○표 하시오.

(1) 땅이 지구 내부에서 작용하는 힘을 오랫동안 받아서 휘어지는 것을 지진이라고 해.

(2) 산악 지형에서 지진이 발생하면 산사태가 일어나기도 해.

( ) ( )

14 다음과 같이 흔들림 지진판 위에 블록을 쌓아 건물 모습을 만들고 위아래, 양옆으로 세게 흔들었더니 블록이 무너졌습니다. 이 실험에 대한 설명으로 옳지 않은 것을 골라 기호를 쓰시오.

㉠ 흔들림 지진판은 실제 자연에서 땅을 의미한다.
㉡ 이 실험은 실제 자연 현상 중 지진 발생을 알아보는 것이다.
㉢ 흔들림 지진판을 흔드는 손의 힘은 달이 지구를 끌어당기는 힘을 의미한다.

( )

15 다음과 같이 양손으로 우드록을 중심 방향으로 계속 밀었더니 우드록이 휘어지다가 끊어졌습니다. 이 실험에 대해 정리한 내용을 보고 빈칸에 들어갈 알맞은 말을 각각 쓰시오.

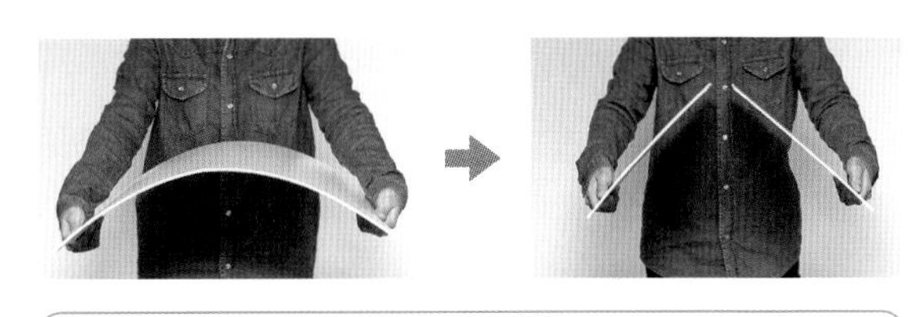

우드록이 끊어질 때 손에 전달되는 (㉠)은/는 실제 자연에서 (㉡)이/가 발생했을 때 땅이 흔들리는 것을 의미한다.

㉠ ( ), ㉡ ( )

정답과 해설 46쪽

16 다음은 우리나라와 다른 나라에서 발생한 지진 피해 사례를 조사한 표입니다. ㉠에 들어갈 지진의 세기를 나타내는 단위는 무엇인지 쓰시오.

연도	발생 지역	㉠	피해 내용
2019	페루	8.0	사망자 및 부상자 발생, 건물 손상
2018	인도네시아	7.5	사망자 및 부상자 발생, 건물 붕괴, 공항 시설 파손
2016	경상북도 경주	5.8	부상자 발생, 건물 균열, 시설물 파손

( )

17 다음 중 위 16번 문제의 지진 피해 사례를 통해 알 수 있는 사실로 옳은 것은 어느 것입니까? ( )

① 지진이 발생해도 피해는 없다.
② 지진의 피해 정도는 모두 같다.
③ 우리나라의 지진은 피해가 발생하지 않는다.
④ 지진의 세기가 약할수록 지진의 피해는 크다.
⑤ 지진이 발생하면 크고 작은 피해가 발생하기도 한다.

18 오른쪽과 같이 건물의 특성, 지진의 특성을 고려해 지진에 안전한 건물을 설계하는 것을 무엇이라고 하는지 쓰시오.

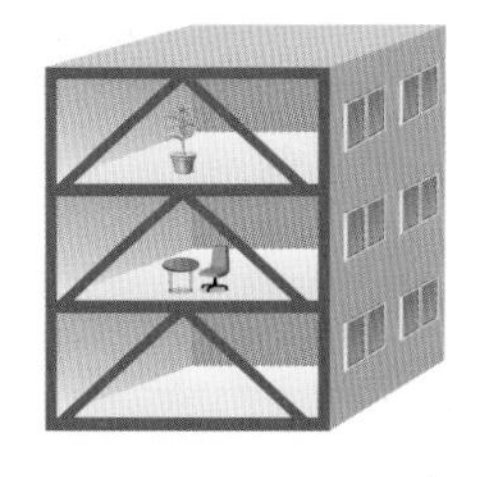

( )

19 다음 그림을 보고 지진으로 흔들릴 때 교실 안에 있을 경우 대처 방법을 한 가지 쓰시오.

20 지진이 발생한 후에 해야 할 일에 대해 잘못 말한 사람의 이름을 쓰시오.

- 우혁: 다친 사람이 있는지 확인하여 구조 요청을 해야 해.
- 승호: 라디오 등을 통해서 재난 방송을 계속해서 들어야 해.
- 진영: 지진으로 크게 흔들리는 시간은 1~2분 정도이므로 흔들림이 멈추면 마음대로 행동해도 돼.

( )

1 다음과 같이 화산이 분출할 때 나오는 물질을 화산 분출물이라고 합니다. 화산 분출물에는 어떠한 것들이 있는지 고체, 액체, 기체 상태로 분류하여 쓰시오.

2 다음은 대표적인 화성암 중 하나인 화강암의 모습입니다. 화강암의 특징을 색깔과 알갱이의 크기로 구분하여 설명하시오.

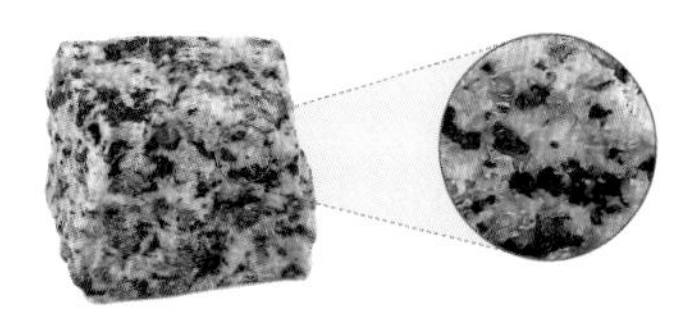

(1) 색깔:

(2) 알갱이의 크기:

3 다음은 현무암이 만들어지는 위치를 나타낸 것입니다. 현무암의 알갱이의 크기를 현무암이 만들어지는 위치와 관련지어 설명하시오.

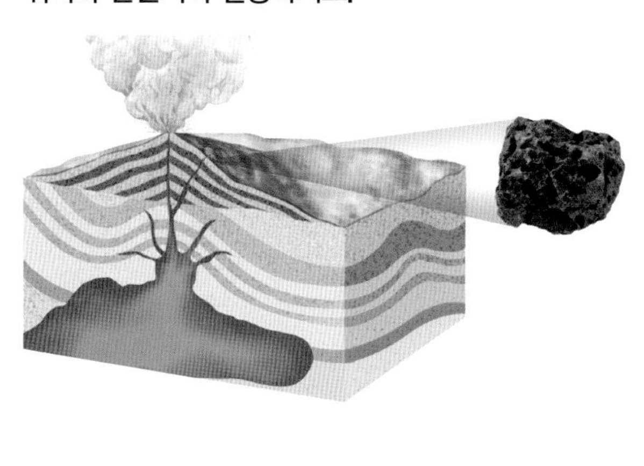

4 다음은 화산이 분출할 때 나오는 화산 분출물 중 화산재의 모습입니다. 화산재가 우리 생활에 주는 피해를 한 가지 쓰시오.

정답과 해설 48쪽

5 다음과 같이 세계 여러 지역에서 땅이 갈라지고 흔들리는 자연 현상이 자주 발생합니다. 물음에 답하시오.

(1) 위 자연 현상은 무엇인지 쓰시오.

( )

(2) 위의 자연 현상이 발생하는 까닭을 쓰시오.

6 지진 발생 모형실험을 하기 위해 다음과 같이 우드록의 양쪽 끝을 잡고 중심 방향으로 밀었을 때, 우드록에 나타나는 변화를 쓰시오.

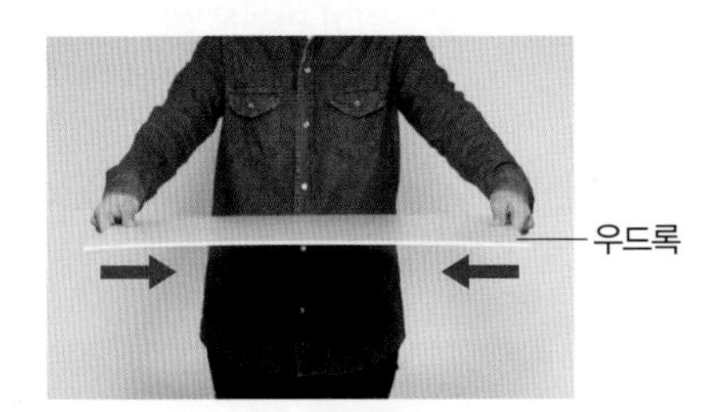

7 다음과 같이 지진의 규모가 같아도 지진의 피해 정도가 다른 까닭은 무엇인지 쓰시오.

연도	발생 지역	규모	피해 내용
2016	에콰도르	7.8	700여 명 사망, 건물 1100여 채 붕괴
2015	네팔	7.8	8천여 명 사망, 가옥 14만 채와 학교 5천여 곳 파괴

8 다음 중 지진이 발생했을 때 대처하는 방법을 잘못 말한 사람의 이름을 쓰고, 대처 방법을 바르게 고쳐 쓰시오.

- 윤우: 흔들림이 멈추면 건물에서는 승강기 대신 계단을 이용해 신속하게 이동해야 해.
- 민혁: 건물 밖에 있을 때 지진으로 땅이 흔들리면 머리를 보호하고 건물이나 벽 주변에서 떨어져 있어야 해.
- 지혜: 지진으로 흔들릴 때 승강기 안에 있을 경우 무조건 가장 아래층의 버튼을 누르고 승강기 안에서 기다려야 해.

단원 핵심 정리

화산 활동으로 나오는 물질

화산	땅속 깊은 곳에서 암석이 녹은 것을 마그마라고 하는데, 화산은 마그마가 분출하여 생긴 지형이다.
화산 분출물	화산이 분출할 때 나오는 물질을 화산 분출물이라고 하며, 화산 분출물에는 기체인 화산 가스, 액체인 용암, 고체인 화산재와 화산 암석 조각 등이 있다.

현무암과 화강암

구분	현무암	화강암
겉모습	어두운색이고, 표면에 구멍이 뚫려 있는 것도 있다. 자료 1	밝은 바탕에 검은색 알갱이가 보이고, 반짝이는 알갱이가 있다.
알갱이의 크기	맨눈으로 구분하기 어려울 정도로 매우 작다.	맨눈으로 구분할 정도로 크다.

▶ 현무암은 마그마가 지표 가까이에서 빠르게 식어서 만들어지고, 화강암은 마그마가 땅속 깊은 곳에서 서서히 식어서 만들어진다.

지진이 발생하는 까닭

구분	지진 발생 모형실험	실제 자연 현상
모습		
비교	우드록	땅
	양손으로 미는 힘	지구 내부에서 작용하는 힘 자료 2
	우드록이 끊어질 때의 떨림	지진

▶ 지진은 땅이 지구 내부에서 작용하는 힘을 오랫동안 받아 끊어지면서 흔들리는 것이고, 지진의 세기는 규모로 나타낸다.

지진 발생 시 대처 방법

지진으로 흔들릴 때	흔들림이 멈췄을 때	

학교에서는 책상 밑으로 들어가 몸과 머리를 보호한다.	건물에서는 승강기 대신 계단을 이용해 대피한다.	학교에서는 선생님의 지시에 따라 대피한다.

▶ 지진이 발생하면 상황과 장소에 맞는 대처 방법에 따라 침착하게 행동한다.

과학 자료

자료 1 암석의 색깔

지구의 표면은 암석으로 이루어져 있고, 암석은 광물로 이루어져 있다. 암석을 자세히 보면 다양한 것들이 섞여 있는 것을 볼 수 있는데, 이것이 바로 광물이다. 광물은 암석을 이루고 있는 기본 알갱이를 의미한다.

암석의 색깔은 어두운색 광물과 밝은색 광물이 얼마나 포함되어 있는지에 따라 결정된다. 특히 현무암은 검은색 광물이 많이 포함되어 있어 색깔이 검다. 화강암은 현무암에 비해 밝은색 광물이 많이 포함되어 있어 색깔이 밝은 편이다.

자료 2 지구 내부에서 작용하는 힘

지구 내부는 지각, 맨틀, 외핵, 내핵 이렇게 4개의 층으로 되어 있는데, 안쪽으로 갈수록 뜨겁다. 지각은 지구의 맨 바깥층으로, 단단한 암석으로 이루어져 있다. 이 단단한 지각이 끊어져 지진이 발생하고, 화산이 폭발하는 까닭은 무엇일까? 바로 지구 내부에서 작용하는 힘 때문이다.

지각 아래에 있는 맨틀에서 온도가 높은 부분은 위로 올라가 양옆으로 퍼지고, 온도가 낮은 부분은 아래로 내려가면서 위에 있는 지각이 따라서 움직이게 된다. 이때 지각의 약한 부분이 끊어지면서 흔들려 지진이 발생하고, 지각 사이가 벌어지면서 마그마가 올라와 화산이 폭발하기도 한다.

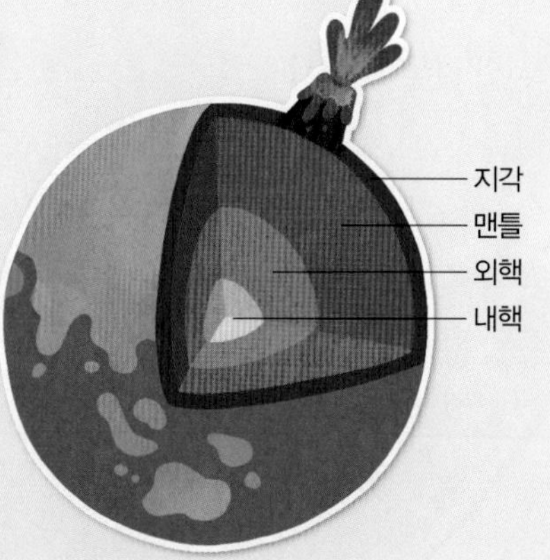

VISUAL SCIENCE

비주얼 사이언스

화산과 지진이 발생하는 까닭

맨틀이 움직이면서 그 위의 지각도 따라 움직인다.
지각의 경계에서 서로 부딪치고 어긋나면서 화산 활동이나 지진이 발생한다.

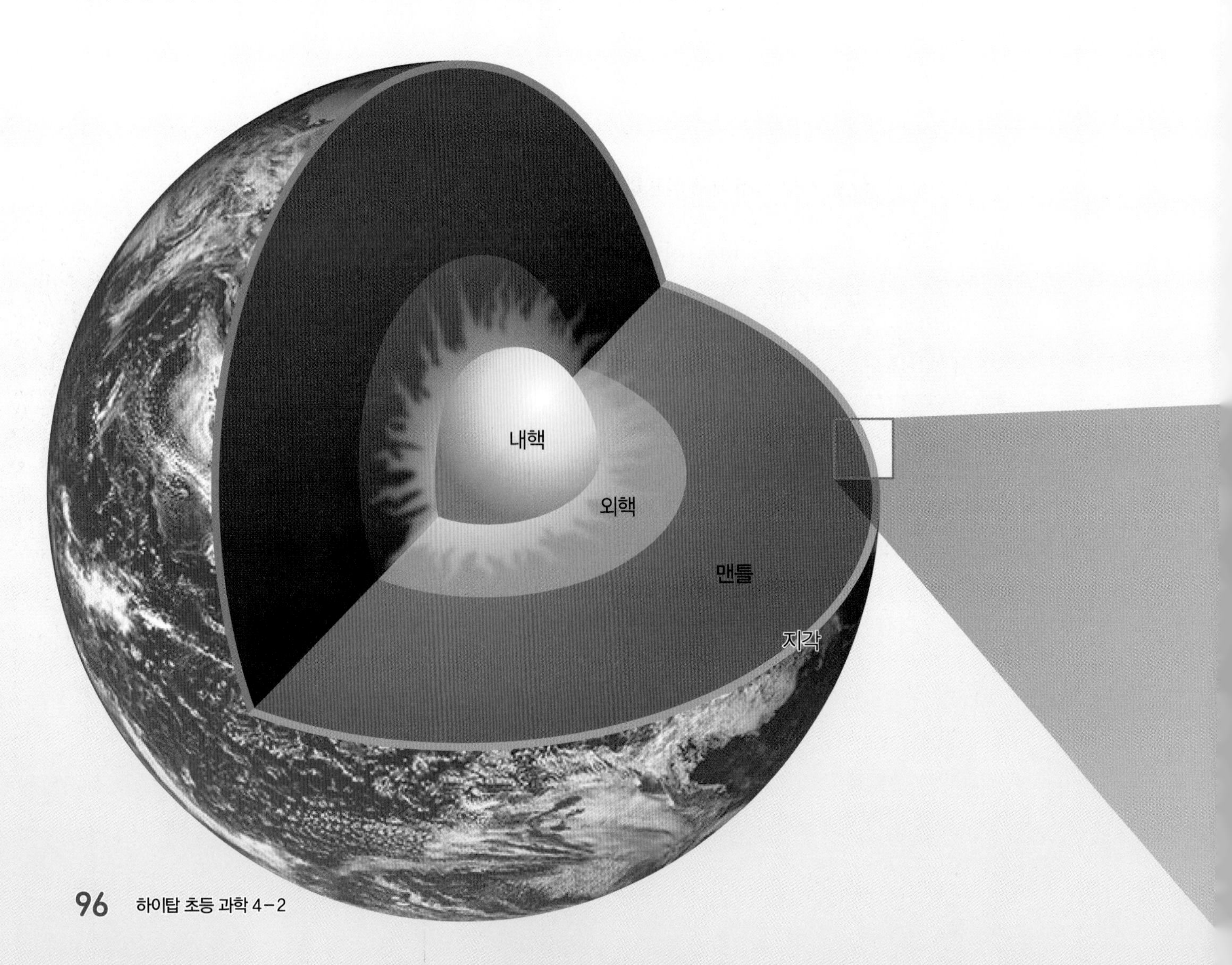

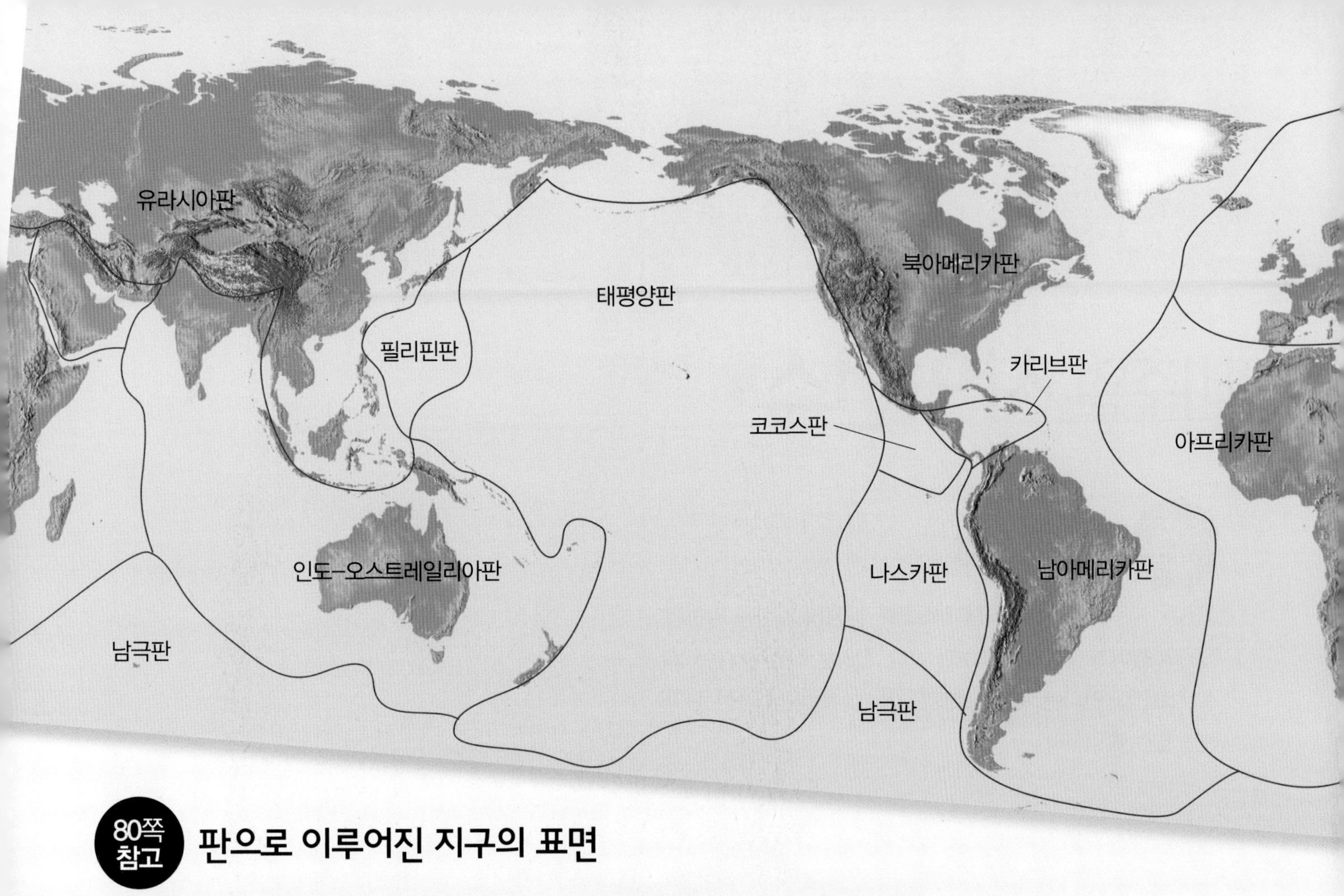

80쪽 참고 판으로 이루어진 지구의 표면

지구의 표면은 단단한 암석으로 이루어져 있는데, 이것을 '판'이라고 한다.
우리나라가 속한 유라시아판과, 태평양판, 인도-오스트레일리아판, 아프리카판, 남극판 등 10개의 주요 판과 여러 개의 작은 판으로 이루어져 있다.

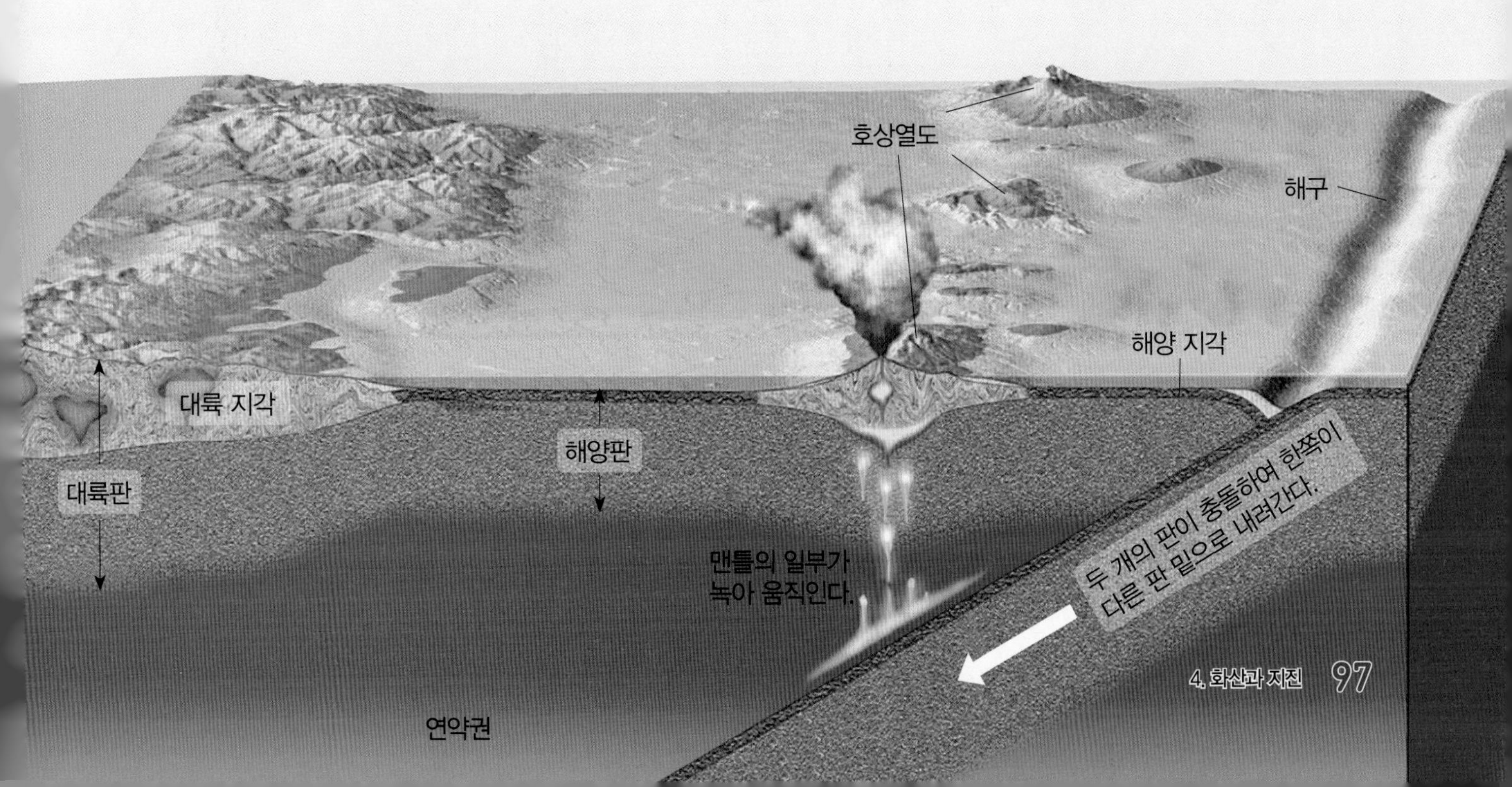

VISUAL SCIENCE

비주얼 사이언스

85쪽 참고

진원과 진앙

진원은 지구 내부에서 지진이 최초로 발생한 지점을 말한다. 진원의 깊이가 얕을수록 피해가 크다. 진앙은 진원에서 수직으로 지표면과 만나는 지점으로, 지진이 발생했을 때 가장 큰 피해를 입는 지역이다.

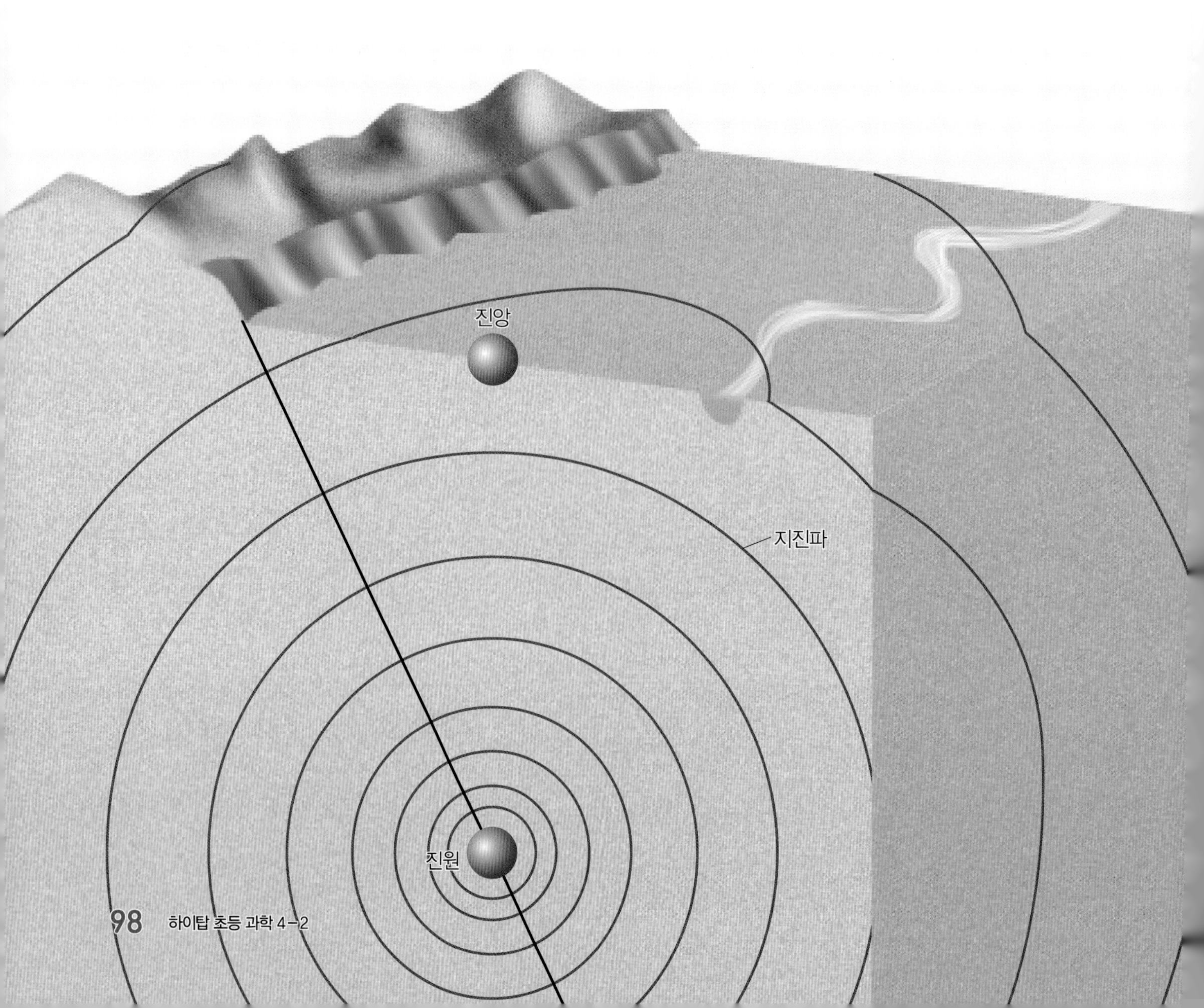

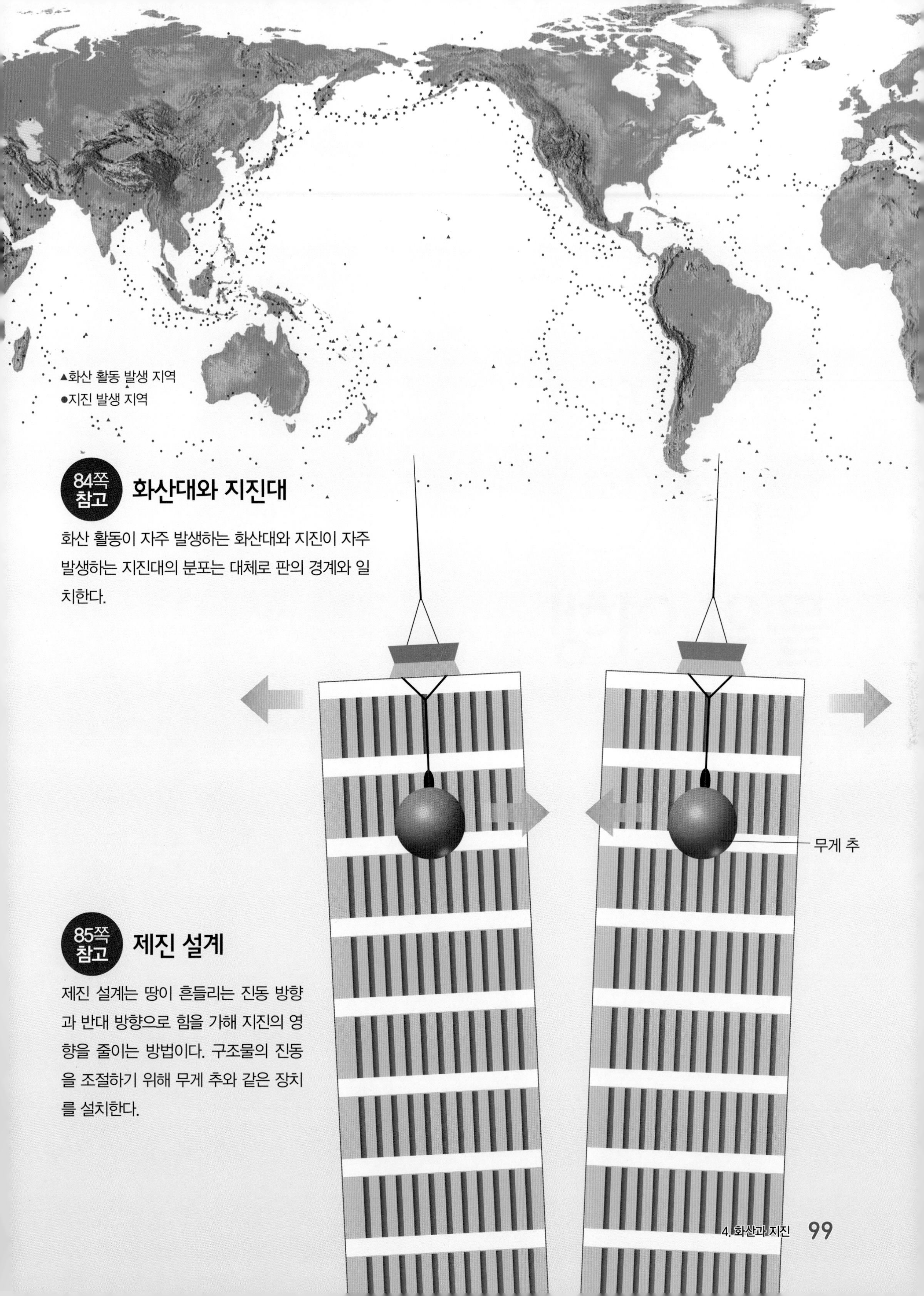

84쪽 참고 화산대와 지진대

화산 활동이 자주 발생하는 화산대와 지진이 자주 발생하는 지진대의 분포는 대체로 판의 경계와 일치한다.

85쪽 참고 제진 설계

제진 설계는 땅이 흔들리는 진동 방향과 반대 방향으로 힘을 가해 지진의 영향을 줄이는 방법이다. 구조물의 진동을 조절하기 위해 무게 추와 같은 장치를 설치한다.

5 물의 여행

1 물의 순환

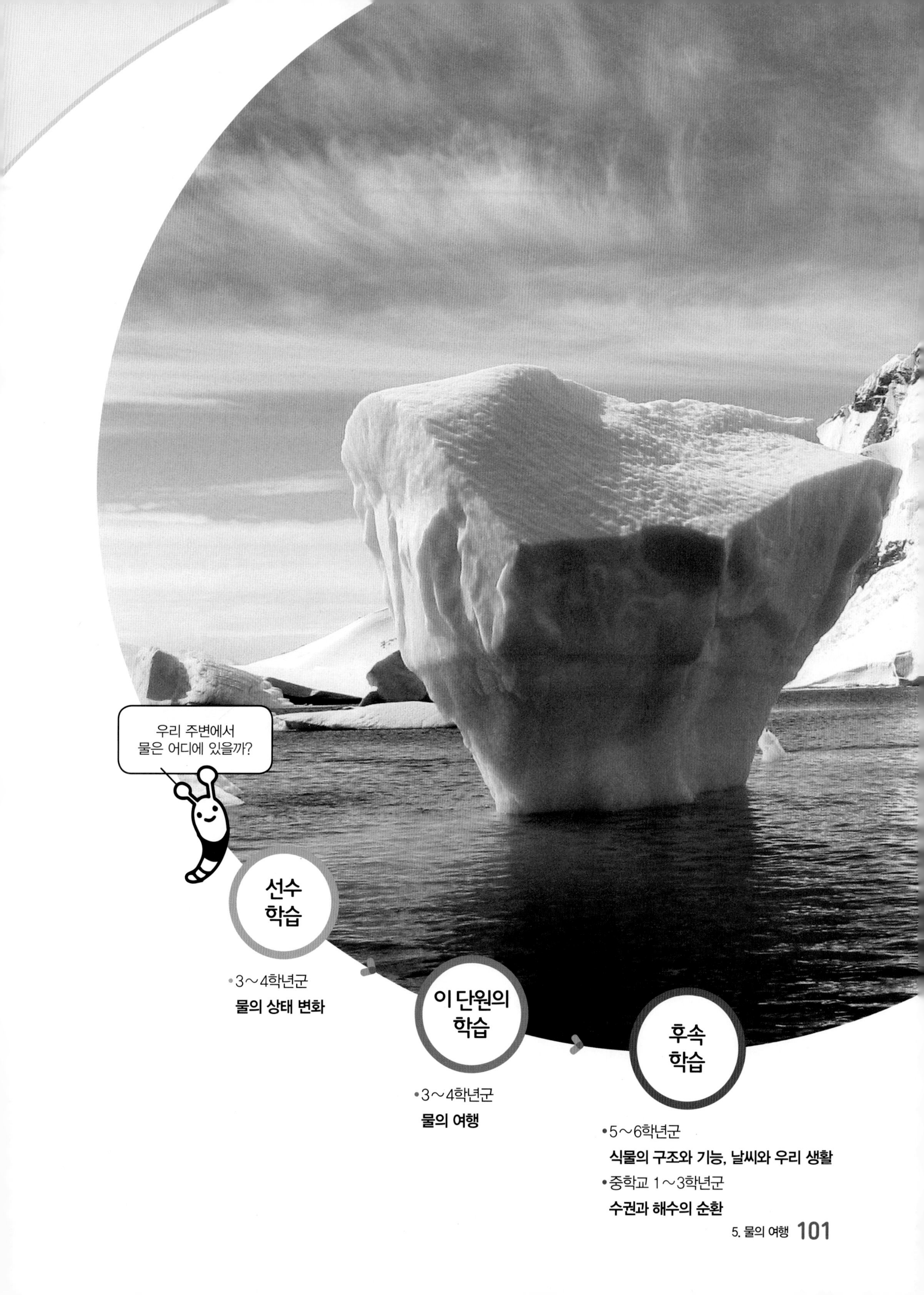
우리 주변에서
물은 어디에 있을까?
선수
학습
•3～4학년군
물의 상태 변화
이 단원의
학습
•3～4학년군
물의 여행
후속
학습
•5～6학년군
식물의 구조와 기능, 날씨와 우리 생활
•중학교 1～3학년군
수권과 해수의 순환

1 물의 순환

개념 강의

만화로 보는 '물 부족'

용어

• **순환** 주기적으로 자꾸 되풀이하여 도는 과정.

물의 여러 가지 모습

- 공기 중에 있는 물: 수증기, 구름, 안개, 비, 눈 등
- 땅 위에 있는 물: 호수의 물·강물·바닷물, 빙하, 동식물의 몸속에 포함되어 있는 물 등
- 땅속에 있는 물: 지하수, 흙에 포함되어 있는 물 등

1. 물의 순환 과정 물은 상태가 변하면서 육지, 바다, 공기 중, 생명체 등 여러 곳을 끊임없이 돌고 도는데, 이러한 과정을 물의 순환이라고 한다. 물은 순환하지만 지구 전체 물의 양은 변하지 않는다. 교과서 속 탐구 104쪽

① 땅에 내린 빗물은 호수와 강, 바다, 땅속에 머물다가 공기 중으로 증발하거나 식물의 뿌리로 흡수되었다가 잎에서 수증기가 된다.

② 공기 중의 수증기가 하늘 높이 올라가 응결하면 구름이 되고, 다시 비나 눈이 되어 바다나 육지로 내린다.

③ 땅에 내린 비나 눈은 땅속으로 스며들거나 강으로 흘러들어 바다로 흘러간다.

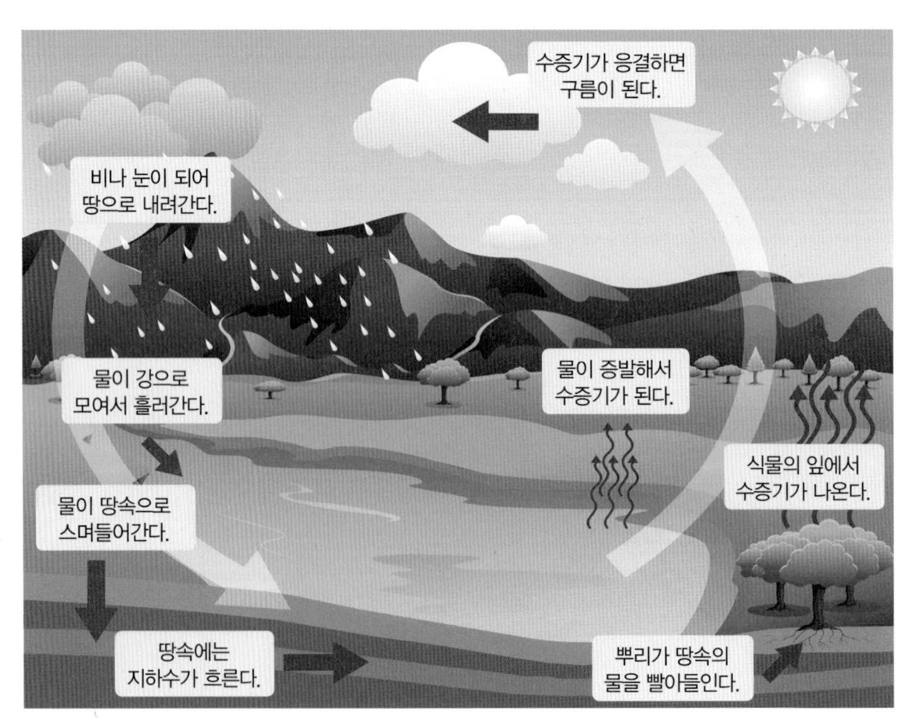

보충 플러스 해수와 담수

물은 바닷물인 해수와 소금기가 거의 없는 담수로 구분한다. 해수가 약 97.5 %로 대부분을 차지하며, 담수는 약 2.5 %로 빙하, 지하수, 호수의 물과 하천수의 형태이다. 우리는 주로 호수의 물이나 하천수를 활용하며, 부족하면 지하수를 활용한다. 그래서 우리가 이용할 수 있는 물의 양은 매우 적다.

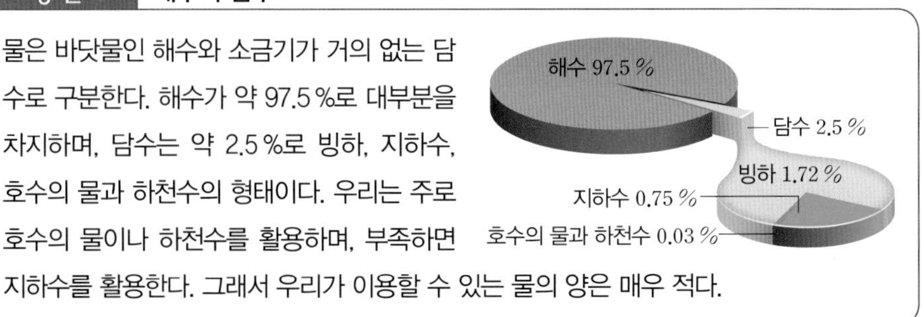

2. 물의 이용 물은 우리 생활에 다양하게 이용되며, 식물이나 동물의 몸속을 순환하면서 생명을 유지시키기 때문에 중요하다. 한 번 이용한 물은 없어지는 것이 아니라 돌고 돌아 다시 만날 수 있다.

▲ 생명을 유지시킨다.

▲ 농작물을 키운다.

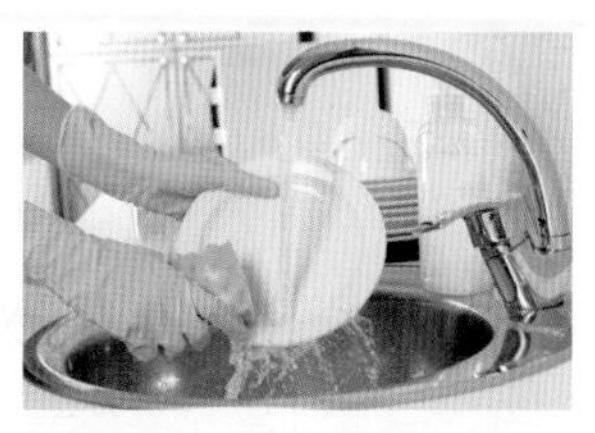

▲ 물건과 주변을 깨끗하게 만든다.

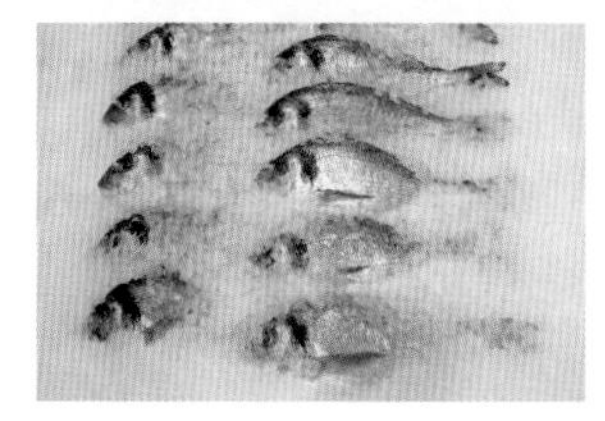

▲ 생선이 상하지 않도록 얼음을 이용한다.

▲ 물이 떨어지는 높이 차이를 이용해 전기를 만든다.– 수력 발전

▲ 공장에서 물건을 만들 때 물을 이용한다.

3. 물 부족 현상 물은 순환하며 물의 양은 변하지 않지만 우리가 이용할 수 있는 깨끗한 물은 점점 줄어들고 있다. 중국, 인도, 아프리카 등은 물이 부족해질 수 있거나 물이 부족한 나라이다. 우리나라도 물이 부족한 나라이다.

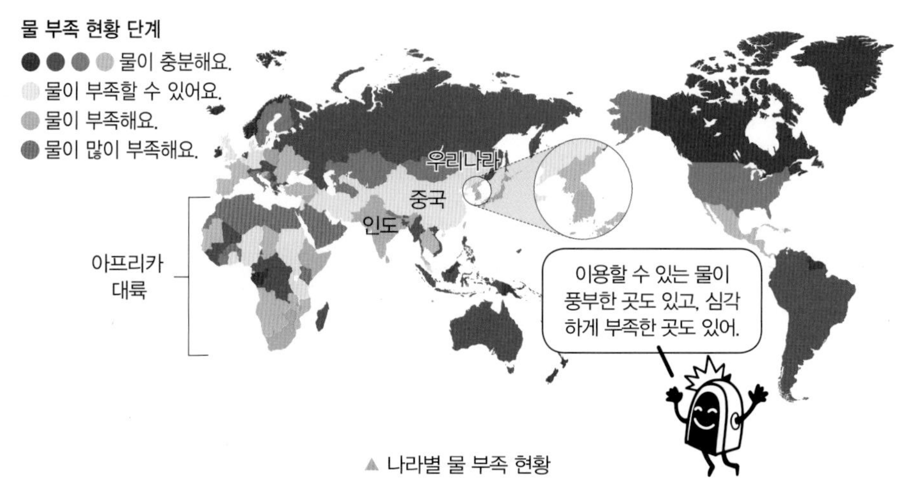

▲ 나라별 물 부족 현황

(1) 물이 부족한 까닭 아프리카처럼 비가 적게 내리고 너무 더워서 물이 빨리 증발되는 지역이 있으며, 사막처럼 변하는 곳이 많아졌다. 인구 증가로 물 이용량이 많아졌지만, 하수 처리 시설은 부족하여 물 오염이 심각해졌다. 산업 발달로 물이 자연적으로 깨끗해지는 속도보다 오염되는 속도가 더 빠르기 때문이다.

(2) 물 부족 현상을 해결할 방법

① 빗물을 모아 화단에 물을 주거나 청소할 때 이용한다.

② 바닷물에 녹아 있는 소금기를 제거할 수 있는 기술을 개발한다.– 해수 담수화

③ 기름기가 있는 그릇은 휴지로 닦고 설거지를 하며, 빨래는 모아서 한다.

우리가 마신 물의 이동

입으로 마신 물은 몸속을 순환하면서 필요한 영양분을 몸 곳곳에 운반해 주고 노폐물은 땀이나 오줌으로 내보낸다. 우리 몸 밖으로 빠져나간 물 중 땀으로 나간 것은 수증기가 되고, 오줌으로 나간 것은 하수 처리 시설을 거친 뒤 하천과 강을 지나 바다로 다시 흘러간다.

와카워터

물이 부족한 아프리카의 어느 한 마을에서는 공기 중의 수증기가 응결하면 물방울이 된다는 것을 이용하여 그물망에 맺힌 물방울을 아래에 놓인 그릇에 모았다.

교과서 속 탐구 "물의 순환 과정 알아보기"

과정

1. 물의 순환 실험 장치를 만든다.
   ❶ 조각 얼음 다섯 개를 투명한 플라스틱 컵에 담는다.
   ❷ 얼음을 넣은 플라스틱 컵을 지퍼 백에 담아 지퍼를 닫는다.
   ❸ 전자저울로 지퍼 백의 무게를 재고 햇볕이 잘 드는 창문에 지퍼 백을 셀로판테이프로 고정한다.
2. 3일 동안 물의 순환 실험 장치에서 어떤 변화가 나타나는지 관찰한다.
3. 3일이 지난 뒤 지퍼 백을 떼어 내 전자저울로 무게를 재고 처음 측정한 무게와 비교한다.

셀로판테이프 / 지퍼 백 / 얼음

결과

▶ **물의 순환 실험 장치의 무게 변화 예**

처음 무게	3일이 지난 뒤 무게
97.6 g	97.6 g

• 지퍼 백 안의 물의 전체 양이 변하지 않는다는 것을 알 수 있다.

▶ **3일 동안 물의 순환 실험 장치에서 일어나는 변화**

1일째	• 지퍼 백 안쪽에 물방울이 맺힌다. • 얼음이 녹아서 플라스틱 컵에 물만 남아 있다.
2일째	• 지퍼 백 안쪽에 맺힌 물방울이 흘러내려 지퍼 백 아래쪽에 물이 모인다. • 플라스틱 컵 안에 물이 있고, 컵 위쪽에는 물방울이 맺혀 있다.
3일째	• 지퍼 백 안쪽에는 물방울이 계속 맺혀 있고, 지퍼 백에 손을 가져다 대면 물방울이 아래로 떨어진다. • 플라스틱 컵 안의 물이 2일째보다 줄어들었다.

알 수 있는 사실 ▶ 플라스틱 컵 안에 있던 얼음이 녹아 물이 되고, 이 물은 증발하여 수증기가 된다. 지퍼 백 안의 수증기는 응결하여 지퍼 백의 아래로 떨어지는데, 이러한 현상이 반복해서 일어난다.

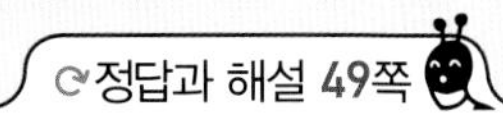
정답과 해설 49쪽

1 오른쪽과 같이 물의 순환 실험 장치를 만들어 여름날 햇볕이 잘 드는 창문에 고정하였습니다. 지퍼 백 안에서 일어나는 물의 상태 변화가 아닌 것을 골라 기호를 쓰시오.

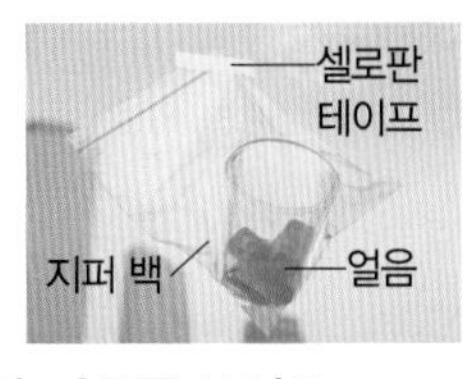

㉠ 얼음 → 물　　㉡ 물 → 얼음
㉢ 물 → 수증기　　㉣ 수증기 → 물

(　　　　　　　　)

2 앞의 1번에서 3일 후에 물의 순환 실험 장치의 무게를 측정하였더니 처음 무게와 같았습니다. 이것을 통해 알 수 있는 사실을 옳게 말한 사람의 이름을 쓰시오.

• 기태: 물은 상태가 변하면서 끊임없이 순환하지만, 전체 양은 변하지 않아.
• 선미: 무게가 같은 것으로 보아 지퍼 백 안에서 물의 상태가 변하지 않는다는 것을 알 수 있어.

(　　　　　　　　)

정답과 해설 49쪽

1 다음 빈칸에 들어갈 알맞은 말을 쓰시오.

> 물은 상태가 변하면서 육지, 바다, 공기 중, 생명체 등 여러 곳을 끊임없이 돌고 도는데, 이러한 과정을 (　　　　)(이)라고 한다.

(　　　　　　　　)

2 물이 순환하는 과정을 나타내는 역할놀이를 할 때, 역할에 맞는 대사를 각각 바르게 연결하시오.

(1) 수증기 •　　• ㉠ "난 하늘 높이 떠 있다가 비나 눈이 되어 땅으로 내려가."

(2) 지하수 •　　• ㉡ "식물의 뿌리가 물을 흡수하면 식물의 잎에서 내가 공기 중으로 나와."

(3) 구름 •　　• ㉢ "비가 내려 땅속으로 스며들면 내가 태어나. 난 땅속을 흘러 다녀."

3 우리가 입으로 마신 물의 이동 과정을 순서에 맞게 기호를 쓰시오.

> ㉠ 하수 처리 시설을 거친다.
> ㉡ 노폐물을 오줌으로 내보낸다.
> ㉢ 하천과 강을 지나 바다로 다시 흘러간다.
> ㉣ 몸속을 순환하면서 필요한 영양분을 몸 곳곳에 운반해 준다.

(　　) → (　　) → (　　) → (　　)

4 다음은 우리 생활에서 물을 이용하는 경우 중 하나에 대한 설명입니다. 빈칸에 들어갈 알맞은 말을 쓰시오.

> 물이 떨어지는 높이 차이를 이용해 (　　　　)을/를 만든다.

(　　　　　　　　)

5 다음 중 우리가 이용할 수 있는 물이 점점 부족해지는 까닭으로 옳지 않은 것을 찾아 기호를 쓰시오.

> ㉠ 인구 증가로 물의 이용량이 많아졌기 때문이다.
> ㉡ 산업 발달로 물이 심하게 오염되고 있기 때문이다.
> ㉢ 비가 적게 내리고, 너무 더워서 증발되는 물의 양이 많은 지역이 있기 때문이다.
> ㉣ 물이 오염되는 속도보다 물이 자연적으로 깨끗해지는 속도가 더 빠르기 때문이다.

(　　　　　　　　)

6 물 부족 현상을 해결하기 위한 방법으로 옳은 것에 ○표, 옳지 않은 것에 ×표 하시오.

(1) 빗물을 모아 화단을 가꿀 때 이용한다. (　　)

(2) 빨래는 더러운 옷이 생길 때마다 바로 한다. (　　)

(3) 양치나 세수를 할 때 물을 계속 틀어 놓는다. (　　)

(4) 기름기가 있는 그릇은 휴지로 닦고 설거지를 한다. (　　)

정답과 해설 50쪽

1 다음 **보기** 중 물에 대한 설명으로 옳지 않은 것을 골라 기호를 쓰시오.

보기
㉠ 지구상에 존재하는 물의 97 % 이상이 바다에 있다.
㉡ 물은 고체, 액체, 기체 세 가지 상태로 존재할 수 있다.
㉢ 물은 구름, 비, 눈, 지하수, 수증기 등 다양한 모습으로 존재한다.
㉣ 사람이 이용할 수 있는 담수의 양은 매우 풍부하기 때문에 아끼지 않아도 된다.

( )

2 다음은 물의 순환 과정을 나타낸 것입니다. ( ) 안에 들어갈 알맞은 말을 각각 쓰시오.

강, 바다, 호수 등에 있는 물이 (㉠)하여 수증기가 된다. 수증기가 하늘 높이 올라가 (㉡)하여 구름이 된다. 구름은 비나 눈이 되어 땅으로 내려와 다시 강, 바다, 호수의 물을 이룬다.

㉠ ( ), ㉡ ( )

3 다음과 같이 땅에 내린 비의 순환 과정에 대한 설명으로 옳은 것에 모두 ○표 하시오.

(1) 강이나 바다로 흘러간다. ( )
(2) 식물의 뿌리로 흡수된다. ( )
(3) 땅속에 스며들어 지하수로 흐른다. ( )

4 다음 중 물이 중요한 까닭을 잘못 말한 사람의 이름을 쓰시오.

- 민지: 물은 한 번 이용하면 없어지기 때문이야.
- 정은: 물은 우리 생활에 다양하게 이용되기 때문이야.
- 윤철: 물은 생물의 몸속을 순환하면서 생명을 유지시켜 주기 때문이야.

( )

5 다음 나라별 물 부족 현황을 나타낸 그림을 보고, 알 수 있는 사실로 옳지 않은 것을 골라 기호를 쓰시오.

㉠ 우리나라도 이용할 수 있는 물이 부족하다.
㉡ 이용할 수 있는 물의 양은 세계 모든 나라에서 풍부하다.
㉢ 이용할 수 있는 물이 풍부한 곳도 있고, 심각하게 부족한 곳도 있다.

( )

6 위 5번 그림에서 아프리카 지역에 물이 많이 부족한 까닭은 무엇인지 지역의 특성과 관련지어 쓰시오.

정답과 해설 51쪽

1 다음은 물의 순환 과정을 나타낸 그림입니다. (가)에 들어갈 알맞은 과정을 쓰시오.

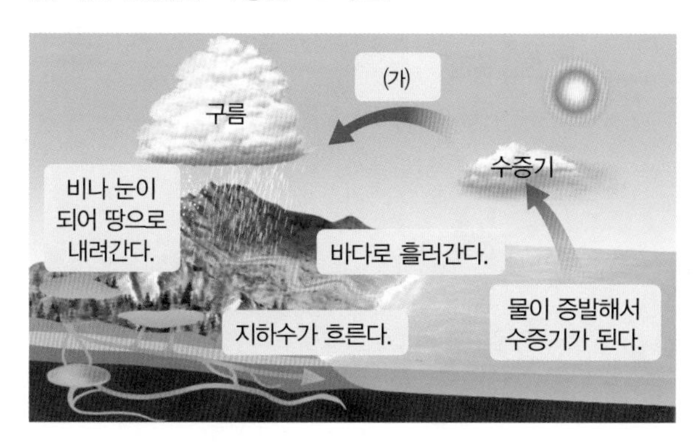

2 물이 순환하는 과정 중 오른쪽과 같은 식물에서 일어나는 물의 순환 과정을 한 가지 쓰시오.

3 다음과 같이 물은 우리 생활에서 다양하게 이용됩니다. 이 외에 물을 이용하는 경우를 두 가지 쓰시오.

▲ 물이 떨어지는 높이 차이를 이용해 전기를 만든다.

▲ 공장에서 물건을 만들 때 물을 이용한다.

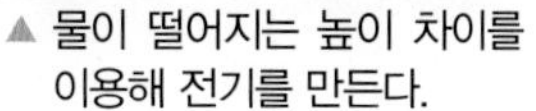

4 다음 신문 기사에 나온 내용과 같이 바닷물을 담수로 바꾸는 장치를 개발하는 까닭은 무엇인지 쓰시오.

최근 우리나라에서는 바닷가에서 자라는 맹그로브의 뿌리를 모방한 해수 담수화 장치를 개발하고 있다. 일반적으로 식물은 소금기가 있는 지역에서는 살기 힘들지만, 맹그로브의 뿌리는 소금기를 제거하는 기능이 있어 바닷가에서도 살 수 있다. 이를 이용하면 저렴하고 효율적으로 바닷물을 담수로 바꿀 수 있다.

▲ 맹그로브

단원 핵심 정리

물의 순환

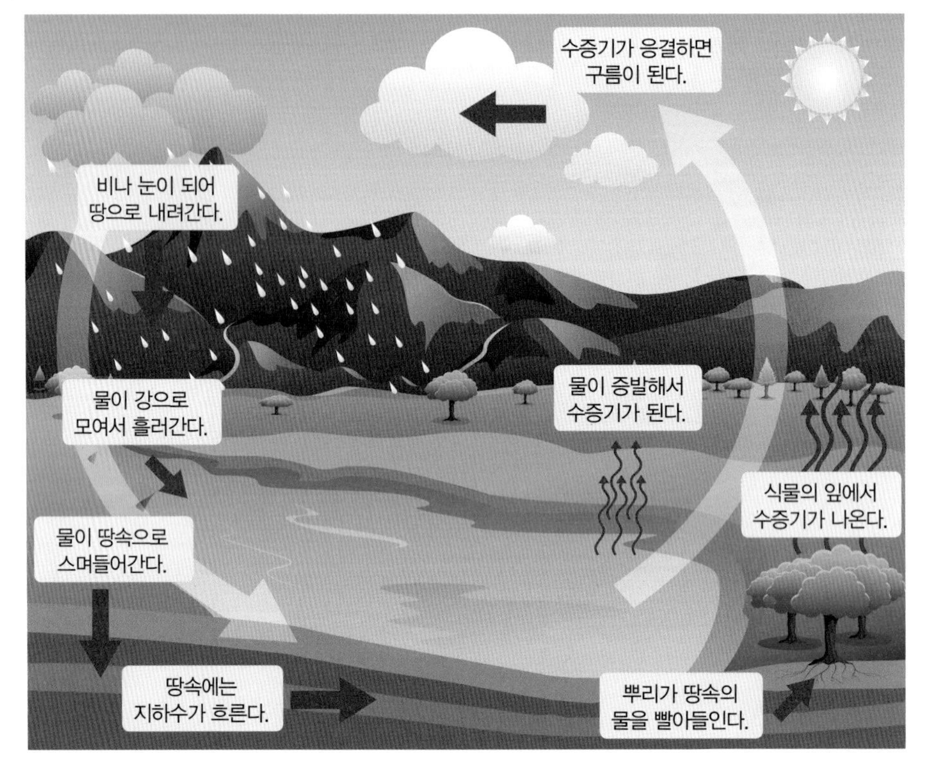

▶ 물이 상태를 바꾸면서 육지, 바다, 공기 중, 생명체 등 여러 곳을 끊임없이 순환하지만, 지구 전체 물의 양은 변하지 않는다.

우리 생활에서 물을 이용하는 예

생명체에 필요한 영양분을 공급한다.	농작물을 키우는 데 물이 필요하다.	물이 떨어지는 높이 차이를 이용해 전기를 만든다. 자료 1	공장에서 물건을 만들 때 물을 이용한다.

▶ 물은 우리 생활에 다양하게 이용되며, 생물의 몸속을 순환하면서 생명을 유지시키기 때문에 중요하다.

물 부족 현상

물 부족 현상의 원인	물 부족 현상의 해결 방법
• 인구 증가로 물 이용량이 늘어난다. • 산업이 발달하면서 물이 오염되는 속도가 빨라진다. • 비가 적게 내리고, 너무 더워서 증발되는 물의 양이 많은 지역이 있다. • 사람들이 물을 낭비한다.	• 빨래는 모아서 한꺼번에 한다. • 기름기가 있는 그릇은 휴지로 닦고 설거지를 한다. • 빗물을 모아 화단에 물을 주거나 청소할 때 이용한다. 자료 2 • 바닷물을 식수로 바꾸는 장치를 이용한다.

▶ 우리가 이용했던 물을 다시 이용할 수 있을 때까지는 시간과 비용이 많이 들기 때문에 물을 아껴 쓰고 소중히 다루어야 한다.

자료 1 수력 발전

에너지란 일을 할 수 있는 능력을 말한다. 운동 에너지, 위치 에너지, 빛에너지, 전기 에너지, 열에너지 등이 있다. 에너지는 한 가지 형태로 고정되어 있는 것이 아니라 다른 형태의 에너지로 바뀌기도 한다.

보통 수력 발전소의 구조는 높은 곳의 물을 막는 댐과 아래쪽의 터빈으로 되어 있다. 높은 곳에 있는 물은 위치 에너지를 가지고 있다. 물이 아래로 떨어지면서 운동 에너지로 바뀌어 터빈을 돌리면, 터빈은 다시 전기 에너지로 바꾸어 전기를 만든다. 물이 떨어지는 높이 차이가 클수록 많은 전기를 얻을 수 있다. 이렇게 만든 전기를 우리가 가정에서 사용할 수 있는 것이다.

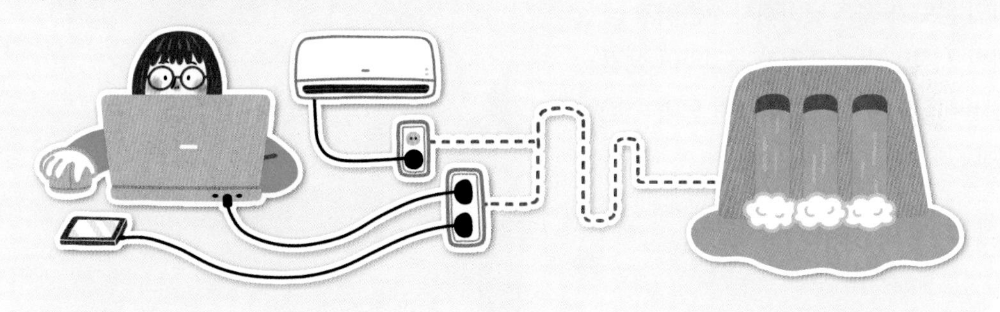

자료 2 바닷물을 먹는 물로 바꾸는 과학 기술

지구의 $\frac{2}{3}$ 이상은 물로 둘러싸여 있다. 그러나 이 물의 대부분은 바닷물이기 때문에 우리가 바로 이용할 수 없다. 또 환경 오염과 기후 변화로 우리가 이용할 수 있는 물도 점점 줄어들고 있다. 그래서 많은 나라에서는 바닷물을 우리가 이용할 수 있는 생활용수나 공업용수로 바꾸는 '해수 담수화 기술'을 연구한다. 우리나라는 세계에서도 매우 우수한 해수 담수화 기술을 보유하여 이러한 기술을 다른 나라에 수출하기도 한다.

대표적인 기술은 증류법이다. 바닷물을 가열해 증발시킨 후 수증기를 다시 냉각시켜 순수한 물을 얻는 것이다. 이 외에도 여러 가지 해수 담수화 기술이 있으며, 우리가 이용할 수 있는 물을 늘리기 위해 연구하고 있다.

VISUAL SCIENCE

비주얼 사이언스

구름의 생성 과정

공기 덩어리가 하늘 높이 올라갈수록 공기의 양이 줄어들어 부피가 커진다. 공기 덩어리의 온도가 점점 낮아져서 수증기가 응결하기 시작한다. 수증기가 응결하여 생긴 작은 물방울이나 얼음 알갱이가 모여 구름이 된다.

해수의 층상 구조

해수는 깊이에 따른 수온 분포를 기준으로 혼합층, 수온 약층, 심해층으로 구분한다.

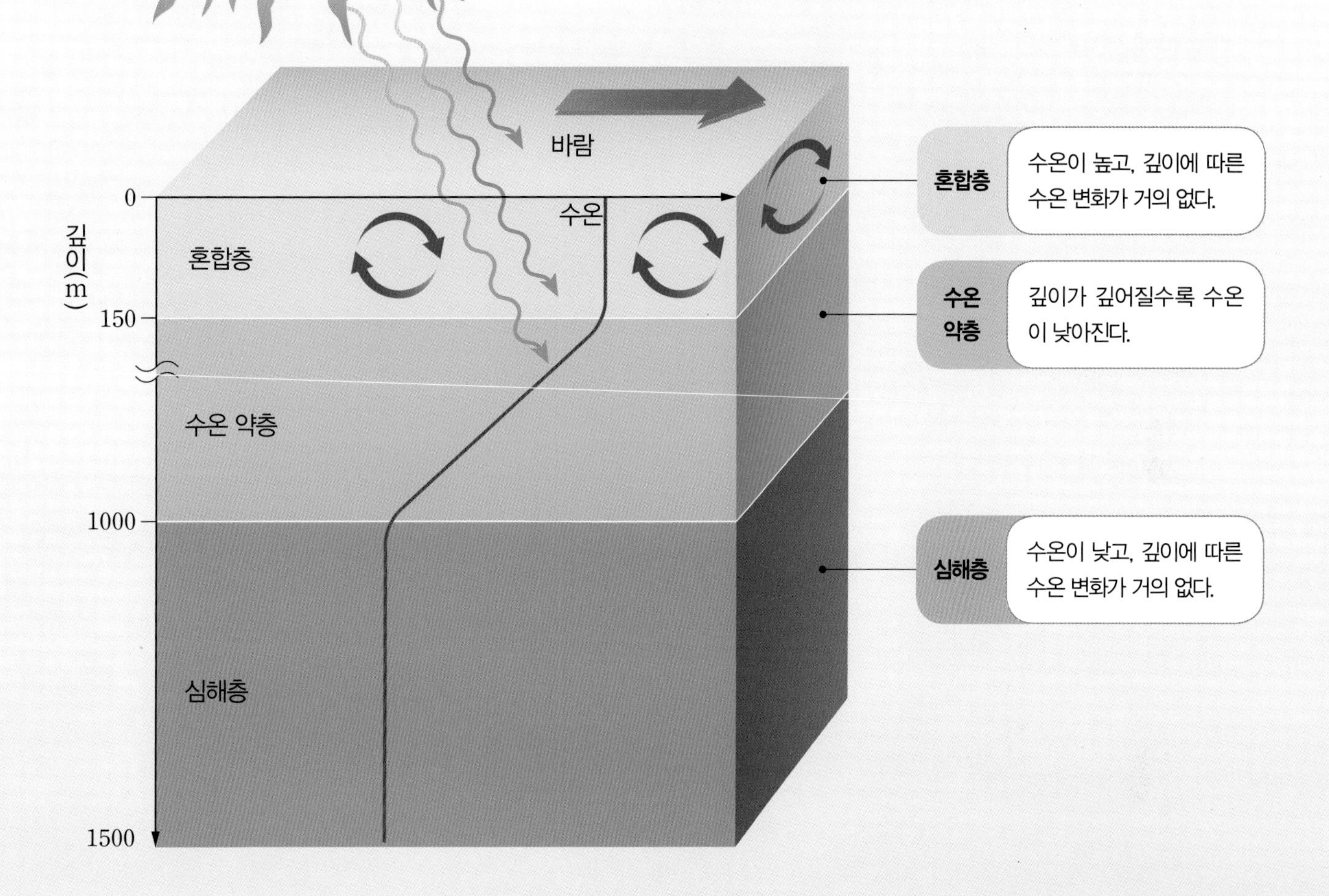

지하수의 가치

지하수는 담수 중 두 번째로 많은 양을 차지하며, 하천수나 호수에 비해 양이 풍부하다. 또, 간단한 정수 과정을 거치면 바로 사용할 수 있으며, 빗물이 지층의 빈틈으로 스며들어 채워지기 때문에 지속적으로 활용할 수 있다.

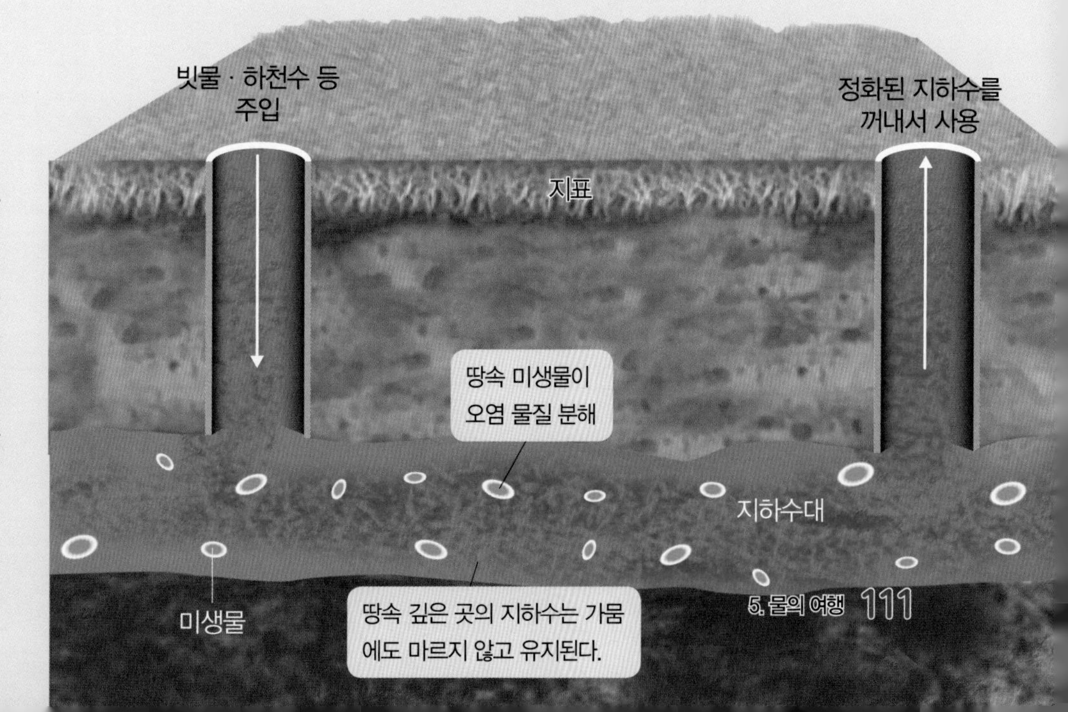

Where there is a will,
there is a way.